أحمد سعداوي: فرانكشتاين في بغداد، رواية

أحمد سعداوي

فرانكشتاين في بغداد

رواية

منشورات الجمل

أحمد سعداوي: روائي وشاعر عراقي. مواليد بغداد ١٩٧٣. صدر له: **عيد الأغنيات السيئة**، شعر، مدريد ٢٠٠١؛ **البلد الجميل**، رواية، بغداد ٢٠٠٤، حازت الجائزة الأولى للرواية العربية في دبي ٢٠٠٥؛ **إنه يحلم أو يلعب أو يموت**، رواية، دمشق ٢٠٠٨، حازت جائزة هاي فاستيفال ٢٠١٠، بيروت ٣٩.

أحمد سعداوي: **فرانكشتاين في بغداد**، رواية، الطبعة الرابعة ٢٠١٤

كافة حقوق النشر والاقتباس والترجمة
محفوظة لمنشورات الجمل، بيروت - بغداد ٢٠١٣

تلفون وفاكس: ٠٠٩٦١ ١ ٣٥٣٣٠٤
ص.ب: ١١٣/٥٤٣٨ ـ بيروت ـ لبنان

© *Al-Kamel Verlag* 2013

Postfach 1127 . 71687 Freiberg a. N. - Germany
WebSite: www.al-kamel.de
E-Mail: alkamel.verlag@gmail.com

«إني أطلب منك ألا تصفحَ عني. استمع إليَّ، قم إذا استطعت وإذا شئت دمّر عمل ما صنعت يداك»

فرانكنشتاين/ ميري شيلّي

«أمر الملك بوضع القدّيس في المعصرة حتى تهرّأ لحمه وأصبح جسده أجزاء متناثرة حتى فارق الحياة، فطرحوه خارج المدينة، لكن الربّ يسوع جمعه وأقامه حيّاً، وعاد ثانيةً الى المدينة»

عن: قصة العظيم في الشهداء مارگورگيس المظفّر

«أنتم يا من تسمعون هذه التسجيلات الآن؛ إن لم تكن لديكم الشجاعة لمساعدتي في مهمتي الجليلة، فحاولوا، على الأقل، أن لا تقفوا في طريقي»

الشِسْمه

تقريرٌ نهائيّ

سرّي للغاية

أولاً: بشأن عمل «دائرة المتابعة والتعقيب» المرتبطة جزئياً بالإدارة المدنية لقوات الائتلاف الدولي في العراق، توصلت لجنة التحقيق الخاصة التي تم تشكيلها برئاستنا من ممثلين عن المؤسستين الأمنية والاستخبارية العراقية ومراقبين من الاستخبارات العسكرية الأميركية، الى التالي:

أ) تم في ٢٥ أيلول ٢٠٠٥ وتحت ضغط سياسي مباشر من الجانب العراقي تجميد عمل دائرة المتابعة والتعقيب جزئياً لأغراض التحقيق، وقامت لجنتنا باستدعاء مديرها العميد سرور محمد مجيد ومساعديه، وتم الاطلاع منهم على نوعية العمل الذي كانوا يتصدون له منذ تشكيل سلطة الائتلاف المدني في نيسان ٢٠٠٣ وحتى ساعة اجراء التحقيق. وتبين أن الدائرة تقوم بعمل هو خارج اختصاصها الذي ينحصر بأمور مكتبية تخص أرشفة المعلومات وخزن وحفظ الملفات والوثائق. وأنها كانت توظف، تحت ادارة العميد سرور مباشرةً، مجموعة من المنجّمين وقارئي الطالع، برواتب مرتفعة تصرف من الخزينة العراقية وليس من الجانب الأميركي. وينحصر عمل هؤلاء، حسب افادة العميد سرور للجنتنا، بوضع توقعات للحوادث

٧

الأمنية الخطرة التي كانت تحدث في مدينة بغداد ومناطق أخرى مجاورة لها. ولم يتضح للجنة مستوى تدخل هذه التوقعات في الحوادث الأمنية، أو وجود جدوى عملية منها.

ب) تبين للجنة أن عدداً من الملفات المحفوظة تم تسريبها من داخل الدائرة وجرى على إثرها ضبط جميع العاملين في الدائرة لقضايا التحقيق بهذا الموضوع.

ج) تم الكشف، من خلال فحص الحواسيب التي تستعملها الهيئة، عن وثائق مصورة تم ارسالها بالبريد الإلكتروني الى شخص ترمز له بعض الرسائل باسم «المؤلف»، ومن خلال التحريات، تم التوصل الى هذا الشخص، وإلقاء القبض عليه في محل اقامته في فندق الفنار في شارع أبي نواس. وخلال التحقيق معه لم نعثر على أية وثائق، أو مستمسكات لها صلة بدائرة المتابعة والتعقيب.

د) تم العثور مع «المؤلف» على نص لقصة كتبها بالاستفادة من المعلومات المتضمنة في بعض وثائق دائرة المتابعة والتعقيب. وهي بحدود المئتي صفحة مقسمة الى سبعة عشر فصلاً. وبعد فحص النص من قبل خبراء تابعين للجنتنا، كانت التوصية بأن هذا النص لا يمثل خرقاً لأي مادة قانونية، ولكن لدواع احترازية أوصت لجنة الخبراء بمصادرة النص، وتوقيع «المؤلف» قبل الإفراج عنه على تعهد خطي بعدم نشر المعلومات الواردة فيه بأي طريقة، وعدم إعادة كتابة القصة ذاتها مرّة ثانية.

ثانياً: التوصيات:

أ) توصي اللجنة بنقل العميد سرور محمد مجيد من دائرة المتابعة والتعقيب، مع مساعديه، وإعادة الهيئة الى عملها الأصلي الخاص

بالارشفة والتوثيق حصراً، وتسريح الموظفين العاملين بصفة منجّمين وقارئي طالع. وضرورة التحفظ على موضوع الأخطاء التي ارتكبتها هذه الهيئة خلال السنوات الماضية، وحفظ الوثائق الخاصة بعملها.

ب) اكتشفت اللجنة عدم صحة البيانات الشخصية التي قدمها «المؤلف» عن هويته، لذا توصي بإعادة اعتقاله والتحقيق معه مرّة أخرى للكشف عن هويته الأصلية، وأي معلومات لها صلة بعمل هيئة المتابعة والتعقيب والأشخاص الذين كانوا يتعاونون معه داخل الهيئة، وتقدير مستوى ما يمثله هذا الموضوع من تهديد لأمن البلاد.

توقيع
رئيس اللجنة

الفصل الأول

المجنونة

ـ ١ ـ

حدث الانفجار بعد دقيقتين من مغادرة باص الكيا الذي ركبت فيه العجوز إيليشوا أم دانيال. التفت الجميع بسرعة داخل الباص، وشاهدوا من خلف الزحام، وبعيون فزعة، كتلة الدخان المهيبة وهي ترتفع سوداء داكنة الى الأعلى في موقف السيارات قرب ساحة الطيران وسط بغداد. شاهدوا ركضَ الشباب باتجاه موقع الانفجار وارتطام بعض السيارات برصيف الجزرة الوسطية أو بعضها ببعض وقد استولى الارتباك والرعب على سائقيها، وسمعوا حشد أصوات بشرية متداخلة؛ صراخٌ غير واضح ولغطٌ ومنبهات سيارات عديدة.

ستقول جارات العجوز إيليشوا في زقاق ٧؛ أنها غادرت حي البتاويين، ذاهبة الى الصلاة في كنيسة مارعوديشو قرب الجامعة التكنولوجية، كما تفعل صباح كل أحد، ولهذا حصل الانفجار. فهذه العجوز، كما يعتقد الكثير من الأهالي، تمنع ببركتها ووجودها بينهم، حدوث الأشياء السيئة. ولهذا بدا من المنطقي، أن يحصل ما حصل صباح هذا اليوم.

كانت إيليشوا جالسة في سيارة الكيا مستغرقة مع نفسها وكأنها مصابة بالصمم أو غير موجودة ولم تسمع بالانفجار المهول الذي

حصل خلفها على مسافة مئتي متر تقريباً. تتكوّم بجسدها الضئيل في الكرسي بجوار النافذة، تنظر من دون أن ترى شيئاً، وتفكّر بطعم فمها المر، وكتلة الظلام التي تكبس على صدرها منذ أيام.

سيذهب هذا الطعم المر ربما خلال التناول بعد القدّاس في كنيسة مارعوديشو. ستسمع أصوات بناتها وأولادهن عبر الهاتف فتنسحب العتمة من صدرها قليلاً وترى نوراً في عينيها الغائمتين. في العادة ينتظر الأب يوشيّا رنين هاتفه المحمول ليخبرها بأن ماتيلدا تتصل، أو ربما تنتظر ساعة أخرى بعد فوات موعد المكالمة لتطلب من الأب ان يتصل برقم ماتيلدا بنفسه. هذا ما يتكرر دائماً كل أحد، على الأقل منذ سنتين، فقبلها كان اتصال بناتها غير منتظم، ويجري على الهاتف الأرضي للكنيسة، ولكن، منذ ضرب الأميركان لبدالة العلوية بالصواريخ، ثم دخولهم الى بغداد، وانقطاع الاتصالات الهاتفية لشهور طويلة، وتحول المدينة الى مكان موبوء بالموت، صار التأكد من سلامة العجوز اسبوعياً أمراً ملحاً. في البداية، بعد بضعة أشهر صعبة، كان الاتصال يجري من هاتف الثريا الذي منحته منظمة إنسانية يابانية لكنيسة مارعوديشو وراعيها الاب الآثوري الشاب يوشيّا، ثم بعد دخول شبكات الهاتف المحمول، اقتنى الأب يوشيّا هاتفاً وصارت المكالمات تجري من خلاله. يقف ابناء الرعية بعد انتهاء القداس بالدور لسماع أصوات ابنائهم وبناتهم المتوزعين على أرجاء الأرض. وكثيراً ما كان يدخل الكنيسة اناس من ازقة حي گراج الأمانة، الذي تتوسطه الكنيسة، مسيحيون من طوائف أخرى ومسلمون، بقصد الاتصال الهاتفي المجاني مع أقاربهم في الخارج. ثم خفّ الضغط لاحقاً على الأب يوشيّا مع انتشار الهواتف المحمولة، واقتناء الكثيرين لها، ما سوى العجوز إيليشوا المكتفية بطقس مكالمة الأحد.

تأخذ إيليشوا أم دانيال هاتف نوكيا الصغير بيدها المعروقة اليابسة، تضعه على اذنها وتسمع الأصوات الأليفة لبناتها فيذهب الظلام فجأة، وتهدأ روحها، وبعد منتصف النهار تعود الى ساحة الطيران لترى أن كل شيء هادئ تماماً كما تركته صباحاً. الأرصفة نظيفة والسيارات التي احترقت تم سحبها. الميتون الى الطب العدلي والجرحى الى مستشفى الكندي. بعض الزجاج المهشم هنا أو هناك. عمود متسخ بالدخان، حفرة صغيرة أو كبيرة في إسفلت الشارع، وأشياء أخرى لا تتمكن، بسبب بصرها الغائم، من رؤيتها أو الانتباه لها.

ولكن القدّاس انتهى. تأخرت ساعةً إضافية. جلست في صالة المناسبات الملحقة بالكنيسة، وبعد ان صفّت النساء صحون الطعام الذي يجلبنه في العادة معهن على الطاولات، تقدمت وأكلت مع الجميع لكي تشغل نفسها. أجرى الأب يوشيّا محاولة اخيرة يائسة للاتصال بماتيلدا ولكن هاتفها كان خارج التغطية، على الأغلب فقدت ماتيلدا هاتفها، سرق منها في الشارع أو في أحد الاسواق في ملبورن باستراليا حيث تقيم. ارتكبت خطأً ما بعدم كتابة رقم الأب يوشيّا في دفتر أو أي عذر آخر. لا يفهم الأب الأمر بشكل جيد، ولكنه، مع ذلك، ظل يتحدث مع أم دانيال محاولاً مواساتها، وبعد ان بدأ الجميع يخرجون من الكنيسة تبرع الشماس العجوز نادر شموني ان يوصلها بسيارته الفولگا القديمة الى بيتها، ولكنها لم تعلق بشيء. ها هو الاسبوع الثاني ينقضي دون مكالمة. لم تكن تشعر بحنين جارف الى سماع الأصوات الأليفة. إنه الاعتياد ربما، وشيء آخر أكثر أهمية؛ من خلال بنتيها تستطيع ان تتحدث عن دانيال. لا أحد يستمع لها بشكل مخلص حين تتحدث عن ولدها الذي فقدته قبل عشرين عاماً سوى بنتيها والقديس ماركوركيس الشهيد الذي تصلّي لروحه كثيراً وتعتبره

قدّيسها الشخصي، ويمكن إضافة قطها الهرم «نابو» ذي الفرو المتساقط والذي يكثر من النوم. حتى النساء في الكنيسة، أصبحن أكثر برودة حين تتحدث أمامهن عن ولدها الذي فقدته في الحرب. لا جديد لدى العجوز، إنها تكرر الكلام ذاته، كذلك الأمر مع جاراتها العجائز. بعضهن لا يتذكر شكل دانيال هذا رغم أنهن يعرفنه، فهو، على أية حال، شخص ميت واحد مرّ على ذاكراتهن التي ملئت واتخمت بالميتين خلال سنوات طويلة. وكلما تقادمت السنوات تخسر العجوز إيليشوا مؤيدين سابقين بيقينها الغريب أن ولدها الذي له قبرٌ بتابوت فارغ في مقبرة كنيسة المشرق ما زال حياً.

لم تعد تتحدث مع أحد عن خرافتها هذه، تنتظر، فحسب، صوت ماتيلدا أو هيلدا عبر الهاتف فهما تتحملان كلام العجوز مهما بدا غريباً. تفهم البنتان أن الأم تستعمل ذكرى ولدها الراحل كي تستمر في العيش لا أكثر. ليس من الضروري شرح ذلك للعجوز، ولا بأس بمسايرتها.

يقودها الشماس العجوز نادر شموني بسيارته الفولگا الى مدخل زقاق ٧ في البتاويين، بضعة خطوات وتصل الى باب بيتها. كان المكان هادئاً، فحفلة الموت قد انتهت منذ ساعات طويلة. لكن اثارها ظلّت واضحة للعيان. ربما هو أقوى انفجار يحصل في المنطقة حتى الآن. كانت روح الشماس العجوز منقبضة. لم يتكلم مع أم دانيال بشيء وهو يرصف سيارته بجوار عمود كهربائي. شاهد بقع دم وبقايا شعر من فروة رأس على العمود، كانت البقايا البشرية تبعد بضعة اشبار عن انفه وشاربه الأبيض الكث فداهمه شيء من الخوف.

نزلت أم دانيال وودعته بيدها وهي صامتة. دخلت الزقاق الذي بدا هادئاً. وظلت تسمع صوت خطواتها المتمهلة على الحصى

والنفايات في الزقاق. كانت تعد جواباً في نفسها حين تفتح باب البيت ويرفع «نابو» رأسه إليها وكأنه يسألها: ها؟. . ما الخبر؟

وما هو أهم؛ كانت تعد عتاباً لقديسها وشفيعها مارگورگيس، فقد وعدها ليلة أمس بواحد من ثلاثة أمور؛ تسمع خبراً مفرحاً، أو تهدأ روحها؛ أو ينتهي عذابها.

ـ ٢ ـ

على خلاف كثيرين فان أم سليم البيضه جارة إيليشوا العجوز تؤمن بشدة أن هذه العجوز مبروكة ويد الرحمن على كتفها أينما تحل أو تمضي، وبإمكانها ايراد العديد من الحوادث التي تؤكد إيمانها. ورغم أنها تنتقد العجوز أحياناً بسبب حادثة ما وتسيء الظن بها، إلا أنها سرعان ما تعود الى تبجيلها وتكريمها. تفرش لها بساطاً مضفوراً من شرائط الأقمشة، وتضع لها وسادتين من قطن عن يمينها وشمالها وتسكب لها الشاي بيدها في جلستها معها وبعض نسوة الزقاق تحت الظل في حوشها القديم.

ربما تبالغ وتقول أمام العجوز بشكل صريح ان هذا الحي من حظه أن ينهار ويخسف الله به الأرض منذ زمن بعيد لولا بعض سكّانه المباركين ومنهم أم دانيال.

غير ان هذا الايمان العميق يشبه الدخان الذي تطلقه أم سليم البيضه من أرجيلتها في عصريات الثرثرة؛ يتكاثف ويلتف ويصنع بسحابته البيضاء أشكالاً متموجة قبل أن يرتفع سريعاً ويتلاشى في هواء الحوش. يولد ويموت ها هنا في هذا الفناء الصغير داخل بيت أم سليم العتيق، ولا يغادر عتبة الباب الى الزقاق.

في الخارج يرى الكثيرون، أن هذه العجوز ليست سوى امرأة مصابة بالخرف والنسيان، والدليل انها لا تحتفظ في ذاكرتها لوقتٍ طويل بأسماء الرجال، بعضهم ممن تعرفهم من نصف قرن تنظر إليهم أحياناً بذهول وكأنهم أشخاص انبثقوا في الحي فجأة.

ستشعر أم سليم البيضه وبعض النسوة رقيقات القلب ممن يواظبن على مسامرتها باليأس والاحباط حين تقدم أم دانيال فيما بعد أدلة أكثر على خرفها المؤكد، فتبدأ بسرد الوقائع الغريبة والعجيبة التي حصلت معها والتي لا يصدقها عقل.

يسخر الآخرون، وتشعر أم سليم وصويحباتها بالحزن الشديد؛ فها هو عضو في فريقهن القديم يدخل بقدمه الى الضفة الأخرى المعتمة، وهذا يعني ان الفريق كله أصبح قريباً من هذه الضفة المخيفة والموحشة خطوة أخرى.

ـ ٣ ـ

هناك شخصان هما الأكثر يقيناً بأن العجوز إيليشوا لا مبروكة ولا هم يحزنون، وإنما هي مجرد امرأة مجنونة بشكل ميؤوس منه. الأول هو فرج الدلال صاحب مكتب عقارات «الرسول» المطل على الشارع التجاري وسط البتاويين، والثاني هو هادي العتاگ جارها الذي يسكن في البيت الخرب الملاصق لبيتها.

حاول فرج الدلال أكثر من مرة، خلال السنوات الماضية، إقناع العجوز إيليشوا ببيع بيتها القديم من دون أن ينجح في ذلك. كانت تكتفي بالرفض ولا توضّح الأسباب. ما الذي يجعل عجوزاً مثلها تسكن لوحدها مع قط في بيت كبير يحوي سبع غرف؟ لماذا لا تستبدل هذا البيت بآخر صغير بتهوية وضوء أكثر مع مبلغ مالي يكفيها

للعيش برفاهية لما تبقى لها من أيام في هذه الحياة؟

يتساءل فرج الدلال ولا يعثر على إجابة مقنعة. وبالنسبة لهادي العتاگ، جار العجوز، فهو رجل خمسيني قذر الهيئة غير ودود تفوح منه دائماً رائحة الخمرة، طلب منها أيضاً ان تبيعه الأنتيكات التي تحتشد في بيتها؛ ساعتان جداريتان كبيرتان، طاولات خشبية من الساج باحجام مختلفة. سجاجيد وافرشة وتماثيل صغيرة بحجم الكفّ جبسية وعاجيّة للسيدة العذراء والطفل، تربو على العشرين متوزعة في أرجاء البيت، وأشياء أخرى كثيرة لم يملك هادي العتاگ الوقت الكافي لمعاينتها وإحصائها كلها.

ما حاجتك بهذه الأنتيكات التي يعود بعضها الى الأربعينيات من القرن الماضي؟ لماذا لا تبيعينها حتى تخففي على نفسك مهام التنظيف ونفض الاتربة؟ ذكر العتاگ كلاماً مثل هذا وهو ينظر بعينين جاحظتين الى غرف بيت العجوز، فقادته العجوز الى باب البيت ولم تضف شيئاً على كلماتها الرافضة، جعلته يخرج الى الزقاق وأغلقت الباب خلفه. كانت هذه هي المرة الوحيدة التي اطل بها على بيت العجوز من الداخل، وظلت صورة البيت منطبعة في ذهنه على شكل متحف غريب أو مخزن للأنتيكات المثيرة.

لم يتوقف الرجلان عن تكرار المحاولات، ولأن العتاگ لا يبدو في صورة مقبولة غالباً فمساعيه لا تحظى بالتعاطف الكافي من الجيران والمعارف، بينما حاول فرج الدلال أكثر من مرة دفع النساء المحيطات بأم دانيال لاقناعها بفكرته. وهناك من اتهم فيرونيكا منيب أم آندرو الجارة الأرمنية التي تحضر أحياناً في عصريات أم سليم البيضه بأنها تلقت رشوة من فرج الدلال لقاء إقناعها للعجوز إيليشوا بالانتقال للسكن معها وزوجها العجوز. وتحدث فرج الدلال مع أم سليم أيضاً

والآخرين . لم يفقد الأمل أبداً . بينما ظل هادي العتاگ يزعجها في الطريق بتكرار طلبه مرة بعد أخرى، حتى انشغل عنها لاحقاً، مكتفياً بالنظرات العدائية المتكلفة وكأنه يحاول احراقها بعينيه حين تمر بجواره في الزقاق .

لم تكتف إيليشوا العجوز برفض هذه العروض، وإنما خصت الرجلين بالكراهية . رمت بهما في الجحيم المؤبد . رأت في وجهيهما شخصين جشعين بروحين ملوثتين كبقع حبر على سجادة رخيصة تصعب ازالتها .

كان يمكن إضافة «أبو زيدون الحلاق» الى قائمة المكروهين والملعونين، الرجل الحزبي الذي قاد إبنها من ياقته الى المجهول وفقدته بسبب ذلك، ولكن أبو زيدون اختفى عن انظارها منذ سنوات بعيدة، ولم تعد تصادفه أو تراه، ولم يعد يتحدث الآخرون بسيرته أمامها، منذ ان ترك الحزب وانشغل بامراضه الكثيرة والمتعددة، وتجاهل كل ما يجري من شؤون وأحداث في الحي باكمله .

‏— ٤ —

كان فرج الدلال في بيته حين حدث الانفجار المروع في ساحة الطيران . وبعد ثلاث ساعات من ذلك، أي في حدود العاشرة صباحاً، حين فتح باب مكتب دلالية «الرسول» الذي يملكه في الشارع التجاري وسط البتاويين شاهد الصدوع في الزجاجة الأمامية السميكة والعريضة لواجهة المكتب . ظل يشتم بسبب ذلك، رغم أنه انتبه، خلال الطريق، الى الزجاج المهشم للنوافذ وواجهات المحال في المنطقة جرّاء الانفجار . وشاهد ابا أنمار صاحب فندق «العروبة» الذي يواجهه في الضفة الأخرى من الشارع وهو يقف بدشداشته على الرصيف

مرتبكاً وسط نثار زجاج تطاير من بعض النوافذ العليا في فندقه القديم والمتهالك .

لم يهتم فرج بالصدمة التي بدت على وجه أبي أنمار، فهو لا يكنّ له وداً، وليست بينهما أي علاقة خاصة، هما يقفان، في الواقع، على طرفي نقيض، بما يشبه المنافسة غير المعلنة. فأبو أنمار يعتاش، حاله كحال العديد من أصحاب الفنادق في البتاويين، على العمال والطلبة ومراجعي المستشفيات وعيادات الاطباء والمتبضعين القادمين من المحافظات. وخلال العقد الأخير، بعد سفر العديد من المصريين والسودانيين، ظلت هذه الفنادق تعتمد على زبائن اساسيين، يقيمون بشكل شبه دائم هم بالذات عمال في مطاعم باب الشرقي وشارع السعدون وورش الاحذية وسوق الهرج وبعض المعامل الصغيرة والعاملون كسواق على خطوط الگراجات الرئيسة، وكذلك بعض الطلبة الذين لا يفضلون أجواء الاقسام الداخلية للجامعات. ولكن غالبية هؤلاء اختفوا بعد نيسان ٢٠٠٣، وباتت الكثير من الفنادق شبه مهجورة، ووسط هذا البؤس ينبثق فرج الدلال ليقوم بتمهيد الأرضية للاستيلاء على ما تبقى من زبائن محتملين لأبي أنمار أو غيره من أصحاب الفنادق الصغيرة ومتوسطة الحجم.

استثمر فرج الدلال أجواء الفوضى وغياب الدولة ليضع يده على العديد من البيوت مجهولة المالك داخل المنطقة، وحوّل البيوت المناسبة الى موتيلات صغيرة ورخيصة يقوم بتأجير غرفها الى العمال الوافدين من المحافظات، أو العوائل الهاربة من مناطق مجاورة لأسباب طائفية أو لتداعيات ثأر قديم جرى استعادته بعد زوال النظام السابق.

لم يفعل أبو أنمار شيئاً سوى التذمر والشكوى، فهو مهاجر من

الجنوب قدم في سبعينيات القرن الماضي من دون أقارب أو جماعة تساعده داخل العاصمة، وكان يعتمد، فيما سبق، على سطوة النظام، أما فرج الدلال فله من الأقارب والمعارف الكثير، ومع غياب النظام وانتشار الفوضى كانوا هم قوته الفعلية التي فرض بها سطوته واحترامه على الجميع، وجعل استيلاءه على البيوت المهجورة والمتروكة أمراً شرعياً رغم معرفة الناس بأنه لا يملك أوراقاً تثبت ملكيته لها أو انه استأجرها من الدولة.

بإمكان فرج ان يستثمر هذه القوة المتنامية تجاه العجوز إيليشوا. لقد شاهد بيتها من الداخل لمرتين فقط ووقع في غرامه في الحال. بيت بناه اليهود على الأرجح، أو على وفق العمارة التي كان يفضلها اليهود العراقيون؛ حوش أو باحة داخلية محاطة بعدد من الغرف على طابقين، مع سرداب تحت الغرفة اليمنى المطلة على الزقاق. هناك أعمدة من الخشب المضلع تسند سقف الممر أمام الغرف في الطابق الثاني، وتصنع مع السياج الحديدي المطعم بمساند خشبية مزخرفة شكلاً جمالياً فريداً. بالإضافة الى الأبواب الخشبية ذات الفردتين بمزاليجها الحديد والأقفال والشبابيك الخشبية المدعمة بقضبان اسطوانية داكنة وزجاج ملون، والأرضية المكسية بطابوق الفرشي البديع. أما الغرف فكانت مرصوفة بالكاشي الصغير ذي اللونين الأبيض والأسود وكأنها رقعة شطرنج كبيرة. كانت الفتحة المربعة في الأعلى المطلة على السماء مغطاة فيما سبق بقطعة قماش بيضاء يتم رفعها خلال الصيف. ولكنها غير موجودة الآن. البيت كله لم يعد كما كان في السابق، ولكنه متين، ولم تأكله الرطوبة بشكل واسع، كما هو حال البيوت المماثلة الموجودة في الزقاق. لقد تم ردم السرداب في فترة ما خلال السنوات الماضية، وتم إلغاؤه، ولكن هذا ليس مهماً.

العيب الأكثر ازعاجاً بالنسبة لخطط فرج الدلال هو احدى الغرف في الطابق الثاني المنهارة تماماً والتي تساقط الكثير من طابوقها خلف الجدار الملاصق للبيت المجاور المهدم بالكامل والذي يقيم فيه هادي العتاگ.

الحمام في الطابق الثاني كان مهدماً أيضاً. سيحتاج فرج الى صرف أموال من أجل إجراء تعميرات واصلاحات عديدة ولكن الأمر يستحق.

كان فرج الدلال يفكّر أحياناً بأن طرد عجوز مسيحية لا ظهر لها ولا سند يمكن أن يجري في ظرف نصف ساعة من دون اي مجهود كبير. ولكن صوتاً مضاداً في نفسه يخبره بأنه، في الأصل، يتحرك على أرضية من خرق القوانين والاساءات غير المقصودة لأناس كثيرين، ومن الأفضل ان لا يبالغ فيختبر مشاعر الأهالي تجاه هذه العجوز، فلربما يكون قيامه بعمل سيّئ ضدها سبباً في إيقاد شرارة غضب مكبوت تجاهه. من الأفضل أن ينتظرها كي تموت وحينها لن يتجرأ أحد على دخول البيت سواه. فالكل يعرف مدى تعلقه به، الكل يسلم بأنه المالك القادم لهذا البيت، مهما طال العمر بالعجوز إيليشوا.

ـ خلي عينك بعين الله.!

صاح فرج الدلال بصوته عالياً وهو يمد الحروف مخاطباً أبو أنمار الذي شاهده يصفق براحتيه للتدليل على شعوره بالخسران. انتبه أبو أنمار لكلامه فرفع يديه الى السماء على هيئة دعاء وكأنه يؤمّن على الكلام الروحاني الذي نطق به الدلال، وربما كان يدعو فعلاً، ويقول في نفسه «الله ياخذك» قاصداً هذا الدلال الجشع الذي جلبه القدر ليكون أمامه على مدار الساعة.

ـ ٥ ـ

طردت القط «نابو» من الأريكة في صالة الضيوف ونفضت بيدها شعره المتساقط، رغم أنها لا ترى أي شعرٍ فعلاً، الا انها تأكدت، من خلال تمسيدها على ظهره في بعض الأحيان، ان شعره العجوز يتساقط في كل مكان. وبإمكانها تجاهل الأماكن كلها إلا موضعها الخاص في صالة الضيوف على الأريكة في مواجهة الصورة الكبيرة للقديس ماركوركيس الشهيد التي تتوسط صورتين رماديتين أصغر حجماً مؤطرتين بالخشب المحفور لابنها وزوجها تيداروس. هناك صور أخرى بذات الحجم الصغير للعشاء الأخير ولانزال المسيح من الصليب وثلاث صور بحجم الكف منسوخة عن ايقونات أصلية من القرون الوسطى مرسومة بقلم حبر ثخين والوان باهتة لقديسين من كنائس متعددة لا تعرف اسماء بعضهم لأن زوجها هو من وضعها قبل سنوات طويلة وما زالت على حالها متناثرة ما بين صالة الضيوف وغرفة نومها وغرفة دانيال المقفلة والغرف الأخرى المهجورة.

تجلس ها هنا كل مساء تقريباً لتجدد حواريتها العقيمة مع صورة القديس الشهيد ذي الوجه الملائكي وهو، رغم ذلك، ليس في هيئة روحانية؛ فهذا الملائكي يرتدي درعاً فضياً سميكاً يغطي بصفائحه اللامعة كل جسده مع خوذة مريّشة تسمح لشعر قذاله الاشقر بالظهور متموجاً من تحتها، ورمح طويل مدبب مشرع في الهواء، وكل هذه الهيئة القتالية تجثم على حصان أبيض عضلي البنية يرفع قائمتيه الأماميتين المطويتين في الهواء في محاولة لتجنب فكي غول مفترس بشع المنظر ينبثق من زاوية الصورة وهو يهم بابتلاع الحصان والقديس وكل اكسسواراته الحربية.

كانت إيليشوا تتجاهل بهرجة التفاصيل، ترفع نظارتها السميكة

المعلقة في رقبتها وتضعها على عينيها وتتأمل الوجه الملائكي الهادئ الذي لا يبدو عليه اي انفعال؛ إنه ليس غاضباً ولا يائساً ولا حالماً ولا سعيداً، انه ينفذ مهمته باخلاص لاهوتي.

لا تجد إيليشوا رفاهية في التأملات المجرّدة، انها تتعامل مع شفيعها كشخص قريب؛ عضو في هذه العائلة التي تمزقت وتفرقت، الشخص الوحيد، ما عدا القط نابو، الذي بقي معها، بالإضافة الى طيف ولدها دانيال العائد حتماً ذات يوم. ينظر الآخرون إليها كامرأة وحيدة وهي تعيش، كما تؤمن، مع ثلاثة كائنات، أو ثلاثة اشباح تملك من القوة والحضور ما يكفي لعدم إصابتها بالوحشة.

كانت غاضبة لأن شفيعها لم يحقق لها اياً من وعوده الثلاثة، وهي الوعود التي انتزعتها منه بعد ليالٍ لا حصر لها من التوسل والطلب والبكاء، فهي ترى نفسها تتجه الى الموت، لن يتبقى لها وقت كثير، وهي تريد علامة من الرب بمصير ولدها، حياً فيعود أو ميتاً فتعلم قبره أو المكان الذي فيه رفاته. كانت تريد مواجهة شفيعها بوعده لها، ولكنها انتظرت حلول الليل، فخلال النهار لا تبدو صورة ماركوركيس أكثر من صورة. تبدو جامدة وساكنة تماماً، أما خلال الليل فإن نافذة ما تفتح ما بين عالمها والعالم الآخر. ينزل الرب ليتجسد في هيئة صورة القديس ليتكلم من خلاله مع هذه النعجة البائسة التي افردها قطيع الحياة شيئاً فشيئاً حتى لتكاد تسقط في هاوية الضياع والتخلي الكامل عن الإيمان.

في الليل تنظر على ضوء الفانوس النفطي، فترى تموجات الصورة العتيقة خلف الزجاج الشاحب، ولكنها ترى أيضاً عيني القديس ووجهه الناعم والجميل. تسمع نابو يموء بضجر وهو يغادر الغرفة. ثم ترى عيني القديس وهما تلتفتان ناحيتها. لم يغير القديس

من وضعيته . ما زالت ذراعه الطويلة مرفوعة بالرمح، لكن عينيه تلتفتان إليها الآن:

ـ انت متعجلة يا إيليشوا... قلت لك سيحقق لك الرب هدأة الروح أو نهاية العذاب.. أو تسمعي خبراً يبهجك.. ولكن، لا أحد يفرض على الرب التوقيت المناسب.

ابتدأت جدالها مع القديس لنصف ساعة حتى عادت ملامحه الجميلة الى التصلب والجمود في نظرته الحالمة في إشارة الى شعوره بالارهاق من هذا النقاش العقيم. قرأت صلواتها المعتادة أمام الصليب الخشبي الكبير في غرفة نومها، وتأكدت من نوم نابو في زاوية الغرفة على السجادة الصغيرة المصنوعة على شكل جلد نمر آسيوي قبل أن تتوجه لسريرها لتنام.

في اليوم التالي، بعد ان أفطرت وغسلت مواعينها، وفاجأها الهدير المزعج لطائرات الاباتشي الأميركية وهي تمر بصخب فوق الزقاق؛ شاهدت ولدها دانيال، أو تخيّلت ذلك على الأغلب. شاهدت «دنيّه» كما كانت تسميه دائماً في طفولته وشبابه. تحققت أخيراً نبوءة قديسها الشفيع. نادت عليه فأتاها: تعال يا ولدي... يا دنيّه.. تعال يا دنيّه.

الفصل الثاني

الكذّاب

ـ ١ ـ

كي يجعل لقصته جاذبية أكثر كان هادي العتاگ حريصاً على ايراد التفاصيل الواقعية. وهو يتذكر هذه التفاصيل كلها ويوردها في كل مرة يروي فيها أحداث القصة التي حدثت معه. ها هو في مقهى عزيز المصري على التخت الذي في الزاوية الملاصقة لزجاج واجهة المقهى، يجلس ويمسح على شاربيه ولحيته المفرقة، ثم يطرق بالملعقة الصغيرة بقوة في قعر استكان الشاي ويرشف رشفتين قبل أن يبدأ بسرد الحكاية من جديد، وهذه المرة على شرف بضعة ضيوف جدد اغراهم عزيز المصري بسماع حكايات وأكاذيب هادي العتاگ.

كان الضيوف؛ صحفية ألمانية شقراء ضامرة ترتدي نظارة طبية سميكة تعلو انفاً دقيقاً وشفتين رفيعتين تجلس مع مترجمها العراقي الشاب ومصور فلسطيني بكاميرا محمولة على التخت المقابل لهادي العتاگ بالإضافة الى صحفي شاب أسمر البشرة هو محمود السوادي القادم من مدينة الِعْماره جنوب العراق والمقيم حالياً في فندق «العروبة» العائد لأبي أنمار.

كانت الصحفية الالمانية ترافق محمود السوادي في يوم عمل معتاد من أجل إعداد فيلم وثائقي عن عمل الصحفيين العراقيين داخل

بغداد. تصوره وهو يتجول ويجمع مادته من الشارع، مع تعليقات منه على الأحداث والمصاعب التي يواجهها، ولم تكن تخطط لسماع حكاية طويلة ومعقدة يرويها جامع أنتيكات جاحظ العينين يرتدي ملابس رثة ومبقعة بحرائق السجائر وتفوح منه رائحة مشروبات كحولية. خصوصاً وان خروجها الى شوارع بغداد بهيئتها الملفتة لا يخلو من مجازفة، لذلك لم تفتح الكاميرا واكتفت بالإنصات ريثما تكمل شرب استكان الشاي، تلتفت كل حين الى مترجمها العراقي فيصرف كلاماً كثيراً لتوضيح ما يقوله العتاگ.

لم تصل الى نهاية الحكاية. كان الجو ربيعياً دافئاً، وتفضل صرف المتبقي من نهارها في استنشاق هواء نقي، وعليها، إضافة الى ذلك، العودة الى مكتب الخدمات الاعلامية في فندق الشيراتون من أجل تفريغ اشرطة التسجيل الذي عملته مع محمود السوادي خلال نهار اليوم.

قالت لمحمود وهم يخرجون من المقهى، وقبل أن تودعه:

ـ هذا يروي فلماً... انه يقتبس من فلم شهير لروبرت دي نيرو.

ـ نعم.. هو يشاهد افلاماً كثيرة على ما يبدو.. انه شخص مشهور في المنطقة.

ـ كان عليه أن يذهب الى هوليوود إذن.

قالت ضاحكة قبل أن تركب سيارة البروتون البيضاء العائدة للمترجم.

ـ ٢ ـ

لم يكن الأمر مزعجاً لهادي العتاگ. هناك من يغادر قاعة السينما في منتصف الفلم. الأمر عادي جداً.

ـ أين وصلنا.

قال هادي وهو يرى محمود السوادي يعود ليجلس في التخت المقابل له. توقف عزيز المصري وهو يحمل استكانات الشاي الفارغة في يده وافرد إبتسامة عريضة منتظراً أن يشرع العتاگ في حكايته.

ـ لقد وصلنا الى الانفجار.

قال عزيز المصري.

ـ الانفجار الأول لو الثاني؟

سأل العتاگ.

ـ الأول... في ساحة الطيران.

قال محمود كي يجعله يستأنف الحكاية، منتظراً ان يقع في تناقض ما، فينسى مثلاً بعض التفاصيل أو يحرّفها، حتى يفضح نفسه بنفسه. يسمع محمود الحكاية للمرة الثانية أو الثالثة من أجل هذا فحسب.

كان الانفجار فظيعاً. نظر هادي الى عزيز كي يساعده في التأكيد. لقد خرج هادي راكضاً من المقهى هنا. كان يأكل الباقلاء بالدهن التي يصنعها علي السيد في المحل المجاور ويفطر بها هادي كل صباح. ارتطم في الطريق بأجساد الهاربين من الانفجار. وغزا انفه الدخان من بعيد، دخان الانفجار واحتراق بلاستيك و«كشنات» السيارات وشواء الأجساد. رائحة لن تشم مثلها في حياتك. وتبقى تتذكرها ما حييت.

كان الجو غائماً ينبئ بمطر غزير والعمال يصطفون بإعداد كبيرة على الرصيف المقابل لكنيسة الارمن البيضاء الفخمة ذات المنائر المضلعة والمخروطية بصلبانها السميكة. ينظرون الى الكنيسة الصامتة ويدخنون ويثرثرون أو يشربون الشاي مع الكعك عند بسطات باعة الشاي المتناثرين على الرصيف العريض، أو يأكلون الشلغم أو الباقلاء

في العربات المجاورة لهم. يترقبون وقوف سيارة تطلب عمالاً بأجرة يومية، أو اسطوات للبناء أو التهديم. وعلى مقربة من ذات الرصيف تقف باصات الكيا أو الكوستر وهي تنادي على خطوطها للكرادة والجامعة التكنولوجية، وفي الرصيف المقابل أشياء مشابهة؛ سيارات وبسطات لباعة سجائر وحلويات وملابس داخلية وأشياء كثيرة. وقفت سيارة دفع رباعي رصاصية اللون، فنهض أغلب العمال الجالسين على الرصيف، وحين اقترب بعضهم منها انفجرت بقوة. هذه اللحظة بالذات لم يكن هناك من هو قادر على تحديدها. الأمر جرى في أجزاء من الثواني؛ الذين لم يصابوا بمكروه، بسبب بعدهم عن مكان الحادث، أو لأنهم تغطو بأجساد الآخرين أو كانوا خلف بدن سيارات واقفة أو لأنهم كانوا في أحد الأزقة وفاجأهم الانفجار قبل أن يخرجوا الى الشارع، هؤلاء كلهم وغيرهم، من العاملين في مكاتب تجارية في العمارة المجاورة لكنيسة الارمن، وبعض سائقي السيارات البعيدة، كلهم انتبهوا للانفجار في اللحظة التي غدا فيها كتلةً من اللهب والدخان تأكل السيارات وأجساد البشر المحيطين بها، وتقطع بعض أسلاك الكهرباء وربما قتلت عدداً من الطيور والعصافير، مع تناثر الزجاج وتخسف الأبواب وتصدع جدران البيوت القريبة وتداعي بعض السقوف القديمة في حي البتاويين، واضرار أخرى غير منظورة انبثقت كلها في وقت واحد ولحظة واحدة.

كان هادي يراقب المشهد بعد همود الصوت وارتفاع غيمة الدخان الكبيرة التي ولّدها الانفجار وبقاء خيوط دخانية سوداء ترتفع من السيارات مع ألسنة اللهب وتناثر أجزاء صغيرة محترقة أيضاً على الأرصفة. جاءت سيارات الشرطة بسرعة وطوقت المكان. كان هناك جرحى يئنون، والكثير من الأجساد النائمة أو المتحاضنة والمكومة

فوق بعضها على الرصيف وقد تغطت بمزيج من اللونين الأحمر والأسود.

يؤكد هادي العتاگ انه، حين وصل الى المكان، ظل واقفاً عند ركن محال بيع أدوات بناء وعدد يدوية يراقب المشهد بهدوء تام. كان يدخّن. أشعل سيجارة وبدأ يدخّن، وكأنه يحاول طرد روائح الدخان العجيب. كانت صورته كشرير غير مبالٍ تسعده، وينتظر، بسببها، ردة فعل معينة في وجوه من يستمعون إليه.

جاءت سيارات الإسعاف وحملت الجرحى والقتلى، ثم جاءت سيارات الإطفاء وأطفأت الحرائق في السيارات ثم سحبتها سيارات قطر المركبات نوع دوج الى مكان غير معلوم، واستمرت خراطيم مياه الاطفائية في غسل المكان من الدماء والرماد. ظل هادي يراقب المشهد بتركيز شديد. كان يبحث عن شيء ما وسط مهرجان الخراب والدمار هذا. وبعد ان تأكد من مشاهدته، رما سيجارته على الأرض وانطلق مسرعاً ليلتقطه من الأرض قبل أن تدفعه المياه القوية لخراطيم الاطفاء الى فتحة المنهول في الرصيف. رفعه ولفه بكيس الجنفاص وطواه تحت ابطه وغادر مسرعاً.

ـ ٣ ـ

وصل الى بيته قبل أن تبدأ السماء زختها المطرية. عبر على أرضية الحوش المخلعة بخطوات كبيرة ثم دخل الى غرفته ووضع كيس الجنفاص المطوي على السرير، وظل يتابع صوت الصفير في انفه وصدره بسبب انفاسه المتسارعة. نظر الى كيس الجنفاص المطوي، وقرّب يده منه ثم ألغى الفكرة أو أجّلها قليلاً، مفضلاً الإنصات لصوت رشقات المطر التي بدأت تنزل بخجل ثم تتسارع

بعدها بلحظات وتتحول الى زخات كثيفة غاسلة الحوش والزقاق والشوارع وساحة الطيران وآثار جميع الحوادث المؤلمة التي حصلت في العاصمة خلال هذا النهار.

دخل الى «بيته». و«بيته» هذا وصف مبالغ فيه قليلاً. يعرف الكثيرون، وبالذات عزيز المصري، هذا البيت جيداً، فعزيز قبل زواجه وتركه ليوميات العبث، كان يجلس مع هادي على مائدة واحدة في «بيته» يسكران حتى ساعة متأخرة، وربما وجد عنده واحدة أو اثنتين من مومسات زقاق خمسة، فتحلو السهرة أكثر. وهادي يصرف من دون حساب وينفق كل أمواله على متعه الشخصية.

إنه ليس بيته، وهو ليس بيتاً على وجه الدقة. فأغلب ما فيه مهدم، وليس هناك سوى غرفة في العمق ذات سقف متصدع حوّلها هادي العتاگ مع زميل له اسمه ناهم عبدكي قبل ثلاث سنوات تقريباً الى مقرّ لهما.

الكثيرون في الحي يعرفون هادي العتاگ وناهم عبدكي قبل هذا بسنوات. كانا يمران بعربة يجرها حصان لشراء الأغراض المستعملة والقدور والاجهزة الكهربائية المعطلة. يقفان صباحاً بجوار مقهى عزيز المصري لتناول الفطور وشرب الشاي قبل إنجاز جولة واسعة في حي البتاويين وحي ابو نواس المقابل له على الضفة الثانية من شارع السعدون، ثم يتجهان بعربة الحصان العائدة لناهم عبدكي الى مناطق أخرى ويصلان الى الكرادة ويمران في ازقتها، ثم يختفيان.

بعد الاحتلال وشيوع الفوضى شاهد الجميع كيف عمل هادي وناهم على اعادة ترميم «الخرابة اليهودية» كما كانت تسمى، رغم أنهم لم يروا فيها أي شيء يهودي، لا شمعدانات ولا نجمات سداسية ولا حروف عبرية. اعاد هادي بناء السياج الخارجي للبيت من ذات المواد

الموجودة، وثبت الباب الخشبي الكبير الذي كان مغطى بركام الطابوق والطين. ازاح الاحجار عن الحوش ورمم الغرفة السليمة الوحيدة وترك الجدران النصفية والسقوف المتهاوية للغرف الباقية على حالها. كان هناك جدار سليم مع شباك لغرفة الطابق الثاني فوق غرفة هادي يهدد الواقف في الحوش بالانهيار نحوه ودفنه حياً، ولكن هذا الجدار لم يسقط أبداً، وانتبه سكان الحي لاحقاً ان هادي وصديقه ناهم باتا من سكان الحي. حتى فرج الدلال ذو الشهوة المفتوحة للاستيلاء على بيوت الأموال المجمّدة التي تركها اهلها، لم يكترث لما فعله العتاگ. وظل المكان بالنسبة له مجرد «خرابة يهودية» كما هو شأنها دائماً.

من أين جاء هذان الرجلان؟ لم يتوقف أحد ما كثيراً أمام هذا السؤال، فالحي يعج بالغرباء الذين تراكموا فوق بعضهم البعض عبر عقود طويلة، ولا يستطيع أحد أن يؤكد انه من السكان الأصليين هنا. بعد سنة أو سنتين تزوج ناهم وأجر بيتاً داخل البتاويين، وترك الاقامة مع هادي، رغم أنهما ظلا يعملان سوية على عربة الحصان.

كان ناهم أصغر من هادي، تجاوز منتصف الثلاثين من عمره، ويمكن الافتراض انه مع هادي مثل الأب وابنه. ولكنهما لا يتشابهان في المظهر. ناهم ذو رأس صغير واذنين كبيرتين، مع فروة رأس كثيفة وسرحة ولكنها مثل الأسلاك الخشنة، وحاجبين كثيفين شبه متصلين. وكان هادي يتندر عليه بقوله:

ـ لو صار عمرك ١٢٠ سنة فلن يسقط شعر رأسك أبداً.

ومقارنة بناهم كان هادي قد تجاوز الخمسين من عمره، رغم صعوبة تحديد عمره بالضبط، مشعث دائماً بلحية مفرقة غير مشذبة، بجسد ناشف ولكنه صلب ونشيط ووجه عظمي بفجوتين تحت الوجنتين.

كان هادي يسمي ناهم «المگرود»، وعلى خلاف أستاذه فهو لا يدخن ولا يشرب الخمر ويخاف من الأمور المتعلقة بالدين كثيراً، ولم يمسس امرأة في حياته حتى يوم زواجه. وهو الذي عمّد، بوساوسه الدينية، البيت الذي سكنا فيه بعد اصلاحه، فوضع قطعة كارتون مربعة كبيرة تحوي آية الكرسي على أحد جدران الغرفة التي سكنا فيها سوية. لصقها بالعجين ليضمن صعوبة إنتزاعها من مكانها مالم تتمزق نهائياً، ورغم أن هادي لا يكترث كثيراً بقضايا الدين إلا انه لا يرغب ان يبدو وكأنه عدو أو شخص مارق، لذلك أمضى على خطوة رفيقه وتلميذه، وترك الآية تطلّ عليه كأول شيء يراه في بداية النهار.

للأسف لم يبلغ ناهم سناً يختبر فيه مدى متانة فروة رأسه كما يؤكد له هادي دائماً. قبل بضعة أشهر من جلسة هادي العتاگ في مقهى عزيز المصري أمام محمود السوادي وبعض الرجال العجائز وهو يكمل سرد قصته الخيالية، انفجرت سيارة ملغمة أمام أحد مقار الأحزاب الدينية في حي الكرادة وقتلت بضعة مواطنين من المارة وقتلت ناهم مع حصانه، وخلطت لحمهما معاً.

تغيرت هيئة هادي فجأة بسبب الصدمة، صار عدوانياً، يشتم ويجدف ويرمي الحجارة خلف الهمرات الأميركية أو سيارات الشرطة والحرس الوطني، ويتعارك مع أي شخص يفتح أمامه سيرة ناهم عبدكي وما جرى له. انزوى فترة ثم عاد بعدها الى صورته السابقة؛ يضحك ويروي الحكايات العجيبة، ولكنه مثل من أصبح بوجهين أو قناعين، فما ان يترك لوحده حتى يرتدي وجهاً متجهماً قانطاً لم يكن معروفاً عنه. كما انه بات يشرب خلال النهار، وأرباع العرق أو الويسكي في جيبه دائماً ورائحة الخمر لم تعد تفارقه، وغدا أكثر قذارة بلحية نامية وملابس متسخة.

تم محو سيرة ناهم عبدكي بشكل نهائي لتجنب بذاءة هادي وانفعالاته غير المتوقعة، لذا لم يعرف محمود السوادي هذه القصة إلا في وقت لاحق، وعلى وفق رواية عزيز المصري.

ـ ٤ ـ

ـ أين وصلنا؟

صاح هادي بعد ان أنهى تبوله السريع في المرافق الملحقة بالمقهى، فجاءه الجواب بلكنة كسولة من محمود السوادي:

ـ الى الأنف الكبير في كيس الجنفاص.

ـ أها. . . الأنف.

زرر بنطلونه وهو يتقدم الى التخت الملاصق لواجهة المقهى الزجاجية ثم جلس ليستأنف حكايته، وخيّب أمل محمود بعدم نسيانه للتفاصيل الدقيقة، فهو توقف، قبل فاصل التبول، عند انقطاع المطر وخروجه من غرفته مع كيس الجنفاص الى باحة البيت. نظر الى السماء فشاهد الغيوم وهي تتفرق مثل نتفٍ قطنية بيضاء، وكأنها نفضت كل ما لديها دفعة واحدة وتستعد للمغادرة الآن. كان بعض الآثاث المستعمل والخزانات الخشبية غارقةً في مياه الأمطار وهذا يعني انها ستتلف، ولكنه لم يفكّر بها. دخل الى سقيفة خشبية صنعها من بقايا الآثاث والقضبان الحديدية والكناتير المخلعة المسندة بنصف حائط قائم لوحده. قرفص هادي عند طرف منها. كانت المساحة المتبقية مشغولة بشكل كامل بجثة عظيمة. جثة رجل عارٍ تنزُّ من بعض أجزاء جسده المجرّح سوائل لزجة فاتحة اللون. ولم يكن هناك إلا القليل من الدماء، بقع صغيرة من دم يابس على الذراعين والساقين، وكدمات وسحجات زرقاء اللون حول الكتفين والرقبة. لم يكن لون الجثة

واضحاً، لم يكن لها لون متجانس على أية حال. تقدم هادي أكثر داخل الحيز الضيق حول الجثة، وجلس قريباً من الرأس. كان موضع الأنف مشوهاً بالكامل. وكأنه تعرض لقضمة من حيوان متوحش. كان الأنف مفقوداً. فتح هادي الكيس الجنفاصي المطوي عدة طيات، ثم اخرج ذلك الشيء الذي بحث عنه طويلاً خلال الأيام الماضية، وظل، مع ذلك، خائفاً من مواجهته. أخرج هادي انفاً طازجاً مازال الدم القاني المتجلد عالقاً به، ثم بيد مرتجفة وضعه في الثغرة السوداء داخل وجه الجثة، فبدا وكأنه في مكانه تماماً، كأنه أنف هذه الجثة وقد عاد إليها.

سحب يده ومسح اصابعه بملابسه، وهو ينظر الى اكتمال الوجه بشيء من عدم الرضا، ولكن المهمة انتهت الآن. آه.. لم تنته تماماً. عليه أن يخيط الأنف حتى يثبت في مكانه ولا يقع.

لم يكن ينقص الجثة كي تغدو كاملة سوى الأنف، وها هو ينتهي الآن من هذا العمل البشع الغريب الذي قام به لوحده دون مساعدة من أحد، والذي لا يبدو مبرراً أو مفهوماً رغم كل الحجج التي ساقها أمام مستمعيه:

ـ كنت أريد تسليمه الى الطب العدلي، فهذه جثة كاملة تركوها في الشوارع وعاملوها كنفاية. انه بشر يا ناس.. إنسان يا عالم.

ـ ليست جثة كاملة... انت عملتها جثة كاملة.

ـ انا عملتها جثة كاملة حتى لا تتحول الى نفايات... حتى تحترم مثل الأموات الآخرين وتدفن يا عالم.

ـ وما الذي حصل بعدها؟

ـ حصل لي أم للشسمه؟

ـ لكما كلاكما.

كان هادي يتابع الرد على تعليقات مستمعيه وهو متلبس بالكامل بأجواء حكايته، وكان المستمع الجديد يخاطر بفقدان متعة متابعة الحكاية إن هو اصر على تفنيدها منذ البداية. يتم تأجيل الاعتراضات المنطقية الى النهاية غالباً، ريثما تكتمل القصة، ولا يتدخل أحد في طريقة سردها، أو بالخطوط الفرعية التي يدخل معها هادي تاركاً القصة الرئيسة الى حين.

كان لديه موعد مع شخص في الكرادة. فهو منذ أيام لم يشتر أو يبع شيئاً، والنقود التي لديه بدأت تنفد، وهذا الشخص الذي يطارده منذ فترة يمكن أن يكون مصدراً لدخل جيد. إنه رجل عجوز آخر يقيم في بيته لوحده، كما هو حال العجوز إيليشوا تماماً، ولكن هذا العجوز يفكّر بالهجرة الى روسيا حيث حبيبته القديمة التي أقنعته ببيع البيت والآثاث والهجرة إليها ليقضيا تقاعدهما سوية.

لا مشكلة في الموضوع، والله يهني سعيد بسعيدة، ولكن الرجل كلما توصل هادي معه الى اتفاق يسارع للقبض على آثاث بيته وشمعداناته ومصابيح القراءة والراديوات الملكية، يمسك بها وكأنه يخشى ان يفقدها فيغرق. يتراجع خطوة فيؤجل الحسم. ولا يرغب هادي بالضغط عليه أو اخافته، فيتركه ثم يعود إليه في وقت لاحق ليجده مبتسماً ومتحمساً لإنجاز الصفقة.

غسل يديه من عبثه المرعب بالاشلاء البشرية، وبدل ثيابه بأخرى انظف، وخرج لمقابلة هذا «الآمرلي» المتردد. يخشى هادي ان يقنعه شخص ما غيره فيشتري منه الآثاث النفيس ويخرب صفقته مع العجوز، أو يقوم أحد ما بتأجير البيت منه بآثاثه، ويغريه بإبقاء ملكيته للبيت والاستفادة من مبالغ الايجار، بينما يضمر مع نفسه ان يستولي على البيت بعد موت العجوز.

إنه ليس ببعيد، هناك في أحد الأزقة خلف ساحة الأندلس. يركب في باص الكيا وينزل بعد خمس دقائق بالكثير، وفي أوقات النشاط كان يقطع المسافة سيراً، فيلتقط من الطريق علب الببسي والمشروبات الغازية والكحولية ويجمعها في كيس الجنفاص الكبير، ليبيعها من جديد، في وقت لاحق، على «الدوّارة» المتخصصين بهذه الأشياء، أو يجمعها في بيته كيساً بعد كيس ثم يستأجر سيارة تيوتا لنقلها الى مصاهر الفافون في حافظ القاضي بالقرب من شارع الرشيد.

(ـ والجثة يا عيني.. وين صارت؟
ـ أصبر علي شوية).

وصل هادي الى بيت الآمرلي وظل يطرق على بابه الخارجي ولكن أحداً لم يفتح له. ربما كان نائماً أو خارج البيت، أو ربما هو ميت الآن، حانت ساعته قبل أن يرى حبيبته الروسية ويلمس يديها النحيفتين المجعدتين. ظل يطرق حتى آثار انتباه الجيران، فاستدار عائداً الى شارع السعدون، ومن هناك دخل الى مطعم بجوار مستشفى «الرحمة» الاهلي. أكل لفة كباب، وطلب (نص نفر سفري) ليأخذه معه الى بيته.

كانت الغيوم قد انقشعت تماماً إلا ان تيارات هواء عالية بدأت تهب على شكل ضربات رعناء، تهب سريعاً ثم تهدأ، ثم تهب باتجاه معاكس، ولا تستقر على حال. انقلبت مظلة مصنوعة من الحديد والقماش يستخدمها بائع سجائر، واستقرت على الأرض بثقل بعد ان منعتها صفيحة الإسمنت التي تثبتها من الطيران.

بدأ الهواء العالي يدفع السابلة فيربك حركتهم، ومنهم من غدا

٣٦

وكأن يداً خفية تصفع به وتدفعه لكي يسرع أكثر. الجالسون على التخوت الخارجية للمقاهي دخلوا سريعاً، ونوافذ السيارات المرفوعة جزئياً من أجل التهوية تم اغلاقها باحكام. اختفى باعة الجرائد والمجلات، وادخل باعة السجائر والحلويات عند الإشارات المرورية بضائعهم في الاكياس المعلقة برقابهم خشية ان تحلق في الهواء. وكبس لابسو القبعات بأيديهم على رؤوسهم خشية ان تتعرى صلعاتهم فجأة، ليجدوا انفسهم في فاصل كوميدي للمشاهدين من خلف زجاج السيارات والمحال التجارية حين يركضون خلف قبعاتهم الهاربة.

انحنت سعفات النخيل في فندق السدير نوفوتيل المطل على ساحة الأندلس، وأحكم الحارس الشاب في باحة الفندق الأمامية قمصلته العسكرية جيداً. ورغم أنه غير ملزم بالوقوف في الهواء العاري، إلا ان الكابينة الخشبية التي يقف فيها على مسافة من الباب الخارجي الكبير لا تصد عنه برداً ولا حراً، ولو كان جندياً أو شرطياً عادياً في احدى السيطرات المتناثرة في شوارع بغداد لكان من الطبيعي ان يوقد حطباً في صفيحة زيت فارغة، ليتدفأ عليها ويملأ ملابسه بالسخام. ولكن إدارة الفندق تمنع هذه الأشياء هنا.

(ـ والآن راح على حارس الفندق؟!

ـ اعطيني صبر يا رجل. راح تجيك السالفة).

أنهى هادي لفته وشرب علبة ببسي ثم بعد الفراغ منها كبسها بيده والقاها في كيس الجنفاص بجواره. لم يكن يرغب بالخروج في هذا الهواء العالي. تلهى بتقليب نفايات المطعم وأخذ كل علب المشروبات. وبعد ان هدأت العاصفة خرج ليجد الشمس وقد اختفت

والسماء مرمدة تزداد العتمة فيها مع تقدم الوقت. كان ذهنه مشوشاً، وتذكر فجأة الجثة الغريبة التي تركها في البيت، فشعر بالدوار.

ظل يمشي، دون تفكير، باتجاه تقاطع ساحة الأندلس. كان يوماً عجيباً. لقد سمع في تلفزيون المطعم أن انفجارات كثيرة حصلت خلال اليوم، في مناطق الكاظمية ومدينة الصدر وحي المنصور والباب الشرقي. ظهرت لقطات تلفزيونية للجرحى والمصابين في مستشفى الكندي ثم لقطات أخرى لساحة الطيران، أثناء ما كان الاطفائيون يغسلون المكان، وتوقع هادي ان يرى نفسه في ركن محل الأدوات، وهو يدخن بهدوء مثل مجرم يتابع آثار جريمته. ثم ظهر ناطق باسم الحكومة يتحدث ويبتسم ويرد على أسئلة الصحفيين، مؤكداً انهم افشلوا مخططات الإرهابيين لهذا اليوم، فحسب المعلومات الاستخبارية كان هناك مئة هجوم بسيارات مفخخة خططت للقيام بها عناصر القاعدة وفلول النظام السابق، إلا ان قيادة قوات التحالف والاجهزة الأمنية العراقية احبطتها جميعاً، ولم تكن هناك سوى خمسة عشر تفجيراً فقط!

عفط صاحب المطعم السمين عفطة طويلة ومتموجة وهو يسمع هذا الكلام، ولم يعلق بشيء آخر. غير ان الانفجارات لهذا اليوم غدت ستة عشر انفجاراً. لقد ذهب الناطق باسم الحكومة الى بيته الآن، ولن يسجل الانفجار الجديد في قائمة حوادث اليوم.

كان هادي يسير وقد وضع كيس الجنفاص الذي يحوي العلب المعدنية للمشروبات على كتفه. وحين وصل الى فندق السدير نوفوتيل لم يعبر، كما هي عادته، الى الضفة الثانية من الشارع تجنباً لصياح الحرس. نسي أو سرح بذهنه الى حيث الجثة التي تنز سوائلها اللزجة بهدوء تحت المسقفة الخشبية في بيته. ما الذي سيفعله الآن؟ لقد

انتهت مهمته التي تطوع للقيام بها. هل يستأجر سيارة لحملها الى الطب العدلي؟ أم يقوم برميها خلال الليل في ساحة أو شارع ما ويترك اتمام المهمة لسيارات الشرطة؟

اكتشف، بعد عدة خطوات وهو يعبر أمام الباب الحديدي العريض لگراج الفندق، بأنه في ورطة. وان الحل السليم الوحيد هو أن يعود سريعاً الى البيت ويقوم بتقطيع الجثة من جديد واعادتها الى وضعها السابق؛ مجرد أجزاء لجثث متفرقة جمعها من شوارع المدينة خلال الأيام الماضية. سوف يرمي بهذه البقايا في الشوارع والساحات مجدداً.

في هذه الأثناء كان الحرس يرتجف من البرد، وربما فكّر بتحريك رجليه، لذا اندفع من كابينته الخشبية الى الباب بخطوات واسعة. أمسك بقضبان الباب الباردة وظل ينظر الى هذا الكائن مع كيسه المريب وهو يبتعد عن البوابة، لم يجد من الضروري تنبيهه للابتعاد، فقد ابتعد اصلاً.

(ـ خو انت يا إستاد شاهدت هذا المنظر؟

ـ نعم، كنت واقفاً مع بعض أصدقائي على الضفة الثانية من الشارع حين رأيت سيارة الازبال متجهة نحو بوابة الفندق.

ـ شفتوا؟.. خو ما جبت شي من عندي؟ هذا شاهد.)

بعد ان عبر بمسافة عشرين متراً عن البوابة شاهد هادي سيارة ازبال مسرعة تخطف بجواره وتكاد تصدمه. كانت متوجهة نحو بوابة الفندق. لم تمض سوى لحظات حتى انفجرت وطار هادي بكيسه وعشائه في الهواء. تشقلب وتطوح مع الغبار والاتربة وعصف الانفجار وارتطم بقوة على إسفلت الشارع على مسافة بعيدة عن مكان

الانفجار. مرت دقيقة ربما قبل أن ينتبه هادي لما جرى، وشاهد عدداً من الشباب وهم يعبرون الشارع ويركضون باتجاهه، كان بينهم الصحفي محمود السوادي. ساعدوه على النهوض بينما التراب والدخان يغطي المكان. وحين وقف على قدميه أبعد أيديهم عنه وظل يسير بسرعة خائفاً ومرعوباً. صاحوا عليه فلربما كان مصاباً ولا يشعر بنفسه، لكنه بدأ يركض. كان مصدوماً بكل تأكيد ولا يعي ما يفعل.

كان الظلام قد غطى المكان وأصوات سيارات شرطة واسعاف واطفائية تأتي من بعيد. بينما غيمة التراب والدخان تتفتت وتتحول الى ضباب واسع يشتت اضواء السيارات. ظل محمود وشهود العيان الآخرين يسحقون على نثار الزجاج وقطع حديد صغيرة وأشياء كثيرة نثرها الانفجار في الشارع على مسافة طويلة. ثم ابتعدوا خائفين ومضطربين وهم يسحقون على هذه الأشياء ولا يرونها.

ـ ٥ ـ

ظل يسير بجهد بالغ وبآلام مبرحة في ذراعيه وعظم الحوض، وجروح في جبهته وعظمة خده بسبب السقوط على الإسفلت، لم يكن يمشي بصورة طبيعية، كان يعرج ويسحب خطواته بصعوبة. لم يكن يفكّر بصعود سيارة تقوده الى الباب الشرقي، لأن هناك عطلاً ما اصاب ذهنه. لم يكن يفكّر بأي شيء على الإطلاق، وكأن زراً ما تم ضغطه فبات يسير لا أكثر، ولربما بعد نفاد طاقته الجسدية سيسقط على الأرض هامداً.

ظل يقول بأنه لا يموت. لقد نجى من انفجارات عديدة. ما يثير اهتمامه أكثر ان جسده لم يصب بأي شظية من الانفجار. كل جروحه هي بسبب ارتطامه بالأرض، وهي جروح طفيفة على أي حال.

وصل الى بيته. نسي في موقع الحادث كيس الجنفاص وعشاءه الذي اشتراه من المطعم. دفع فرضة الباب الخشبي الثقيلة ونسي اغلاقها خلفه. وشعر وهو ينظر الى باب غرفته البعيد انه بعيد أكثر من المعتاد. ظل يسير على أرضية الحوش المتكسرة وهو يرى المسافة طويلة. خشي ان يسقط على الأرضية ويموت أو يغمى عليه. أراد الوصول الى سريره. دخل الى غرفته وانطرح على الفراش وغاص في النوم سريعاً، أو ربما كانت مجرّد غيبوبةً أجّلها بصعوبة.

نهار اليوم التالي سمع صوت راديو ونشرة أخبار، ربما كان يصدر من بيت الجيران خلف بيته، أو هي أم سليم البيضه تجلس على دكة بابها المقابل لباب بيته وتحتضن الراديو كما تفعل أحياناً، وتراقب الداخلين والخارجين.

رفع رأسه من الوسادة فرأى هذه الوسادة مغطاة بلعاب كثير وببقع دم يابس من جروح رأسه. كان يظن انها سكرة قوية، ولكنه تذكر سريعاً انفجار مساء البارحة، ثم تذكر الجثة تحت المسقفة. أكيد تفسخت اليوم أكثر وفاحت رائحتها، ولربما ستكون واضحة لكل من يمر أمام باب البيت.

نهض من مكانه، ورأى من خلال النور الساطع أن الوقت يقترب من منتصف النهار. غسل وجهه بماء الحنفية بجوار التواليت. شعر بآلام شديدة في جروح وجهه وعظام جسمه كلها وهو يغسل وجهه ورقبته ويحرك أطرافه. وبعد ان التفت شاهد ما جرى في الحوش أثناء غيابه؛ كانت عاصفة يوم أمس قد بعثرت أغراضه كلها. سقطت بضعة كناتير على ظهرها. وتناثرت أجزاء المسقفة الخشبية في الحوش. اختفى السقف ولم يعرف اين ذهب، وحين تقدم أكثر اكتشف اختفاء أشياء أخرى.

لقد اختفت الجثة. الجثة المتفسخة التي اكملها نهار البارحة. لا يمكن لها ان تتلاشى هكذا أو تطير في العاصفة. قلّب الأغراض كلها، ثم شكّ في نفسه، فدخل الى غرفته وبحث فيها، اعاد البحث من جديد وضربات قلبه تزداد سرعة وتجاهل الآلام التي تصلّ في عظامه. دخل في مرحلة الرعب، فأين يا ترى ذهبت هذه الجثة. توقف في منتصف الحوش خائفاً ومضطرباً وهو ينظر الى السماء الزرقاء الصافية ثم الى جدران البيوت العالية لجيرانه، ثم الى السطح الواطئ الذي تخلّف من الغرفة المنهارة في بيت أم دانيال. كان هناك قط عجوز منتوف الشعر ينظر إليه بعيون ثابتة، وكأنه يراقب ما يفعله العتاگ العجوز. اصدر مواءً عميقاً. أخبره بشيء ما، ثم استدار بهدوء ليختفي خلف الحائط المهدم.

(ـ أيي... وبعدين؟

ـ هاي هيه.. انتهى.

ـ شنو هاي هيه؟.. يعني الجثة وين راحت هادي؟

ـ ما ادري...

ـ هاي قصة مو زينة هادي... سولف غيرها.

ـ انتم ما تصدگون.. بكيفكم... يلله آني أروح هسه.. وحساب شاياتي عليكم).

الفصل الثالث

روح تائهة

ــ ١ ــ

حسيب محمد جعفر الذي يبلغ الحادية والعشرين من العمر،
الأسمر النحيف المتزوج من دعاء جبّار ويسكن معها وابنتهما زهراء
حديثة الولادة في قطاع ٤٤ في مدينة الصدر في غرفة داخل بيت عائلته
الكبيرة، والذي يعمل منذ سبعة أشهر حارساً في فندق السدير نوفوتيل
قتل في الانفجار الذي تسبب به انتحاري سوداني الجنسية يقود كابسة
نفايات مسروقة من أمانة بغداد مملوءة بالديناميت، وكان يخطط
لتجاوز الباب الخارجي والدخول بالسيارة داخل استعلامات الفندق
وهناك يقوم بتفجيرها لإسقاط البناية بالكامل بمن فيها، وفشل في ذلك
بسبب الإطلاقات النارية المتلاحقة التي أطلقها الحارس الشجاع تجاه
سائق الكابسة ما عجّل في تفجير الصاعق. تم تسليم أغراض الحارس
الى عائلته؛ ملابسه المدنية وزوج جواريب لم تفتح بعد وقنينة معطّر
جسم مع المجلّد الأول لقصائد السياب طبعة دار العودة اللبنانية. وفي
التابوت وضعوا حذاءه الأسود المحترق ومزق من ملابسه الملوثة بالدم
وبقايا صغيرة متفحمة من جسده المتلاشي. اختفى حسيب محمد
جعفر تماماً. والتابوت الذي نقل الى مقبرة النجف كان افتراضياً.
احتضنته زوجته الشابة وبكت بحرقة وصراخ يشبه العواء طويلاً، كذلك

٤٣

فعلت أمه وأخواته وإخوته وجيرانه، وظلت ابنته الصغيرة الذاهلة ذات الفم المبلول تتناقلها الايدي كلما شبّت في روح من يحملها نيران الحزن الشديدة.

يناmون جميعاً بعد ارهاق البكاء ويحلمون بحسيب وهو يتمشى بحقيبة قماشية على كتفه عائداً الى البيت. كل فرد في العائلة يحلم بشيء ما عن حسيب، تلتئم الاحلام جميعاً وتتضافر، يعوض بعضها بعضاً، يسد حلم صغير ثغرة في حلم كبير وتتشابك خيوط الاحلام مكونة من جديد جسداً حلمياً لحسيب يناسب روحه التي مازالت محلّقة فوق رؤوسهم جميعاً وتطلب الراحة ولا تجدها. فأين هو جسده الذي ينبغي أن يعود إليه كي يغدو ساكناً طبيعياً من سكّان عالم البرزخ؟

يشطّ بعضهم في أحلامه، فيحمل كرة الخيوط الحلمية المضفورة والمتصلبة على نفسها ويدفعها بيده الى البعيد. الى أبعد مما تخيل أفراد العائلة والأصدقاء والأقارب والجيران جميعاً، الى مكان لم يرد في خواطرهم أبداً.

ـ ٢ ـ

كان حسيب ينظر الى سيارة النفايات وتتلاحق في ذهنه الأوامر والاستجابات المتناقضة، انها سيارة نفايات ليس إلا، لقد اخطأ السائق، فقد السيطرة على مقود السيارة فاندفعت تجاه الباب. حصل حادث مروري لم ينتبه له فاندفع سائق السيارة بسببه ودون قصد نحو باب الفندق، لا.. انه انتحاري.. توقف.. توقف.. إطلاقة ثم أخرى. لم يكن يقصد قتل السائق، لا يتجرأ على قتل أحد، لكن هذا واجبه، يعرف جيداً الأوامر المشددة بشأن حماية الفندق، هناك

شركات أمنية وشخصيات حساسة ولربما أميركان في هذا الفندق. لديه ترخيص بالقتل، كما يقولون. تتدافع الأفكار في ذهنه بأجزاء من الثانية ويده تضغط على زناد البندقية، ربما قبل أن يحسم أمره بشأن الاستجابة الأفضل تجاه هذا المأزق. انفجرت السيارة، وانتبه حسيب محمد جعفر لنفسه وهو يتابع الانفجار، ولكن ليس من موقعه ما بين الكابينة الخشبية والباب الخارجي العريض للفندق والمصنوع من القضبان المعدنية المتعامدة. كان يشاهد النيران والدخان وتناثر أجزاء حديدية في الهواء، ويشعر مع ذلك بهدوء غريب.

شاهد رجلاً مع كيس جنفاص أبيض يتطوحان في الهواء ويسقطان على مسافة بعيدة عن موقع الانفجار، وشاهد تناثر زجاج نوافذ الفندق وواجهة الاستعلامات العريضة باتجاه الباحة الأمامية للفندق. بعد لحظات همدت غيمة الدخان ومرّت نصف ساعة قبل أن تجيء سيارات الإسعاف والاطفائية.

كل شيء انتهى، وظل يراقب العتمة الداكنة تغطي المدينة كلها. شاهد الاضوية البعيدة للبنايات والبيوت والسيارات، وشاهد بعض المجسرات القريبة. شاهد اضوية ملعب الشعب الكاشفة، وبعض المنائر البعيدة المغطاة بالكامل بالاضوية الساطعة.

شاهد النهر أيضاً، داكناً وعميقاً في الظلام، أراد أن يمسه بيده. لم يمسس ماء النهر أبداً. عاش حياته كلها بعيداً عن النهر. يعبر من فوقه بالسيارة. يراه من مسافة بعيدة، يراه في صور التلفزيون. لم يتحسس برودة هذه المياه أو طعمها. شاهد رجلاً سميناً بفانيلة بيضاء وشورت أبيض قصير ينام في المياه ووجهه الى الأعلى. يالها من سعادة. كان بالتأكيد يراقب النجوم الصافية لهذه الليلة. ينحدر ببطء مع حركة المياه. يدنو منه وينظر في وجهه:

٤٥

ـ ليش تباوع وليدي... روح شوف الجثة مالتك وين صارت... لا تظل هنا.

شاهد جثة أخرى مقلوبة على وجهها تسبح في المياه أيضاً. لم تتحدث بشيء. كانت صامتة تماماً وتسبح ببطء.

ـ ٣ ـ

عاد ونزل الى بوابة الفندق وتأمل الحفرة الكبيرة التي صنعها الانتحاري بسيارته الملغمة. نظر في أرجاء المكان كلها. تعرف على بسطاله المحترق، ولم يعثر على جثته. نظر الى الشوارع كلها، الى ساحة الفردوس وذهب الى ساحة التحرير وشاهد طيوراً كثيرة تنام على القطع البرونزية لنصب الحرية. ثم خطر في باله أمر ما فقرر التوجه الى المقبرة.

هناك في وادي السلام في النجف تفحص القبور كلها. لم يعثر على شيء يدله على باب الخروج من حيرته. في النهاية شاهد شاباً مراهقاً يرتدي تي شيرت أحمر مع سوارين فضيين في معصميه وقلادة من خيط قماشي أسود. كان جالساً على قبر مرتفع ويضع رجلاً على رجل.

ـ لماذا انت هنا... عليك ان تبقى بجوار جثتك.

ـ لقد اختفت.

ـ كيف اختفت؟... لا بد ان تجد جثتك، أو اي جثة أخرى.. وإلا راح تنلاص عليك.

ـ كيف تنلاص؟

ـ لا أعرف... بس هي تنلاص دائماً.

ـ لماذا انت هنا؟

٤٦

ـ هذا قبري . . جسدي يرقد في الأسفل . بعد بضعة أيام لن
أستطيع الخروج بهذه الطريقة، تذوب جثتي وتتحلل فأبقى مسجوناً في
القبر الى أبد الآبدين .

جلس بجواره وشعر بحيرة كبيرة، فما الذي يفعله الآن؟ لم يخبره
أحد ما بهذه الأمور سابقاً. أي كارثة مضافة تنتظره يا ترى؟

ـ ربما لم تمت فعلاً . . . ربما أنت تحلم الآن .

ـ ماذا؟

ـ نعم . . . تحلم . . . أو ربما خرجت روحك من جسدك في
نزهة وستعود لاحقاً .

ـ الله يسمع منك . . . آني ما متعود على هاي الوضعية . . .
بعدني زغيّر وعندي بنت و . .

ـ زغيّر؟!! . . . مو ازغر مني .

امتد الوقت وهو يتحدث مع الشاب ذي السوارين الفضيين،
والشاب يؤكد له بين لحظة وأخرى ضرورة العودة الى جثته . فلربما
كتب الله له حياةً جديدة .

ـ أحياناً تخرج الروح من الجسد . تموت، ثم يغير عزرائيل رأيه،
أو يصحح الخطأ الذي ارتكبه فيعيد الروح الى جسدها . . ثم يعطي
الإله أمراً للجسد أن ينهض . . . يعني تكون الروح مثل البنزين في
السيارة، ولكن تشغيلها يستوجب قدحة زناد .

مر صمت بينهما وهدوء ثم سمع بكاءً بعيداً وشاهد كلاباً سوداء
بلون الحبر تتعارك مع بعضها . نظر إليه الشاب ذي السوارين بقلق
وقال له بلهجة آمرة :

ـ روح شوف جثتك وين صارت . . . أو سوّي حل لنفسك . . .
وإلا راح تنلاص عليك .

ـ ٤ ـ

عاد الى الفندق ثم تفحّص الشوارع كلها. مضت ساعات طويلة، ذهب الى بيته ورأى الجميع نياماً؛ زوجته وابنته الرضيعة وبقية العائلة، ثم عاد قبيل الفجر الى المكان نفسه الذي شهد موته، شعر بأنه يدور في حلقة مفرغة وأنه واقع في مأزق كبير. شاهد شخصاً عارياً نائماً وسط بيت في البتاويين، اقترب منه وتأكد من أنه شخص ميت. لم يكن شخصاً محدداً. تأمل هيئته الغريبة والبشعة. نظر الى السماء وشاهد لونها يتغير مع اقتراب الفجر، وتيقّن بأن طلوع الشمس يعني كارثة مؤكدة بالنسبة له. لم يجد في نفسه طاقة ولا رغبة في الدوران من جديد في الشوارع والساحات أو العودة الى مكان الحادث أمام بوابة الفندق. مسّ بيده الهيولانية هذا الجسد الشاحب ورأى نفسه تغطس معها. غرقت ذراعه كلها ثم رأسه وبقية جسده، وأحسّ بثقل وهمود يعتريه. تلبس الجثة كلها، فعلى الأغلب، كما تيقن في تلك اللحظة، أن هذا الجسد لا روح له، تماماً كما هو الأمر معه؛ روحٌ لا جسد له.

ـ ٥ ـ

لم تجر الأمور بعبث ومن دون معنى إذن. كانا يناديان بعضهما. وعليه الآن أن ينتظر الخطوة التالية التي سيقوم بها ذوو هذا الجسد، ينقلونه الى المقبرة، يهيلون التراب عليه، يدفنونه (يدفنونهما معاً)، ولن يهمه أبداً ما سيكتبونه من أسماء على شاهدة القبر.

الفصل الرابع

الصحفي

ـ ١ ـ

أيقظه الانفجار الذي حدث في السابعة والنصف في ساحة الطيران، ولكنه لم ينهض من فراشه، كان يشعر بصداع رهيب وظل متناوماً، ولم يصح بشكل كامل إلا مع رنين هاتفه المحمول في حدود العاشرة صباحاً. كان رئيس تحرير مجلة «الحقيقة» التي يعمل فيها على الطرف الثاني من الخط:

ـ لماذا انت نائم حتى هذه الساعة؟

ـ آآ.. أنا.

ـ محمود.. عليك ان تنهض من فورك وتذهب الى مستشفى الكندي لأخذ صور للجرحى وتتحدث مع الكادر الطبي والشرطة و كذا وكذا... فاهمني؟!

ـ نعم... هسه اروح رأساً.

ـ الآن الآن وليس غداً كما تقول فيروز.. أو كي محمود؟

حين نزل من غرفته شاهد أبا أنمار صاحب فندق «العروبة» الذي يقيم فيه، يقف وسط الشارع وحوله نثار زجاج من بعض النوافذ وهو يصفق يداً بيد. اجتاز الشارع التجاري وسط البتاويين مروراً بمقهى عزيز المصري، شرب شاياً هناك ولم يرد التأخر أكثر. كل تجهيزاته

معه؛ الكاميرا والمسجل الديجتال الصغير، أوراقه وأقلامه في حقيبة جلدية سوداء صغيرة يعلقها في كتفه وتبقى تراوح بضربات خفيفة على مؤخرته أثناء سيره .

وصل الى ساحة الطيران وشاهد الآثار المتبقية من الانفجار . شاهد الساحة فارغة، وحفرة غير عميقة بقطر مترين، وبسطات وعربات متفحمة . تخيل حينها حجم الانفجار الذي حصل وما خلّفه من دمار وضحايا .

توقف في الجزرة الوسطية . سحب نفساً عميقاً ثم اخرج مسجلة الديجتال، قربها من فمه وفتح التسجيل ليدون ملاحظة شعر بأنها ضرورية الآن :

ـ اللعنة عليك يا حازم عبود .. اللعنة عليك في هذه الساعة . . . وفي كل ساعة .

حازم هو المصور الصحفي الحر وشريكه المفترض في الغرفة التي يشغلها في الطابق الثاني من فندق «العروبة»، ولكنه ليس مقيماً في الفندق بشكل منتظم، وإنما يتخذه محطة استراحة، أو ملجأ في حالات الطوارئ، خصوصاً وان أبا أنمار العجوز المتكرش هو صديق قديم لحازم، ولا يتعامل معه كزبون، ولربما كان ممتناً لحازم لأنه جلب صديقه الى فندقه بالتحديد ليكون الزبون الثالث أو الرابع في فندق «العروبة» المتداعي الذي كان في أوقات الخير الغابرة يستوعب أكثر من سبعين نزيلاً .

عصر يوم أمس أصر حازم عبود على الاحتفال رغم عدم وجود سبب لذلك، وسحب صديقه الكئيب من ياقته الى أحد البيوت في زقاق خمسة داخل البتاويين . بدا محمود قلقاً ولكنه استسلم لمبادرة صديقه . شربا عدة علب من البيرة المثلّجة، وجلست بجوارهما فتاتان

بيضاوان ترتديان ملابس صيفية خفيفة رغم الجو البارد في الخارج. ظلا يكرعان البيرة على مدى ساعتين. وكان قلب محمود يضرب بشدة ويكاد ينخلع من مكانه كلما احتكت به أطراف الفتاة الجالسة بجواره أثناء رفعها لكأسها أو أخذ شيء من صحن الكرزات، لم يجلس هذه الجلسة سابقاً، ولم يقترب من امرأة بهذه المسافة، وظل حازم يغريه بالشرب أكثر وأكثر. ثم يقول له بين فترة وأخرى:

ـ اذا لم تكن مرتاحاً بإمكاننا المغادرة الآن.

ولكن محمود لم يرغب بالمغادرة أبداً، ثم انتهت الجلسة مع نهوض الفتاتين وسحبهما ليد محمود. قادتاه وهو مخدّرٌ بالبيرة الى غرفة نوم في الطابق الثاني. خرجت احداهما بعد نصف ساعة وهي تضحك وجلست لتكمل بيرتها، وتأخرت الثانية ساعة كاملة.

ـ لماذا لم تدخل معهما انت أيضاً؟

قال محمود وهما يخرجان الى الهواء البارد في الزقاق.

ـ انا؟... سأعود لهما في وقت لاحق.. المهم انت مرتاح هسه.

ـ نعم.. انت خوش صاحب.

قال محمود ذلك مع إبتسامة مضطربة. كان دوارٌ خفيف يطوف في رأسه من كثرة الشرب، وهناك خدر يجتاح أرجاء جسده، واختلاط عجيب لمشاعره وغرائزه. وصلا الى باب فندق العروبة. توقف حازم وأوقد سيجارة وظل ينفث دخانها من منخريه بنشاط، ثم نظر الى صديقه الصغير وقال وهو يشير إليه باصابعه التي تحمل السيجارة:

ـ المهم... بعد لا تحكي أمامي عن نوال الوزير.... خوش؟... خرب جد نوال الوزير.

ـ أي... خرب جدها.

ـ ٢ ـ

نوال الوزير هي مخرجة سينمائية، كما تدّعي، في حدود الأربعين من العمر، بيضاء بشعر فاحم، ممتلئة الجسد بحنك ثانوي يضفي مسحة من جمال شرقي على وجهها المغطى دائماً بمكياج خفيف ولكنه حاد، لون داكن لأحمر الشفاه وكحل بخط عريض وتحديد قوسي بارز لحاجبين أسودين، تضع فوطة على رأسها بشكل واهٍ وغير محكم، وترتدي طقماً من قطعتين بلون واحد، بالإضافة الى الاكسسوارات البلاستيكية الملونة التي تغيرها دائماً. واذا طرح سؤال على محمود السوادي بشأن هذه التفاصيل فبإمكانه أن يستظهر قائمة طويلة من تلك الأشياء التي لا يعبأ بها إلا الممسوسون. بالإضافة الى تفصيل مزعج آخر يحاول محمود ان يتجاهله: نوال الوزير هي الصديقة المقرّبة لرئيس التحرير علي باهر السعيدي، الصحفي والكاتب الشهير والمعارض للنظام السابق والمقرب من طائفة واسعة من السياسيين الذين تظهر وجوههم كثيراً على شاشة التلفزيون هذه الأيام.

تحضر نوال الوزير الى مقر المجلة الكائن في حي الكرادة بعد الظهر أحياناً، وتبقى لنصف ساعة أو أكثر ثم تخرج دائماً مع رئيس التحرير في سيارته. وخلال هذه النصف ساعة يضطر محمود الى رؤيتها كلما دخل الى مكتب رئيس التحرير، ولربما دعاه رئيس التحرير للجلوس لمناقشة بعض القضايا، وكان يوافق دائماً على أفكار رئيس التحرير وطلباته دون نقاش لأنه يشعر بالاضطراب والتشويش مع وجود هذه المرأة.

ـ إنها الفاك بودي مالت عمّك.

قال له فريد شوّاف، زميله في المجلة ذات مرة. فتعارك معه لأنه يطلق اتهاماً دون دليل، ثم استسلم لاحقاً الى هذا الوصف، فما الذي

يجمع هذه المرأة مع علي باهر السعيدي سوى السرير.

وفي أوقات لاحقة صارت هناك فرصة لجلوس محمود مع نوال لوحدهما في غرفة رئيس التحرير، حين يكون السعيدي غائباً أو لم يحضر الى المجلة بعد، وجرى حوار بينهما فهم محمود من خلاله انها تعد العدة لتصوير فلم روائي طويل يتحدث عن جرائم النظام السابق، ربما يكون من أهم الافلام العراقية المنتجة في هذه الفترة، والسعيدي يقوم بتسهيل بعض الاجراءات وتحصيل الموافقات من خلال علاقاته بالطبقة السياسية وبعض الوزارات والمؤسسات. اعطته إذن مبرراً لكي يشعر بالراحة، ويبعد الصورة (البشعة) التي زرعها فريد شوّاف الخبيث في ذهنه.

عاد الى حالة من الهدوء، واستمر يسترق النظر الى هيئة هذه المرأة ويحصي تفاصيلها والتغيرات التي تطرأ على صورتها مع كل نهار، واستمر أيضاً بالثرثرة حولها أمام صديقه المقرب حازم عبود. وما هو أسوأ انه صار المحرر المفضل لدى رئيس التحرير، لقد تعود على عدم مناقشة السعيدي في طلباته؛ إذهب الى هناك، أجري هذا الحوار. احضر هذا المؤتمر، تتبع لي هذه القضية. كان يعمل لوحده ما يوازي جهد المحررين الآخرين معه في المجلة.

ـ ٣ ـ

كان محمود يعمل محرراً في صحيفة صغيرة إسمها «الهدف» قبل أن يطلبه علي باهر السعيدي للعمل معه في المجلة. وكان قبلها قد ابتدأ حياته الصحفية بعد نيسان ٢٠٠٣ محرراً في صحيفة اسبوعية إسمها «صدى الأهوار» هناك في مدينة العِمْاره حيث يقيم. ولأسباب ظل يتكتم عليها محمود انتقل فجأة الى بغداد. جاء الى بغداد في

الوقت الذي كان من فيها يغادرونها. قال له حازم عبود هذا الكلام أيضاً في آخر مكالمة يجريها محمود من مدينته الجنوبية.

ـ ابقَ في مدينتك حتى تهدأ الأمور في العاصمة ثم تعال.

ولكن الأمور لم تهدأ في العاصمة وإنما تفاقمت أكثر، ولم يستجب محمود لنصيحة صديقه. كان بحاجة ماسة للسفر الى بغداد، وبمعنى ادق: بحاجة للهرب من الِعْماره. ولم يعرف صديقه حازم اسباب ذلك إلا في وقت لاحق.

ظل يعمل في صحيفة «الهدف» بضعة أشهر حتى اتصل به علي باهر السعيدي، من خلال صديقه فريد شوّاف الذي سبقه للعمل في المجلة. ومنذ اللقاءات الأولى مع السعيدي اكتشف محمود انه منجذب الى هذا الرجل الذي يكبره بعشرين سنة في الأقل، ولكن هيئته الخارجية لا تتيح بسهولة الكشف عن عمره الحقيقي؛ فهو بالغ الاناقة، انه المثال المتجسد للأناقة الكاملة، وعلى مدى أشهر لم يلمح محمود شائبة واحدة في المظهر الخارجي للرجل، كما انه نشط وحيوي لا يملّ من الحركة، وله ابتسامة مفرودة دائماً، ولديه قدرة على تمييع الازمات مهما كان حجمها، وتحويلها الى مشكلة صغيرة يمكن العبور عليها بقفزة سريعة. وفوق هذا وذاك كان يبث، بصورته العامة، الحيوية والنشاط فيمن حوله.

ربما لذلك لم يستطع محمود ان يجادله كثيراً في أوامره بشأن العمل. لم يبذل محمود جهداً مماثلاً في اي مكان عمل فيه طوال السنتين الماضيتين. إنه منهك ومتعب على الدوام، ولكنه (مؤمن) بهذا السعيدي. ويعرف، في أعماق نفسه، انه يدفعه باتجاه الطريق الصحيح.

ـ ٤ ـ

ـ اللعنة عليك يا حازم عبود.. في هذه الساعة... وفي كل ساعة.

أعاد الجملة من جديد على جهاز التسجيل الديجتال، ولكن هذه المرة بتنغيم يشبه تنغيم قرّاء المقاتل الحسينية. كان الصداع يلازمه حين وصل الى بوابة مستشفى الكندي، ربما بسبب الجوع فهو لم يأكل شيئاً، أو ربما بسبب المشروبات الكثيرة التي شربها مساء البارحة، والتي اندفع إليها لتخفيف التوتر بعد خروجه من بيت المومسات. وهاهو في استعلامات المستشفى يرى أن الاضطراب مازال يعتريه، فهو ينظر الى مؤخرات الموظفات وعاملات التنظيف، ويشتهي النساء كلهن دفعة واحدة، يتخيل كل امرأة ينظر إليها في وضع غير محتشم وهو نائم فوقها. يفرك وجهه بتعب، ويتحسس لحيته النامية. سينتقده باهر السعيدي حين يراه بهذا المنظر. سيقول له:

ـ يجب أن لا تثير الكآبة في نفوس من ينظرون اليك. كن إيجابياً دائماً. كن طاقة إيجابية تنجو. احلق لحيتك وبدّل قميصك وسرّح شعرك جيداً. انتهز كل فرصة لتنظر الى نفسك في المرآة، اي مرآة كانت، حتى لو في نوافذ سيارة واقفة. نافس النساء في هذه القضية، لا تكن شرقياً جداً.

ـ وما هو الشرقي جداً ؟

ـ الشرقي يختصره بيت عنترة بن شداد: اتعجبي يا عبلُ أنني منذ حولين لم اغتسل ولم أدّهنِ.

كانت هذه (النظرية) جديدة على محمود السوادي، وهو يسمع بها لأول مرة. ولكنها أثّرت فيه كثيراً. حفظ البيت العنتري، وظل

يردده مع نفسه أحياناً. ويعرف، على ضوء ذلك، أنه هذا اليوم وفي هذا الصباح (عنتري) بامتياز.

واجه صعوبة في الوصول الى جرحى الحادث الذي حصل صباح اليوم في ساحة الطيران، وشاهد صحفيين آخرين؛ مصورين ومراسلي قنوات فضائية. ظل يتحرك خلفهم ويدخل حيثما يدخلون. انهم يسعون لإنجاز قصص يومية مقتضبة، بينما هو يحتاج الى لقاءات واحاديث وآراء أكثر تفصيلاً من أجل مطبوع أسبوعي. ويحتاج الى صور خاصة بالمجلة.

أنهى عمله هناك رغم عدم قناعته به وخرج وهو يشعر بانهاك متزايد. اشترى ماكنة حلاقة جاهزة ثم دخل الى مطعم بشارع السعدون. تناول طعام الغداء ثم أمام المغسلة غسل يديه وفمه من آثار الطعام وأخرج الماكنة البلاستيكية وحلق لحيته سريعاً وسط نظرات فضولية من عمال المطعم وبعض الزبائن. سرّح شعر رأسه الخشن الى الوراء بأصابع يديه المبللتين ثم خرج الى الشارع. تمشى عدة خطوات ثم اخرج مسجلة الديجتال من حقيبته، توقف وسجل الملحوظة التالية:

– إيه يا رياض السوادي، يا أبي، الله يرحمك.. بسببك انا هنا، بسببك وصلت الى هذا المكان، ولكني تعبت. مفاصلي تؤلمني، ولا اشبع من النوم. يجب أن ينتهي كل هذا قبل أن أصل الى عيد ميلادي الثالث والعشرين.

في الحقيقة كانت هناك نهاية ما قريبة جداً، أو لحظة مفصلية. فحين وصل محمود الى بناية المجلة استغرق في تحرير ما جمعه من معلومات وأنزل الصور التي التقطها على حاسوبه في غرفة التحرير، وظل يثرثر مع فريد شوّاف وزملائه الآخرين، ثم جاءه عامل الخدمة العجوز ليخبره بأن رئيس التحرير يطلبه.

دخل عليه ووجده جالساً لوحده يقلب بالمنظم قنوات التلفزيون الكبير في الحائط المقابل لمكتب السعيدي الوثير، بينما يده الأخرى تمسك بسيجار غليظ بطريقة تشبه إمساك القلم ومرفوعة في الهواء. ظل السعيدي يسأله عمّا جرى معه خلال اليوم وما انجز، ثم سأله عن قصص جرى الاتفاق على إعدادها في الأيام الماضية. كان هناك ملف كبير على منضدة السعيدي، وضع يده عليه، قلّبه ثم نظر الى محمود وقال له :

ـ هذه المواد كتبها زملاؤك خلال الشهر الماضي... كلها في الحقيقة غير صالحة للنشر.

أوقد السيجار وظل يسحب منه بقوة حتى جاءه الدخان الكثيف. نفث في الهواء براحة ثم عاود الكلام مع محمود الذي داهمه قلق شديد، فالرجل، كما يبدو، مقبل على تصريح أو قرار هام :

ـ سأتخلص من زيد مرشد وعدنان الأنور وهذه الفتاة النحيلة... ميساء.. وأخبر صديقك فريد شوّاف ان يغادر الكسل قليلاً... هو كاتب جيد ولكنه لا يؤمن بعمله هنا..

ـ ما الذي افعله له... كنت اعتقد ان علاقتك قوية به.

ـ لا أريد الجدال معه... هو استاد بالجدل.. ليته يحوّل هذه الطاقة للكتابة فيتحسن وضعه. مرّر له ملاحظة ما بطريقتك.. انت صديقه... افهمه بطريقة غير مباشرة.

حاول محمود بسرعة استحضار طريقة من هذه الطرق غير المباشرة ولكنه فشل في ذلك، وظل صامتاً يتأمل هيئة السعيدي مرة، ثم يستدير برقبته ليتابع مشاهد على شاشة التلفزيون.

ـ شيء آخر صديقي... انت تبذل جهداً كبيراً.

قال السعيدي، فتفاجأ محمود. لم يكن يتوقع هذا الاطراء.

أراحته هذه الجملة كثيراً لأنها خلصته من دائرة الشكوك والاتهامات. إنه يبذل جهداً كبيراً، ياه، لا جديد في الأمر، ولكنه نجا الآن من دائرة المغضوب عليهم.

انطفأ السيجار في يد السعيدي فوضعه على حافة المنفضة الخزفية الكبيرة، وظل ينظر الى ساعته، فهذا موعد مجيء نوال الوزير ولكنها لم تأتِ. خمّن محمود ذلك، وتذكر تحليلات فريد شوّاف المغرضة. ولم ينتبه أن السعيدي لم يكمل جملته بعد، فهذا الرجل مغرم بالتوقفات الدرامية كفواصل ما بين جمله المركزة. نظر الى محمود ثانية واكمل كلامه:

ـ أنت مثابر. لذلك ستكون منذ الغد مدير تحرير مجلة الحقيقة.

ـ ٥ ـ

كانوا ثلاثتهم أمامه، على طاولة خشبية مغطاة بشرشف أحمر ثم بغطاء من النايلون السميك. وأمام كل واحد منهم علبة بيرة هنيغن مع قدح زجاجي وثلاثة صحون من الباقلاء المسلوقة. بينما طلب هو قنينة صودا، وفشلوا في إقناعه ان يشرب ولو علبة بيرة واحدة. كانت أحشاؤه غير مستقرة بعد مغامرة يوم أمس. نظر الى وجوههم وهم يضحكون؛ زيد مرشد وعدنان الأنور وفريد شوّاف. الأولان حسم السعيدي أمره بطردهما والثالث مهدد بالطرد، اما هو فقد تمت ترقيته ليكون الشخص الثاني في المجلة. كيف سيتمكن من اخبارهم بكل هذه الأخبار دون أن يقلبوا الطاولة على رأسه. هل يبلغهم بقرارات السعيدي الآن، قبل أن يسكروا حتى يضمن عدم تهورهم، ام حينما ترتخي اعصابهم فيبتلعون الصدمة بسهولة أكبر؟

أليس من المفيد ان يشرب هو أيضاً حتى يمتلك شجاعة كافية

لتقيؤ هذه الأخبار السيئة في وجوه زملائه؟ لم يستطع الوصول الى جواب وشعر بأنه في محنة كبيرة، ثم أقنع نفسه بتأجيل الكلام في هذا الموضوع الى يوم غد.

كانوا يضحكون، وكان فريد شوّاف متحمساً لشيء يشغله؛ هو يسعى لإنجاز كتاب يحوي أغرب مئة قصة عراقية.

(لماذا لا تسعى لإنجاز عملك يا صديقي... اترك هذه القضايا الآن)

قال محمود مع نفسه وهو يستمع لصديقه المتحمس لتبيان فكرته وكيف ان هذه القصص الواقعية الغريبة يجب أن تدون حتى تحفظ من النسيان.

ــ لماذا لا تكتبها على شكل تحقيقات للمجلة... نحتاج الى قصص مماثلة.

قال محمود، فرد عليه فريد ساخراً:

ــ للمجلة؟.. بابه هاي صحافة.. يعني تنشرها اليوم تروح باچر.. هاي عيشة بس... انا أحكي عن كتاب.

ــ اي... اكتبها بالبداية وبعدين اجمعها في كتاب.

ــ لا... يجب أن تفكّر بها من البداية على شكل كتاب.

ــ اكتبها من البداية على شكل كتاب وانشرها مسلسلة في المجلة.

ضحك زيد مرشد وعدنان الأنور ونظر فريد إليهما وصاح بصوت عالٍ:

ــ هذا كاتل روحه على المجلة... طز اخت المجلة بابه.

انطفأت رغبة محمود في مواصلة السجال. كان المكان شبه معتم ومليئاً بالدخان يزدحم بشباب صغار ورجال متكرشين ذوي شوارب وصلعات لامعة يأتي بعضهم، كما عرف محمود لاحقاً، من خارج

٥٩

بغداد وربما من مدن ومحافظات بعيدة، في أجواء تناسب حانة سرية غير مرخّصة، يتم الدخول إليها بعد اجتياز واجهة مطعمٍ صغير يُستعمل للتمويه يقعُ على مسافةٍ من ساحة الأندلس. وهو رغم بؤسه المكان المفضل لفريد شوّاف وأصدقائه.

خرج الأربعة دون أن يسكروا تماماً. كانوا مستائين من الصودا التي اكتفى بها محمود.

وظلوا يسيرون بخطوات كسولة باتجاه الساحة، فمن هناك يركب فريد شوّاف الى شقته المستأجرة في الكرادة، ويركب زيد مرشد وعدنان الأنور الى الباب الشرقي.

كانت السماء رمادية والظلام يقترب بسرعة. وقفوا عند ساحة الفردوس في الجهة المقابلة لفندق السدير نوفوتيل. ظلوا ينظرون باتجاه اليسار حيث مقدم سيارات الكيا، ولم يغادر فريد شوّاف الى الجهة الثانية، فهو ما زال مستمراً في الثرثرة حول كتابه المفترض، ولو عبر في ذلك الوقت الى الجهة المقابلة من الشارع لواجه موتاً مؤكداً، فمن هناك استدارت كابسة ازبال برتقالية اللون محملة بعشرات الكيلوغرامات من الديناميت لترتطم ببوابة فندق السدير الحديدية مخلفةً انفجاراً مهولاً لم يشهد له هؤلاء الصحفيون الأربعة مثيلاً من قبل.

انتبه فريد شوّاف سريعاً للسيناريو البديل والواقعي جداً فيما لو أنه ترك أصدقاءه وعبر سريعاً الى الجهة الثانية من الشارع. فهو يركب من ذلك المكان تحديداً على بعد عشرة امتار أو أكثر بقليل من البوابة الحديدية للفندق.

سقط الجميع الى الوراء مع لحظة الانفجار واكتسحهم عصف من التراب والحصى. كانوا يظنون لوهلة انهم أصيبوا، ومرت دقيقة أو

أكثر قبل أن يستعيدوا رشدهم لينظروا باتجاه مكان الحادث. ركض الأربعة الى الجهة الثانية بحركة لا واعية. وشاهدوا على مسافة من الجزرة الوسطية وعلى إسفلت الشارع جثة رجل هامدة. اقتربوا منها ومسها محمود بيده فتحركت الجثة فجأة، انهضوه على رجليه وتعرف إليه محمود في الحال؛ انه هادي العتاگ؛ هادي الكذاب كما يسميه زبائن مقهى عزيز المصري. نظر هادي في وجوههم مرعوباً ثم نفض ايديهم عنه، وغذ خطواته مسرعاً متجاهلاً نداءاتهم له بالتوقف فلربما كان مصاباً بجرح بالغ ولا يشعر بنفسه.

لم يروا شيئاً آخر. لا يبدو ان هناك ضحايا في هذا التفجير، وعلى الأغلب فإن الانتحاري الذي قاد سيارة الازبال الملغّمة قد تبخر، هكذا قالوا مع انفسهم وهم يرون موظفي الفندق يخرجون الى الساحة الأمامية، وسمعوا صافرات سيارات الشرطة تقترب، ففضلوا الابتعاد سائرين باتجاه الباب الشرقي.

حين وصلوا الى ساحة النصر ركب زيد مرشد وعدنان الأنور باتجاه الباب الشرقي، وفضّل فريد أن يركب في سيارة تكسي. كان مضطرباً ومشوش الذهن، وتلاشى تماماً الخدر الذي خرج به من الحانة السرّية.

ـ كان من الممكن ان تكون ميتاً الآن... كنت حريصاً على الاستمرار بالثرثرة... لقد انقذتك حكاياتك العجيبة يا صديقي.

قال محمود ذلك بلكنة وتوقفات درامية بين الجمل تشبه طريقة السعيدي في الكلام. فتح فريد عينيه مذهولاً، ربما من استمرار الصدمة أو من النتيجة التي لخّصها محمود أمامه الآن.

غادر فريد شوّاف، وشعر محمود بنشاط يكفي لقطع المسافة المتبقية حتى فندق «العروبة» سيراً. اخرج سيجارة ودسّها في فمه من

دون أن يوقدها. كان مرتاحاً بشكل غريب، رغم الكارثة التي حصلت أمامه. لم يدقق مع نفسه لكي يحاسبها على هذا التناقض المفترض. كان يستحضر جملة واحدة ويكررها مع نفسه، ثم زاد حماسه فأخرج المسجلة الديجتال وضغط على زرّ التسجيل:

ـ كن ايجابياً. كن طاقةً ايجابية... تنجو. كن ايجابياً. كن طاقةً ايجابية... تنجو.

كرّر الجملة لمرات عديدة مثل الممسوس قبل أن ينتبه لنفاد البطارية في جهاز التسجيل.

الفصل الخامس

الجثة

ـ ١ ـ

صاحت عليه:

ـ إنهض يا دانيال... إنهض يا دَنِيَّه... تعال يا ولدي.

فنهض من مكانه فوراً. جاءه (الأمر) الذي تحدث عنه الشاب الميت ذو السوارين الفضيين في مقبرة النجف ليلة أمس. أشعلت العجوز بندائها هذه التركيبة العجيبة التي تكوّنت من الجثة المجمّعة من بقايا جثث متفرقة وروح حارس الفندق التي فقدت جسدها. أخرجته العجوز من المجهول بالاسم الذي منحته له: دانيال.

نظر «دانيال» باتجاهها فشاهدها تقف في الفجوة المتخلفة عن الغرفة المنهارة في الطابق الثاني بذؤابات شعر أبيض تهفهف في الهواء خارجةً من تحت عصابتها السوداء المربوطة دون احكام على رأسها الضئيل وهي تلتحف بسترة صوفية ضيقة داكنة اللون ممزقة الأردان، وأسفل منها القط الأغبر منتوف الشعر ينظر إليه بعيون متسعة ومرعوبة يموء بشكل متقطع بأصوات خافتة وقصيرة وكأنه يتحدث مع نفسه. كان الوقت يقارب السادسة صباحاً والجو شديد البرودة، والأصوات الآتية من الخارج مازالت خافتة، ولم يبدأ صخب النهار بعد، بينما

العتاگ الكذاب نائم في غرفته يعاني من الآلام في أرجاء جسده، ولن يصحو حتى الظهيرة.

عبر على الطابوق المتراكم. خطا فوقه مثل سلم نحو سطح الغرفة المنهارة، ثم تبع العجوز وقطها في النزول الى داخل البيت.

قرّبت المدفأة منه داخل الصالة، ثم غابت لدقائق وعادت وهي تحمل قميصاً أبيض مجعّداً وبلوزة خضراء قديمة، وبنطلون جينز وكلها تفوح منها رائحة النفتالين القوية. اخرجت هذه الملابس من صندوق إبنها دانيال الذي ظلت تحتفظ به طوال السنوات الماضية. رمت الملابس عليه وطلبت منه ان يرتديها. نظرت إليه نظرة اخيرة وتركته لوحده. لم تسأله عن أي شيء. لقد وعدت قدّيسها ألا تسأل أسئلة كثيرة. ورغم أنها، طوال هذا الوقت، لم تضع نظارتها السميكة وتركتها تتأرجح من رقبتها، إلا انها تعرف أن هذا الرجل لا يشبه دانيال كثيراً. هذا ليس مهماً، لا يعود الكثيرون بصورتهم التي خرجوا بها. لديها من القصص ما يكفي لتبرير هذه الاختلافات والتغيرات. حكايات متراكمة ترويها النسوة المفجوعات بآثار الزمن والغياب التام للملامح التي تغطس في الذاكرة ولا تعود الى الحياة أبداً. هي أيضاً تؤمن بأن ما يجري هو معجزة، وبإمكان هذه المعجزة أن تتحول وتتغير. كانت تستعد لإنزال صورة القديس الكبيرة من الحائط وركنها في جانب ما من البيت. وضعها في واحدة من الغرف المتربة في الطابق الثاني ونسيان القدّيس وتجاهل وجوده في البيت. تركه يراقب بعينيه الجميلتين مع حصانه الأبيض ذرات الغبار الداخلة من الشقوق والكسور في زجاج النوافذ المطلة على الشارع. جعله يشعر بالندم لتجاهلها طوال هذه السنوات. كانت تنتظر أي إشارة لبلوغ اليأس حده الاقصى من إنصات الرب وصوره المقدسة

لثغاء نعجته الضالة، وبلوغها حدود الضياع التام وفقدانها للصلة مع العالم المجرّد.

تركت الرجل العاري والغريب يحدق في الجدران وفي الآثاث. وقف ناظراً الى الصور؛ صورة لرجل خمسيني بشوارب سوداء خيطية فوق الشفتين يرتدي البدلة الافرنجية، وصورة أخرى مجاورة لشاب حليق الوجه بشعر كث وزلفين ثخينين ينظر بعينين ناعستين نظرة غائمة بعيداً عن عدسة الكاميرا. اقترب أكثر من الصورة، لا شك أنها التقطت قبل عشرين عاماً. لاحظ على زجاجتها انعكاس وجهه. تفاجأ قليلاً، هذه هي المرة الأولى التي يتعرف بها على نفسه. تحسس غرز الخياطة على وجهه ورقبته. كان يبدو قبيحاً جداً. كيف لم تتفاجأ هذه العجوز بمنظره السيئ. أشاح ببصره الى صورة أخرى. كانت لقديس محارب فوق حصان أبيض يغرز رمحه في حلق تنين خرافي. دقق في الصورة. كان وجه القديس ناعماً ورقيقاً وجميلاً كما هي صور كل المقدسين في الايقونات الدينية. كانت العجوز في الداخل تعد شيئاً ما للافطار، يسمعها تقرقع بالأواني أو تقوم بشيء من شؤونها. ارتدى قطع الملابس الثلاث بهدوء، وكانت مناسبة له تماماً. عاد للنظر الى انعكاس هيئته في صورة دانيال تيداروس موشه، وانتبه، رغم أنها صورة بالأبيض والأسود، ان صاحبها يرتدي ذات الملابس؛ قميص أبيض بياقة عريضة مرفوعة الى الأعلى قليلاً تحت بلوزة ذات فتحة علوية على شكل رقم سبعة أو علامة النصر. إنه يبدو، باستثناء هذه الغرز غير الماهرة على وجهه ورقبته، وكأنه يشبهه. لقد تقصدت العجوز ذلك. واستناداً الى بصرها الضعيف المؤكد فإنها لن ترى، حين تدخل ثانية الى الصالة، إلا ما تريد هي ان تراه.

حوّل بصره الى صورة القديس الشهيد، ظل يتأملها على ضوء

النهار القادم من الشباك، وجذبت انتباهه تلك المهارة في رسم طيات العباءة الحمراء الزاهية التي تخفق خلف الجسد المشدود للقديس المحارب. كانت صورةً بديعة لقديس وسيم ذي شفتين دقيقتين، وها هما الشفتان تتحركان الآن:

ـ عليك ان تكون حذراً. .

شفتا القديس تتحركان بحق:

ـ انها امرأة عجوز منكوبة. . إذا قمت بإيذائها أو جعلتها تحزن. . أقسم انني سأغرز رمحي هذا في حلقك.

ـ ٢ ـ

نام «دانيال»، أو النسخة الجديدة منه، على الأريكة في الصالة. دثرته العجوز بلحاف سميك وتركته لتستأنف مشاغلها اليومية التي لا تكون غالباً سوى القيام بتنظيف ما نظفته سابقاً، ونفض الغبار عن الآثاث والايقونات والصور، وكنس باحة البيت. هذه الأعمال التي لا تبدو ضرورية جداً تستغرق نصف وقتها خلال النهار.

هرب القط ثانية نحو السطح، وأطل برأسه من جديد على باحة بيت العتاگ المهدم، وشاهد العتاگ وهو يفرك بكلتا يديه على فروة رأسه محتاراً، وينظر بالاتجاهات جميعاً متخيلاً امكانية ان يرى الجثة التي صنعها معلقة على الحيطان أو تحلّق في أجواء الزرقة الصافية لهذا النهار.

خرج هادي من البيت متحاملاً على آلام مفاصله ورأسه، وظل يراقب الزقاق وحركة الخارجين والداخلين. كان ينتظر إشارة ما لحدوث شيء غريب. لم يكن مستعداً للوقوف مع أحد من الجيران لسؤاله بالشكل التالي مثلاً:

ـ العفو. . هل شاهدت جثةً عاريةً تسير في الزقاق؟

إنه كذاب، كما يقول عنه الجميع، وحتى لو اقسم انه أفطر بيضاً مقلياً، فإن هذا أيضاً يحتاج الى شهود عيان يؤكدون ما يقول، فكيف الحال مع جثة عارية مصنوعة من بقايا قتلى الانفجارات.

أطل برأسه على سطح أم دانيال، وعلى اسطح البيوت المجاورة. فكّر بإمكانية ان يكون أحد ما قد سحب الجثة الى هناك، ولكنه لم يعثر على شيء. فتح الخزانات والكناتير الموجودة في باحة بيته. ظل يدور في ازقة المنطقة. وقف عند ابي زيدون الحلاق العجوز المتهالك على كرسي الحدائق الأبيض أمام محل الحلاقة العائد له، وشكّ في امكانية أن يرى أي شيء حتى لو مرّ من أمام انفه. وقف مع أشخاص آخرين وثرثر معهم طويلاً. أخبره صاحب مكوى «الأخوين» بأن الشرطة تداهم البيوت منذ الصباح بحثاً عن عصابات مسلحة تقوم بتهريب النساء الى خارج العراق. قال له عاملٌ في فرن صمون ان هناك (إرهابيين) قادمين من المحافظات يسكنون في أحد فنادق المنطقة، والشرطة والأميركان يبحثون عنهم ويفتشون الفنادق تباعاً. علم أيضاً ان عاهرتين صغيرتين نام معهما سابقاً سافرتا اليوم صباحاً الى سوريا للعمل في ملاهي الشام. الشغل هنا لم يعد مجدياً على ما يبدو. سمع أخباراً كثيرة أخرى، وانفق نصف نهاره في الإنصات، غير انه لم يسمع شيئاً عن جثته الخرافية المختفية.

ـ ٣ ـ

استبشرت أم سليم البيضه حين رأت أم دانيال عند محل القصابة. شاهدتها تشتري ربع كيلو من لحم البقر مع كيلو من مصارين خروف منظفة جيداً، قبل أن تتجه الى بائع المخضر في المحل المجاور.

كانت تضع عصابة كونكتا حمراء بزهور بيضاء وكأنها فتاة صغيرة. لقد نزعت عصابة الترمّل والحزن، ما الذي حصل للعجوز يا ترى؟!

اكملت المرأتان تسوّقهما معاً، وعادتا بخطوات بطيئة الى الزقاق. كانت أم سليم تحدثها عمّا جرى صباح البارحة، وكيف أدى الانفجار المهول الى تصديع جدران بعض البيوت، وفهمت منها انها كانت في الكنيسة في ذلك الوقت. لقد سمعت الانفجار خلفها لكنها لم تر شيئاً حين عادت. كان هذا سبباً كافياً لحدوث الانفجار بالنسبة لأم سليم، وتعززت خرافة المرأة المبروكة في ذهنها أكثر.

وحين استفهمت منها عن هذه العصابة الحمراء الملفتة قالت لها بهدوء وهي تنظر الى الطريق أمامها:

ـ لقد انتهى حزني. الرب سمع ندائي اخيراً...

ـ إنشالله خير انشالله..

انفلقت كلماتها مثل قنابل صغيرة أمام جارتها العزيزة، تحدثت عن عودة ابنها. كشفت الحدث الغريب والمفاجئ، وظلت أم سليم البيضه غارقة، خلال ذلك، في صمتها وذهولها، فما الذي تتحدث به هذه العجوز يا ترى؟

وصلت الى باب بيتها، وقبل أن تتركها أم سليم لتذهب الى بيتها الذي يبعد عدة خطوات، سألتها:

ـ هل هو في البيت الآن؟

ـ نعم. إنه نائم من التعب.

لوت شفتيها وظلت في هيئة من يفكّر بعمق ولكنها لم تدخل معها الى البيت للتأكد فارتكبت خطأً فادحاً ستندم عليه لاحقاً. كانت مشغولة الذهن بطعام الغداء الذي يجب أن تعدّه لزوجها الصموت الجالس طوال النهار أمام شرفة البلكون المطلّة على الزقاق في الطابق

الثاني يقرأ في الصحف القديمة وبعض الكتب. لم تأخذ كلام العجوز إيليشوا على محمل الجد. القضية أكبر من ان تبتلع سريعاً من خلال افادة عابرة بكلمات قليلة. ستمرّ عليها في ما بعد، ربما بعد الظهر، لتفهم الموضوع أكثر.

ولكنها، على ما يبدو، لن تفهم شيئاً أكثر. ستنشغل عند العصر باعلان ابنها الأوسط المفاجئ عن اسم الفتاة التي ينوي ان يتزوجها. ولن يتاح لها أبداً ان ترى ابن العجوز العائد من حرب انقضت منذ عشرين سنة أو أكثر. ستنظم، جرّاء الأحداث اللاحقة، الى فريق المؤمنين بخرف العجوز وخبالها. لتخسر إيليشوا بذلك آخر حلفائها المخلصين.

ـ ٤ ـ

عاد هادي العتاگ الى بيته. تحسس أرضية الحوش بحثاً عن دماء أو بقايا اشلاء بشرية من تلك التي يعرف تماماً انه أمسكها بيديه وعالجها تقطيعاً وخياطةً حتى انجز الجثة بشكل مقبول. لم يعثر على شيء. كانت الامطار الغزيرة التي هطلت يوم أمس بقطرات كبيرة قد غسلت كل شيء. قضى الظهيرة منطرحاً على فراشه يتأمل السقف المتآكل من الرطوبة ثم ينظر الى الحائط البعيد حيث آية الكرسي التي الصقها صديقه الراحل ناهم عبدكي، وها هي احدى حافات الآية الكارتونية تنخلع بسبب الرطوبة من تلقاء نفسها وتنطوي الى الأسفل. لو سحبها أحد ما لربما نجح في انتزاع الآية كلها. فكّر ان هذه النتيجة، في نهاية المطاف، تناسبه. كان يريد التخلص من الجثة، وقد اختفت الجثة لتعفيه من مهمة حقيرة أخرى؛ تقطيعها وفتق خيوطها ثم رمي اجزائها وتوزيعها على المزابل داخل الحي وشوارعه وازقته.

عند العصر خرج الى مقهى عزيز المصري ولما أحسَّ بأنه محتشد بزبائن كثيرين وان صديقه المصري غير متفرغ للحديث معه تركه واتجه الى العجوز الآمرلي في محاولة جديدة لاقناعه بشراء اثاث بيته القديم. وجد الرجل في المحطة الأولى التي يبدأ منها دائماً في مفاوضاته حول السعر وبيع الآثاث، ثم سمعه للمرة العاشرة وهو يعيد تاريخ صنع الغرامافون القديم ومن اين اشتراه، وكل قطعة آثاث أو تحفية أخرى يتوقفان أمامها.

ماذا لو علم هذا العجوز الأنيق حليق الوجه ان الذي يقف بجواره مجرم يعبث بالاشلاء البشرية؟ سيقوده على الممر الخراساني حتى الباب الخارجي ويودعه ليغلق الباب خلفه بشكل نهائي.

سيروي هذه التفاصيل لاحقاً ويعيد سردها أكثر من مرة، فهو مغرم بالتفاصيل التي تجعل قصته متينة ومؤثرة أكثر. سيحكي عن يومه العصيب هذا، بينما الآخرون ينصتون لحكايته باعتبارها أفضل القصص الخرافية التي رواها هادي الكذاب حتى الآن.

يجلس في المقهى ويستأنف الحكاية من حيث بدأت. لا يملّ من الإعادة. يغرق في نهر الحكاية حتى يمتع الآخرين ربما، أو حتى يقنع نفسه بأنها مجرد حكاية صنعها خيالهُ الخصب ولم تحصل أبداً.

ـ ٥ ـ

انشغلت إيليشوا بصنع (الكشكا). وضعت الحنطة المقشّرة مع البرغل المسلوق، واضافت الحمّص والمتبلات، مع قطع مكعبة من اللحم. إنها ماهرة في صنع الاطباق التقليدية، وهي في الأحوال العادية، لا تملك مناسبة لذلك، ولا تريد اطعام قطّها اطباقاً ستكون متشابهة في معدته في نهاية المطاف. لكن الأمر هذا اليوم مختلف.

إنها تكرّم ضيفاً خاصاً وتفي بنذر قديم. تسوط العجوز القدر وتردد مع نفسها:

ـ نعمةٌ وسلامٌ من الله ابينا والرب يسوع المسيح الذي أحبنا قبل أن نحبه.

لقد اكتسبت الكثير من عادات الحي الذي تسكن فيه، لذا نظرت الى الأمر على انه نذر تفي به الآن. رغم أن ابونا يوشيّا يصحح لها دائماً هذا الاعتقاد الذي تمضي فيه، فيقول لها:

ـ نحن لا نشترط على الرب مثل المسلمين.. إن فعلتَ كذا.. سافعل كذا.

هي تفهم كلامه بكل تأكيد، ولكنها لا ترى ضيراً من الاشتراط على الرب كما تفعل أم سليم وجاراتها المسلمات الأخريات، لانها لا ترى الرب مثلما يراه الأب يوشيّا تماماً. الرب ليس في الاعالي، لا تراه متسلطاً متجبراً. انه مجرد صديق قديم من الصعب التخلي عن صداقته.

لم يأكل ضيفها المميز من الطعام الذي وضعته أمامه، وتناولت هي القليل منه، واجهز «نابو» على قطع اللحم المتبقية ولعق الأواني. لم تنتبه أن ولدها أو شبحه العائد لم يلوث يده بدسم الطعام. ربما هو مثل ضيوف ابرام، أو لا يشتهي. لن تخيفه بالأسئلة حتى لا يفر.

قضت ما تبقى من النهار وحتى ساعة متقدمة من الليل في ثرثرات متقطعة مع ضيفها الصموت. حتى لكأنها تتحدث مع نفسها أو قطَها أو تعاود الحوار مع صورة القديس على الحائط في صالة الضيوف. لم تحدث أشياء مهمة خلال ذلك؛ وقف بائع الغاز أمام بابها، استبدل القنينة الفارغة بأخرى مملوءة، حملها حتى نهاية المجاز كي يخفف عن العجوز. مرت طائرات أميركية على ارتفاع منخفض رجَت البيت

بصوتها الحاد وامتلأ الجو بنثار ريش من طيور عبد الرزاق، الصبي في البيت الخلفي. لم تحضر أم سليم أو أي من نساء الجيران، ولا حتى ديانا الفتاة الأرمنية الجميلة من الزقاق المجاور والتي تدفعها امها فيرونيكا منيب أم آندرو لتمرّ على العجوز، في بعض الأحيان، لتعرف طلباتها وما ينقصها.

ظلت تتحدث مع شبح ابنها الذي تجسد بهيئة بشرية اخيراً. فتحت صناديق روحها المقفلة واحداً تلو الآخر، واخرجت كل ما في جوفها. غفت على الأريكة المقابلة لتلك التي جلس عليها الرجل الغريب الصموت. وحين استيقظت شاهدته في مكانه ينظر الى الضوء المتخافت من خلف النافذة المطلّة على الزقاق.

حدّثته عن صراعها مع «تيداروس» زوجها الذي قبل أن يدفن تابوتاً فارغاً لابنهما دانيال. ذهب تيداروس، الموظف الصغير في مصلحة نقل الركاب، الى مقبرة كنيسة المشرق الكائنة في شرقي العاصمة، مع بعض الأقارب والمعارف والأصدقاء، ودفنوا تابوتاً فارغاً فيه بعض ملابس دانيال وقطع من گيتاره المحطّم، وصلوا عليه ثم وضعوا شاهدة بالسريانية والعربية: أوه قوره دنيه (هنا يرقد دانيال). ثم عادوا.

لم تقبل الذهاب معهم، لأن قلبها يخبرها بأن ولدها ليس ميتاً، ولا يمكن، ان كان ولا بد، ان يموت بهذه الطريقة. لن تعترف بموته أو بقبره الفارغ. ولم تنظر الى هذا القبر حتى توفي تيداروس نفسه وذهبت في تشييعه ودفنه بجوار قبر ابنه. انعصرت روحها وهي تقرأ اسم ابنها على الشاهدة المصنوعة من حجر الحلان، ولم تعترف، مع ذلك، بموته، رغم مضي السنين.

في تلك الفترة انتقلت عائلة نينوس ملكو الى احدى الغرف في

الطابق الثاني من بيت العجوز، وتركوا منزلهم المؤجر في البتاويين نفسها، وكانت هذه الخطوة سبباً في زواج ماتيلدا الابنة الثانية لإيليشوا من الأخ الأصغر لنينوس، وتوطدت علاقة نينوس ملكو وزوجته مع العجوز، حتى غدوا كأنهم التعويض المناسب للفقدانات التي حصلت معها تباعاً. فها هما البنتان ترحلان عنها بعد رحيل دانيال وأبيه. ولم يكن من الصعب بالنسبة للقريبين الجديدين ان يصدقا عودة دانيال في يوم ما. هناك غائبون كثر، ولا بد أن يعود بعضهم. وهذا ما ظل يحصل تباعاً. حتى أن أحد أخوة نينوس نفسه عاد من أسر طويل في ايران والصدمة التي ظل يتحدث عنها الكثيرون في وقتها انه ترك عقيدته الأصلية وغدا مسلماً على المذهب الشيعي الاثني عشري، وظل على هذه الحال عدة سنوات قبل أن يعود تدريجياً الى عقيدته، أو هكذا أوهمهم من أجل إنهاء الفتنة التي حصلت بسببه.

عاد أسرى كثيرون بعد حرب الخليج الثانية، وفي منتصف التسعينيات، ومع قسوة العقوبات الاقتصادية الدولية على البلد، قرر زوجا هيلدا وماتيلدا الهجرة، ورفضت الاختان السفر من دون امهما. لكن الأم مثل تيس جبل عنيد رفضت الهجرة. استمر الصراع معها سنة كاملة، وتطورت المشاكل وتعقدت، لكن رأس العجوز لم يلن، ثم أقنعت البنتين بأنها ستلحق بهما حين تستقران، وحين تيأس هي تماماً من عودة دانيال. لكنها لم تيأس أبداً، وظل وجود عائلة نينوس ملكو معها يمثل عزاءً للبنتين. غير ان زوجة نينوس، عشية اعلان الحرب الأخيرة، اتهمت العجوز بأنها تمارس نوعاً من السحر الأسود وانها تؤثر في طفليها الصغيرين، وهي التي منعت أحدهما من النطق رغم بلوغه سن السادسة. كانت تخاف من العجوز وتشعر بالرعب حين تدخل عليها وتجدها تتحدث مع الصور أو القطط الكثيرة التي كانت

تمرح في البيت وترفض ان يمسّها أحد بسوء. وأخبرت زوجها مرة ان
أحد القطط يرد الكلام على العجوز ويتحاور معها. بل انها شكّت،
في احدى المرّات، في ان تكون هذه القطط ارواح بشر قامت العجوز
بمسخهم بسحرها الشيطاني.

لم يصدق نينوس هذه الخرافات، ولكنه لم يتحمل ضجر زوجته
من البيت ورغبتها بالانتقال، وتجمعت اسباب كثيرة دفعته للسفر مع
عائلته الصغيرة الى عينكاوا في اربيل عقب دخول القوات الأميركية الى
بغداد. لم يخبر هيلدا وماتيلدا بالقرار الذي اتخذه. ولم تعترض
العجوز إيليشوا. بدت وكأنها راضية، أو كأن الأمر لا يعنيها. واصيبت
البنتان بالصدمة حين علمتا ان امهما ظلت وحدها في بيت كبير موحش
في مدينة مضطربة فتحت فيها كل اقبية الشياطين لتطلع على السطح
دفعة واحدة كما كانتا تتخيلان.

في تلك الفترة كانتا تتصلان على هاتف الثريا في كنيسة
مارعوديشو كل أحد، وكان الأب يوشيّا يتبرع بطمأنتهما في حال لم
تحضر العجوز لسبب من الأسباب. وكان الاتصال الهاتفي لا يستمر
أكثر من دقيقة بسبب حرص الأب يوشيّا على العدالة بين جميع من
يحتاج الى الاتصال الهاتفي، وهم كثيرون، وقد تنشب معركة بين
العجوز واحدى بنتيها في منتصف هذه الدقيقة وتصل الى الذروة مع
انقطاع الاتصال، أو سحب الأب يوشيّا للهاتف من يد العجوز. كانتا
تريدان العودة الى بغداد لحمل امهما بالقوة، ولكن هذا لم يتجاوز
حدود الكلام، فليست هناك رغبة فعلية للقيام بهذا الأمر. وكانت
العجوز تكمل معركتها الكلامية المقطوعة مع نفسها، أو تمسك
بأحدى النسوة داخل الكنيسة وتكمل خطبتها النارية الرافضة للخروج
من بيتها والهجرة الى مكان لا تعرف عنه شيئاً، وكان الأب يوشيّا

يشجعها، فهو يرى في ذلك واجباً دينياً. ليس من الجيد ان يخرج الجميع من البلد. لم تمر أحداث أفضل على الآثوريين في القرون السابقة. ولكنهم بقوا ها هنا واستمروا في الوجود. على أحدنا ألا يفكّر بنفسه فقط. هكذا كان يقول في عِظَته أحياناً.

ظلت البنتان تهددان بأنهما ستحضران وتجبران العجوز على بيع بيتها والسفر معهما، لكنهما لم تفعلا ذلك أبداً. وفي مطلع هذه السنة طلب منها الأب يوشيّا استضافة عائلة سنخيرو التي هربت من التطهير الطائفي في حي الدورة جنوبي بغداد. شغلت العائلة ذات الغرفة التي كانت تقيم فيها عائلة نينوس ملكو، ولم يتأخروا إلا بضعة أسابيع قبل أن يغادروا الى سوريا ليطلبوا الهجرة الى أوربا. وبعد سفر عائلة سنخيرو اختفت ثلاثة من قطط العجوز، ثم وجدت قطاً رابعاً ميتاً على السطح منفوخ الجثة، وشكّت ان شظية ما قد اصابته أو أكل لحماً مسموماً.

ظلت تثرثر لنصف ساعة عن قططها وكيف أن «نابو» هو وحده من بقي معها في نهاية المطاف، ثم تذكرت «أبو زيدون» فجأة، ذلك الحزبي الذي تسبب في أخذ ابنها الى الحرب. كان يلاحق الفارين من الخدمة العسكرية، وكان ابنها دانيال متخلفاً. رفض الذهاب الى التجنيد من أجل الالتحاق بمعسكرات التدريب. كان يريد إكمال دراسة الموسيقى، كان يحب العزف على الگيتار. لم يكن يعزف عليه جيداً، ويحتفظ، مع ذلك، بآلة گيتار في خزانة ملابسه.

حين أخذه أبو زيدون الحزبي من ياقته الى معسكر التدريب ثم من هناك الى الجبهة ولم يعد بعدها، صار أبو زيدون عدوّها اللدود. وحين جاؤوا بالتابوت الفارغ لدانيال والذي حوى بعض ملابسه وأغراضه الشخصية، قام تيداروس العجوز وحطم گيتار ابنه من

٧٥

الحزن. لم يكن يريد تحطيمه، هو ذكرى من ولده الراحل، ولكنه فقد
اعصابه واختلطت الأشياء كلها في رأسه بسبب الحزن.

تم وضع بعض قطع الگيتار في التابوت الفخم المصنوع من
الساج الأحمر الذي اشتراه تيداروس، وأُنزل الى القبر. گيتار محطم
في تابوت فارغ، وبيت فقد شبح الابن الوحيد، وعدو يمرح في
الزقاق والحي يمارس سطوته على الجميع دون أن يقف بوجهه أحد.
ولكن أم دانيال وقفت في وجهه. كانت تدعو عليه وترمي عليه لعناتها
كلما شاهدته في الطريق. استمر الأمر لفترة طويلة، حتى غدا أبو
زيدون يتحاشى لقاءها أو مصادفتها. لم يعد يمر بزقاق ٧ خشية ان
تخرج عليه من باب بيتها فجأة لترمي عليه لعنة جديدة مخيفة. وكما
نذرت بعض النسوة في حال موت هذا الرجل الشرير بذبح خروف
لوجه الله تعالى، نذرت أم دانيال نذراً أيضاً، ولم تخبر به الأب يوشيّا
خشية ان يوبخها ويلومها. كتمت الأمر مع نفسها، وها هي تخبر به
ضيفها الصموت وتكشف عنه للمرة الأولى.

حل الليل والعجوز تنهي شوطاً من احاديثها المتشعبة لتبدأ شوطاً
آخر. حتى ساد الظلام تماماً. كررت أمامه أكثر من مرة بأنها كانت
تعرف أنه سيعود. لم تصدقها قريبتها انطونيت ولا مرته ولا زوجة
اخيها يواريش. وكلهم الآن ماتوا أو هاجروا. اخرجت له ألبوم صور
قديمة. ارته، على ضوء الفانوس، صوره في طفولته وهو يقف مع
كورس الإنشاد في الكنيسة ويرتدي ملابس انيقة. صوره مع أصدقاء له
في الدراسة. في بار أو مطعم. وهو يرتدي ملابس رياضية ويضع
قدمه على الكرة، كما كان يفعل اللاعب الشهير علي كاظم. كل
الشباب الذين يرغبون بصورة مشابهة كانوا يضعون قدمهم اليمنى فوق
الكرة ويتخصرون باليد اليسرى ويبتسمون. لن تكون الصورة جيدة إن

لم يفعلوا ذلك. صورة أخرى مع فريق كروي وهو يتوسط اللاعبين ويتحاضنون جميعاً بالاذرع. كانت الصورة شاحبة وعليها بقع من رطوبة. ظل يتأمل في هذه الصور وحين أنهى تقليبها جميعاً نهض واقفاً. خرج ليتجول في الغرف الأخرى. استولى عليه فضول ما، بينما ظلت العجوز جالسة تتأمل على ضوء الفانوس صورة قديسها الجامدة التي لا يبدو انها ستتحرك هذه الليلة لتتحدث معها بشيء.

سمعت قرقعة وسقوط بعض الأواني. لابد أنه تعثر بشيء ما وسط الظلام. سمعته يصعد على السطح. غاب لدقائق ثم عاد، وهو يحمل شيئاً ما في يده. اخفاه سريعاً في جيب البنطلون، ثم فتح فمه ليتحدث للمرة الأولى. سمعت صوته أخيراً، كان محشرجاً وكأنه لم ينطق بأي كلام منذ ولادته. نطق كلماته بصعوبة. أخبرها بأنه يجب أن يخرج. كانت تريد أن تقول له؛ الى اين تخرج؟ لقد عدت لتوك، لماذا تتركني وتخرج. كلما خرج أحد ما من هذا الباب لا يعود، وكأن بابي مفتوح على حفرة. أرادت ان تصرخ به. أمسكت بردن بلوزته الخضراء بهدوء. أحسَّت بذراعه يابسة كأنها غصن شجرة جاف. نظرت الى وجهه عن قرب ولم تر شيئاً بسبب العتمة. اشاح ببصره بعيداً، ومر القط بينهما وهو يتمسح ببنطلونه ويهرّ بخفوت.

ـ سأعود... لا تخافي.

نطق كلماته بجفاف. ثم أفلت من يدها وغادر باتجاه الباب. سمعت خطواته وهي تضغط بثقل على أرضية الحوش ثم المجاز المؤدي الى الباب، سمعته يفتح الباب ويغلقه بهدوء. ساد الصمت من جديد في بيتها الكبير الموحش. شعرت بعطش شديد وتعب لم تمر به سابقاً. جلست على الأريكة أمام صورة مارگورگيس الشهيد والقنوط يحفر في صدرها. كانت تريد أن تسأل شفيعها أو تثرثر معه ولكنها لم

تجد طاقة لذلك. نظرت إليه فوجدت درعه المعدني يتوهج بلمعان جديد، وكأن يداً ما داخل الصورة قامت بصقله. خفتَ اللمعان وانتهى الكلام. افرغت ما في نفسها. لن تتكلم لبضعة أيام لاحقة. ظلت ترمش بعينيها ناظرةً الى لطخات النور الاصفر المنبعث من الفانوس على تموجات الصورة القديمة للقديس، بينما القط العجوز متكوّر بين ساقيها يبحث عن الدفء.

الفصل السادس

الحوادث الغريبة

ـ ١ ـ

جاءت سيارتا شرطة حوضيتان وأغلقتا فتحتي الزقاق رقم واحد .
نزل خمسة من رجال الشرطة مع اسلحتهم وكان معهم أميركي من
الميلتري بوليس . دفعوا الناس الفضوليين الى ما وراء بدن السيارتين .
كان الزقاق خالياً منذ الصباح، واكتفى الكثير من الأهالي باطلالة
صامتة وخائفة من نوافذ الشناشيل القديمة المُطلّة على الزقاق، والتي
توحي للناظر بأنها ستسقط بمن فيها في أي لحظة . كان السكون تاماً
بينما يقوم أحد الشرطة بالتقاط صور كثيرة بكاميرا في يده .

بعدها بدقائق جاء فرج الدلال لاهثاً، تهتز لحيته الكثّة مع كل
خطوة يخطوها وهو يتأبط حقيبة جلدية صغيرة يستعملها في حفظ
الوثائق والأوراق الرسمية أثناء مراجعاته للدوائر الحكومية .

بادر الأميركي من فوره بسؤال فرج الدلال عن البيت ومن
يسكنه، وهل له معرفة بالحادث وكان المترجم الذي يرتدي ملابس
الشرطة يلاحق كلمات الأميركي بالترجمة وينظر باتهام الى فرج الذي
بدا مذهولاً مما يرى، فهو على الرغم من سطوته في المنطقة إلا انه
يخاف من الأميركان . يعرف انهم يتصرفون باستقلالية كبيرة، ولا
يستطيع أحد محاسبتهم على ما يفعلون، وبإمكانهم ان يقذفوا بأي

إنسان وراء الغيوم بمجرد تغير المزاج. فتح فرج شفتيه اليابستين وأوضح أنه يملك هذا البيت. بالاحرى هو يستأجره من الدولة منذ خمس عشرة سنة ويدفع الايجارات بانتظام الى محامي دائرة الأموال المجمدة. قال ذلك وهو يُخرج من حقيبته أوراقاً ويرفعها بيد مرتجفة أمام وجوه رجال الشرطة.

تركه الأميركي يتحدث واشاح ببصره عنه. وقف أمام جثث الشحاذين الأربعة المتجمدين في وضعية الجلوس داخل الزقاق، ثم التفت ليسأل فرج مجدداً إن كان يعرفهم. أومأ فرج بالايجاب وهو يشعر بأن الدماء بدأت تجف في عروقه. أي رعب هذا مع بداية النهار. من الذي قتل هؤلاء الشحاذين المساكين. هل نزل عليهم قضاء الله وقدره وهم جلوس بهذه الهيئة؟

كانوا جالسين على شكل مربع، يمسك كل واحد منهم بعنق الذي أمامه، وكأن الأمر يتعلق بلوحة ما أو شكل من أشكال العروض المسرحية. ملابسهم قذرة وممزقة من كثرة الاستخدام، ورؤوسهم تتدلى الى الأمام. لو أن المصوّر حازم عبود رأى هذا المنظر والتقط صوراً له لنال عنها جائزة دولية ما.

زاد عدد الفضوليين عند طرفي الزقاق، وبدأت الرؤوس الجبانة من خلف المشربيات والنوافذ الخشبية تطل بحذر. تزايد عدد شهود العيان، وهذا الأمر لم يعجب الأميركي. أشار بيده الى رجال الشرطة ليسرّعوا الاجراءات. أخذوا رقم هاتف فرج الدلال وطلبوا منه ان يراجع مركز شرطة السعدون في حال حصوله على معلومات حول هذه الجريمة أو عثوره على شهود عيان. تنفس فرج الصعداء، وبدأ يمسح على لحيته الكثة، ثم اخرج مسبحته وتشجع للاقتراب من جثث الشحاذين، وبدأ ينظر إليهم بازدراء.

ارتدى رجال من الشرطة قفازات مطاطية بيضاء وبدأوا بفكّ الايادي القابضة على الاعناق. حملوا الجثث الى السيارة الحوضية بسرعة، ثم غادروا جميعاً.

امتلأ الزقاق فجأة بالناس الذين احاطوا بفرج الدلال وهم يسألونه عن القضية. نهرهم بيده وضرب بعض الصبية بمسبحته السوداء الطويلة وسار مبتعداً.

في الأعلى، ومن البيت المتهالك العتيق المقابل للبيت الذي يسكنه الشحاذون، حيث النافذة الخشبية المطلة تماماً على موقع الجثث الأربع، كان شحاذ عجوز ينظر الى ما يجري من دون أن يظهر منه شيء لمن في الزقاق. كان ها هنا ليلة أمس حين وقعت الجريمة. كان في واقع الحال يشرب لوحده. شرب نصف قنينة من عرق العصرية حين بدأ يسمع العراك في الزقاق المعتم. تجاهل الأصوات في البداية فهو عراك سكارى معتاد يجري بين شحاذين يعودون الى حجراتهم الحقيرة آخر الليل. يشتمون بعضهم ويستذكرون فجأة حالهم البائس ويتخيلون أن المعضلة تكمن في هذا الكائن الذي يقف بالمصادفة أمامهم وغالباً ما يكون مجرد زميل في المهنة.

استمر العراك وتصاعدت الأصوات اللاعنة مختلطة بلهاث وتأوهات وصراخ متألم. وعند هذا الحد اطل الشحاذ السكير برأسه ولم ير شيئاً. ثم على أنوار سيارة استدارت أمام طرف الزقاق البعيد تمكن من رؤية خمسة اشباح تتماسك بالايدي وتدور مع بعض.

في مساء اليوم نفسه الذي شهد العثور على جثث الشحاذين الأربعة تم جلب الشحاذ السكير الى مكتب فرج الدلال. لم يصمت وبدأ يثرثر وسرعان ما وصل الكلام الى فرج الدلال الذي رأى في الأمر فرصة لتعزيز سلطته أكثر. لم يكن الشحاذ السكير قد افاق من

شربه. هو لا يفيق أبداً، ومن غير المنطقي الاعتماد على كلامه بشكل حرفي، ولكن لا بأس بالافادة منه.

شتمه الدلال كثيراً وشتم من خلاله كل السكيرين والخمّارة ودعا الله ان يخلص البلد منهم ومن قرفهم، ولام الحكومة التي تخاف من الأميركان ولا تطبق احكام الشريعة وتريح الناس وتخلصها من هذا البلاء. كان الشحاذ السكير ينظر إليه بعيني فأر مذعور لا حيلة له وهو يسمعه يردد هذا الكلام المخيف.

سأله فاعاد عليه الكلام ذاته الذي أفشاه في الحي بعد ذهاب دورية الشرطة بساعة؛ شخص بشع بفم عريض كان بين الخمسة.

ـ هم أربعة.!

ـ لا خمسة... كل واحد من الأربعة يريد إمساك رقبة الخامس ولكنه يمسك برقبة رفيقه.

ـ شنو هذا الحكي.. أخَّ الأخّل.

شرب فرج الدلال من شايه بهدوء ناظراً بازدراء الى الشحاذ العجوز، وفي ذات الوقت كان هناك من يشرب شايه بهدوء أيضاً. انه العميد سرور محمد مجيد المدير العام لدائرة المتابعة والتعقيب، دخل عليه أحد المساعدين ووضع ملف (الشحاذين الأربعة) على طاولته. وضع كاسة الشاي المفلطحة على الصحن، وتناول الملف وقلّبه ليتأكد ان القضية هي من اختصاص دائرته. كانت خلاصة التقرير الجنائي تشير بوضوح ان الشحاذين الأربعة ماتوا بسبب خنقهم لبعضهم بعضاً.

ـ ٢ ـ

خرج محمود مع علي باهر السعيدي بسيارته المارسيدس السوداء. يفعل ذلك أحياناً ولا يترك له السعيدي خيارات كثيرة. ينادي

عليه داخل المجلة فيجده واقفاً أمام باب مكتبه وهو يحمل حقيبته الجلدية السوداء وعلى وشك المغادرة.

ــ علينا ان نذهب في مشوار صغير. أريدك معي.

يقول السعيدي ذلك غالباً، ويتحرّك الفضول في نفس محمود تجاه مضمون العبارة الغامضة. يدمن السعيدي على هذا النوع من العبارات التي تحوي كلّابات تسحب الآخر معها. لا يكشف له كل شيء في جملة واحدة، يُقطّر له المشهد تقطيراً. فيجد محمود نفسه مع السعيدي يدخلان الى المنطقة الخضراء مثلاً. يخضعان لتفتيش دقيق. يصعدان في مصعد مع وجوه مألوفة لموظفين كبار في الدولة. في مرة التقى وزير التخطيط داخل المصعد وشاهده كيف يضحك مع السعيدي؛ أهّا.. انهما صديقان! نساء كثيرات يصافحن السعيدي. مترجمات وعاملات خدمة وصحفيات، ونساء آخريات أقل بهرجة وجمالاً يعملن في البرلمان. بينما محمود ينظر الى نفسه في الزجاج والمرايا المنتشرة في كل مكان ولا يرى شيئاً. لا يرى سوى السعيدي ودائرة علاقاته المتشابكة.

ــ إلى اين نحن ذاهبان؟

قال محمود وهو يصعد في سيارة السعيدي. كان النهار ينقضي والسماء تتشح بالسواد شيئاً فشيئاً. واضطر مع نفسه الى الغاء موعد مع صديقه حازم عبود. كان قد دعاه صباحاً الى معرض للفوتوغراف لبعض أصدقائه من مصوري الوكالات في گاليري حوار في حيّ الوزيرية. ربما سيذهب غداً.

ــ سنلتقي بصديق قديم. ربما نستفيد منه ببعض المعلومات.

ــ معلومات عن أي شيء؟

ــ أنا احاول معه منذ فترة. هناك أشياء تجري على الأرض لا

٨٣

نعلم عنها شيئاً. ما سرّ هذه الفوضى الأمنية. يجب أن نستثمر اي معلومة لاحراج الأميركان والحكومة.

قال السعيدي ذلك، ولم يفهم محمود شيئاً. كان يتصور ان السعيدي صديق للاميركان والحكومة. لماذا يريد احراجهم؟ لم يجد في نفسه الشجاعة للاستمرار في الأسئلة. سيعرف حين يصلان الى هذا الصديق القديم كما يصفه السعيدي. دخلا بالسيارة الى الكرادة. استغرقا في الزحام الذي خلقته دورية من الهمرات الأميركية تسير ببطء ويشهر الجنود من فوقها الاسلحة بوجه السيارات التي تسير خلفهم فتتأخر هذه السيارات مسافة عشرين متراً عن الهمرات.

فتح السعيدي مسجل الديجتال في السيارة فاندفقت اغنية لويتني هيوستن. لم يبد السعيدي ضجراً من المشهد الذي أمامه. لا يبدو السعيدي في الغالب ضجراً من أي شيء. انه مؤمن بالمستقبل كما يصفه فريد شوّاف. لكن فريد يقول هذه العبارة بنوع من السخرية، ويقصد أن الرجل يعرف انه (بذاته) سيكون في حال أفضل. الموضوع لا يتعلق هنا بالبلد وما يجري فيه. ومحمود يستقبل هذا الكلام بصورة مشوّشة. هو لا يريد التفكير طويلاً في موقفه من السعيدي وموقف السعيدي من الأوضاع العامة وما الى ذلك. هذه الأشياء تتطلب جهداً مضاعفاً وتركيزاً وتفرغاً ذهنياً لا يملكها كلها الآن، أو أنه يحاول خداع نفسه بهذا فحسب. يعلم ان فريد شوّاف خبيث ولا يعجبه العجب، ويحاول النيل من الجميع. حتى انه غير ممتن للجهد الذي بذله محمود لإبقائه في المجلة وعدم التخلص منه كما حصل مع زيد مرشد وعدنان الأنور وميساء الفتاة النحيلة التي استقبلت قرار طردها بنحيب مؤلم.

وصلت سيارة السعيدي الى بوابة حديدية سميكة بين جدران

٨٤

كونكريتية هائلة لم ير محمود مثلها في شوارع بغداد. كان الليل قد حلّ وانعطف السعيدي بسيارته في أكثر من زقاق في حي الجادرية لتفادي الزحامات، حتى ان محمود لم يعرف الى اين وصلا. انفتحت البوابة ودخلا الى شارع طويل فارغ تصطف اشجار يوكالبتوس كثيفة على جانبيه. وكلما تقدما زادت كثافة الهدوء وصارت أصوات السيارات ومنبهات الشرطة بعيدة أكثر فأكثر.

في النهاية انعطفا في زقاق جانبي، وشاهد محمود سيارات شرطة واقفة مع سيارة همر أميركية، وسيارات مدنية، وأشار شخص يرتدي ملابس الشرطة الى المكان الذي يركنون السيارة فيه.

نزلا من السيارة ودخلا الى بناية من طابقين ورافقهم رجل بملابس مدنية. التفت السعيدي الى محمود وقال له وهو يبتسم كالعادة:

ـ خو ما عندك موعد أو شيء؟.. اليوم نتعشى سوه.

دخلا الى مكتب فخم، واستنشق محمود حال دخوله رائحة معطر هواء بنكهة التفاح. نهض رجل قصير أبيض ذو صلعة لامعة ويرتدي ملابس مدنية من خلف مكتبه وهو يلوك شيئاً ما في فمه وتحاضن مع السعيدي وظلا يضحكان، ثم صافح محمود وجلس الجميع على أرائك وثيرة أمام مكتب الرجل. علم محمود ان الرجل هو العميد سرور محمد مجيد مدير عام دائرة المتابعة والتعقيب، ولكن، متابعة وتعقيب ماذا؟ افترض محمود انه سيعرف ذلك خلال هذه الجلسة.

الزيارة التي قال السعيدي انها قصيرة استمرت لساعتين أو أكثر. تخللتها احاديث متشعبة وعيون دامعة من شدة الضحك. وكان محمود يضحك أيضاً، لم تكن لديه مشكلة. (لا مامه ولا داده) كما يقولون. ليس أمامه سوى عودة الى فندق بائس في البتاويين. ولكنه كان يرغب

٨٥

بالتدخين. والرجل الأنيق الذي تطوف رائحة التفاح في مكتبه لا يبدو انه يرحب بالمدخنين. السعيدي نفسه لم يشعل سيجارة.

فهم محمود خلال هذا اللقاء ان العميد سرور صديق قديم للسعيدي. كانا سوية في إعدادية واحدة غير ان السنوات فرقتهما. وها هما يلتقيان في مكان واحد من جديد، وربما في مهمة واحدة أيضاً اسمها؛ خدمة العراق الجديد.

العميد سرور كان برتبة مقدم في استخبارات الجيش العراقي السابق، وحصل، في الوضع الجديد، على استثناء من اجتثاث البعث بالإضافة الى ترقية ليعمل في وظيفة حساسة لا يتم التطرق لها غالباً. هو مسؤول عن وحدة معلومات خاصة انشأها الأميركان وتخضع بشكل كبير لإشرافهم حتى الساعة، مهمتها متابعة كل الجرائم الغريبة، والأساطير والخرافات التي تنشأ حول حوادث معينة من أجل الوصول الى القصة الواقعية الفعلية، والأهم من ذلك هو قيامهم بوضع نبوءات عن الجرائم التي ستحدث مستقبلاً؛ التفجيرات بالسيارات المفخخة، وجرائم اغتيال المسؤولين وكبار الشخصيات، وقد قدّموا خدمة كبيرة بهذا المجال خلال السنتين الماضيتين. وهم يقومون بذلك كله من خلف غطاء. وكذلك فإن المعلومات التي يتم الحصول عليها يجري الاستفادة منها بطريقة غير مباشرة، ولا تتم الاشارة أبداً الى دائرة المتابعة والتعقيب، حفاظاً على سرّيتها وأمن العاملين فيها.

لم يفهم محمود لماذا يجعله السعيدي يطلع على كل هذه التفاصيل. لماذا يثق به كثيراً الى هذه الدرجة بحيث يرافقه في مشاويره الغامضة هذه. هي ليست المرة الأولى، ولا يبدو انها الأخيرة. قضى الشهرين الماضيين وهو يتنقل مع السعيدي بسيارته المارسيدس السوداء بين أماكن متعددة. كان يعرف، ويظن ان السعيدي يعرف أيضاً،

بحوادث الاغتيالات التي لا تتقصد الشخصيات البارزة فحسب وإنما أي شخص يرتدي بدلة انيقة ويقود سيارة فاخرة كما هو حال السعيدي. من المؤكد ان أحداً ما سيغتاله ذات يوم. ومن الممكن جداً ان يموت الذي يرافقه أيضاً، من الممكن ان تنتهي قصة محمود السوادي وحلمه بالصعود والارتقاء في مساره المهني بشكل سريع.

أما ان يكون السعيدي أحمقَ أو بطلاً. شخصاً لا يدري بما يجري حوله أو مغامراً شجاعاً. اما محمود فيفضل النظر الى نفسه على انه احمق، على الأقل أمام نفسه وليس أمام الآخرين. فالمنعطفات التي حصلت له في حياته كانت بسبب الحماقات وليس التخطيط والذكاء. مجيئه الى بغداد أصلاً كان بسبب حماقة كبيرة ارتكبها هناك في مدينة العِمْاره.

وضع شاب ذو بنية عضلية صينية تحوي كاسات شاي مفلطحة على المنضدة بجوارهم. فانتبه محمود من شروده. كان العميد سرور يواصل الاعتذار للسعيدي عن أي معلومات قابلة للنشر.

ـ لدينا محللون باراسايكولوجيا. منجّمون. متخصصون بتحضير الأرواح ومخاطبة الجن. متنبئون.

ـ هل تصدق بهذه الأشياء فعلاً؟

ـ إنه عمل. انت لا تعرف حجم القصص الغريبة التي نواجهها. الغاية هي الوصول الى سيطرة أكثر. وتوفير معلومات عن مصادر العنف والتحريض على الكراهية ومنع قيام حرب أهلية.

ـ حرب أهلية؟

ـ نحن نعيش الآن داخل دائرة من حرب المعلومات. حرب اهلية معلوماتية، وبعض المتنبئين عندي يتحدثون عن حرب فعلية في غضون ستة أو سبعة أشهر قادمة.

ضرب قلب محمود وهو يسمع هذا الكلام. وظلّ رأسه يدور مثل محرك طائرة نفاثة. حاول ان يستوعب هذا التدفق من الكلام الغريب ولم يستطع. ظل صامتاً وجامداً يمسك بالمقبض الزجاجي لكاسة الشاي ولا يشرب منها، وشعر بأنه تحول بكيانه كله الى مجرد آذان كبيرة منصتة.

ـ هل اشتري هذه المطبعة التي أخبرتك عنها؟ هل اتوسع في نشاطي ام لا؟

قال السعيدي فنهض العميد سرور ليطفئ تلفوناته النقالة التي صدحت كلها فجأة. نظر من فوق نظاراته الطبية الى السعيدي من بعيد وقال له :

ـ لا اظن. اترك هذه المسألة الآن.

لم يعلق السعيدي بعدها، وعاد بكلامه عن المعلومات التي يمكن الاستفادة منها. حمل العميد سرور ملفاً ورقياً بيده من فوق المكتب وهزه قائلاً :

ـ هذا ملف عن قضية تتعلق بشحاذين أربعة ماتوا خنقاً منذ أيام في حي البتاويين. لقد خنقوا بعضهم بعضاً. هناك رسالة في الموضوع. هناك من يحاول ايصال شيء ما. لم نعرف معلومات كثيرة بعد. ولكن بإمكانك متابعة القضية بالاتصال بمركز شرطة السعدون.

نظر السعيدي الى محمود وكأنه يقول له؛ انت تكفل بهذه المهمة. ثم عاد بنظره الى صديقه العميد الذي ظل واقفاً أمام مكتبه ولم يرجع للجلوس على الأريكة مع ضيفيه. سأله السعيدي عن قصص أخرى مماثلة فأكد له العميد أنه لا يستطيع التحدث أكثر. صمت قليلاً، ثم عاد ليقف في وسط الغرفة وقال :

ـ هناك إخباريات عن مجرمين يتم إطلاق النيران عليهم ولكنهم

٨٨

لا يموتون. أكثر من اخبارية من مناطق متفرقة في بغداد. يخترق الرصاص رأس المجرم أو جسده ولكنه يستمر في المسير ويواصل هربه ولا تسقط منه دماء. نحن نعمل على توحيد هذه الاخباريات لأنني اعتقد انها ليست مجرد مبالغات أو أكاذيب.

دنا من حافة مكتبه وضغط على جهاز منبه. وقبل أن يدخل الشاب ذو البنية العضلية لتلبية الأوامر، نظر العميد سرور الى صديقه القديم وقال باسماً وكأنه انتبه لمنزلق هذه الافادات:

ـ انته جاي علمود المطبعة لو تريد تسوي تحقيق صحفي من صدگ؟

ـ آني جاي اشوفك صديقي... يا مطبعة يا مجرمين يمعود ملينه من هالكلام.

ضحكا، وانتبه محمود لنفسه يضحك معهما أيضاً.

ـ ٣ ـ

في المساء وهو نائم على السرير داخل غرفته في فندق «العروبة» فتح محمود السوادي مسجلة الديجتال ودوّن ملاحظة:

ـ أمور غريبة.. كان السعيدي يسخر من مهام صديقه الغرائبية. يسخر من الجن والتنبؤات، ولكنه طلب مشورته بشأن شراء مطبعة. من المؤكد انه حصل على معلومة تنبؤية. لم يجادله. لقد أخذ كلامه كشيء مُسَلّم به. من المؤكد أيضاً انه يحصل على معلومات مماثلة في كل وقت وحين لهذا يطمئن لحركته داخل شوارع بغداد. هو لا يخاف من الخروج العلني ليس لأنه شجاع أو متهور وإنما لانه يعرف بأنه لن يموت.

كانا يتحدثان عن الحرب الأهلية وكأنها فلم ينتظران مشاهدته في

السينما. كانا يضحكان. من المؤكد ان الأمور لن تكون سيئة جداً. بقائي بجوار السعيدي يضمن لي على الأقل ان الأمور لن تكون سيئة، بالنسبة لي انا.

السعيدي إسلامي وصديقه بعثي. لكن السعيدي إسلامي «تارك». لقد تغيرت أفكاره كثيراً في المهجر. وصديقه العميد بعثي «تارك» أيضاً. كانت عواطفه قوية تجاهه، فهو صديق قديم، ويبدوان مقربين الى بعض. لكن، لماذا كان السعيدي يسخر منه في طريق العودة؟ يسخر من عطر التفاح الذي كان يصدر بنفثات صغيرة بين دقيقة وأخرى من جهاز معلق على الحائط، ويقول ان البعثيين يحبون عطر التفاح.. انه العطر المميز للقنابل الكيمياوية التي قصفت حلبجة ههههههههه.

أيُّ خباثة سوداء في وصف كهذا.. ياه... يا الله. ولكن، لماذا جعلني أشهد على هذه الأشياء؟ لقد سألت أبو أنمار عن الشحاذين الأربعة وأكد لي القصة. كل من في المنطقة يعرف هذه الحكاية، وهناك حالة من الخوف والترقب تسود بين الأهالي، لأن من قتل هؤلاء الشحاذين الذين صاروا مشهورين بالموت وليس الحياة، قتلهم خنقاً ثم ربط ايدي بعضهم الى اعناق بعض في عملية معقدة وغريبة.

ـ هناك مجموعة من الإبر الصينية حين تضعها في مواضع معينة من الكتف والظهر والعمود الفقري تتوتر الاعصاب كلها ويتقلص الجسد ويتخشب فجأة. ربما هذا ما حصل للمجانين الأربعة.

ـ الشحاذون..

ـ نعم الشحاذون.. ستفتقدهم الإشارات المرورية، وسيارات الأجرة في زحامات الشارع.. هههههه

قال السعيدي ذلك قبل أن يوقف سيارته أمام مدخل زقاق ٧،

حيث ينزل محمود دائماً. وحين سأله هل يتابع الموضوع أم لا، قال له :

ـ هناك مواضيع اجدى. انسى هاي السالفة.

نزل محمود وظل يخطو منهكاً ويشعر بثقل في احشائه، ويستحضر الاحاديث المثيرة التي دارت أمامه، خصوصاً على مائدة العشاء. كان عشاءً فخماً أعده العميد سرور على شرف ضيفيه الصحفيين. مائدة عامرة بكل شيء إلا المشروبات الكحولية. فهم محمود ان العميد سرور يتحاشى اي شائبة في صورته أمام الأحزاب الحاكمة. فهو في وضع حساس، ومثلما يتجسس هو على المواطنين هناك من يتجسس عليه لينقل الأخبار الى أحزاب الحكومة التي لا تنظر إليه بارتياح بسبب ماضيه وعمله في خدمة النظام السابق. ولكنهم مضطرون لتقبله بسبب كفاءته المشهودة ودعم الأميركان له وحمايته من نزواتهم وشطحاتهم غير الحكيمة.

تطرّق الرجلان الى كل مشاكل البلاد، وبدا وكأنهما يعرفان الحلول التي لا يعرفها من في السلطة. هناك غباء وضيق في الافق لدى الساسة الجدد. الحلول ممكنة جداً. يمكن حل كل المشاكل في نصف ساعة، مبدئياً في الأقل، لو توفرت الإرادة المخلصة لذلك.

ولكن هناك جبهتين الآن، تساءل محمود مع نفسه، الأميركان والحكومة في طرف، والإرهابيون والمليشيات المتنوعة التي تقاتلهم في الطرف الآخر. من يكون ضد الحكومة والأميركان له تسمية واحدة فقط.

فتح محمود مسجله الديجتال مرة ثانية، وقرّبه من فمه ودوّنَ ملاحظتَهُ الصوتيّة الثانية :

ـ أليسا يعملان، بصيغة أو بأخرى، مع الأميركان؟ لماذا يريدان

٩١

أن يغدوا أمامي وطنيين جداً؟ ما هذه الفوضى.. أوووف.. يجب أن اقول لا للسعيدي في مشاويره التي تصيبني بالدوار. ينتهي عملي في المجلة في الثالثة ظهراً أو الرابعة. تنتهي علاقتي بالسعيدي في هذا الوقت أيضاً. انا موظف في مجلته وليس حياته.

في الصباح ارتدى القطعتين النظيفتين اللتين بقيتا من ملابسه وحمل المتسخة منها في كيس كبير ليسلمها الى لوندري «الأخوين» بجوار الفندق حين يخرج. نزل الى الصالة وتفاجأ بوجود حازم عبود جالساً مع أبي أنمار و«لقمان» المواطن الجزائري الوحيد في العراق كله وهو نزيل عتيق في فندق «العروبة»، ولا يمكن التعرّف عليه بسهولة بسبب إجادته للهجة العراقية. كان الجميع متحلقين على طاولة يفطرون گيمر عرب مع كاهي واستكانات شاي داكن ويثرثرون. بينما فيرونكيا عاملة الخدمة ممتلئة الجسم مع ابنها المراهق يتخطران ما بين الغرف بالممسحة وسطل الماء لينجزا فرض التنظيف الاسبوعي للفندق، هما يحضران مرة واحدة اسبوعياً ولربما يتأخران أكثر حسب الاتفاق مع أبي أنمار.

هل بات حازم ليلته في الفندق؟ ألقى عليهم التحية وطلبوا منه الجلوس معهم ليفطر. جلس وتسلم استكان شاي ساخن. استرجع شيئاً من دوار الأحاديث في الليلة الماضية فرشف من الشاي جرعة كبيرة وكأنه يريد محو هذه الأطياف غير المريحة.

التفت الى حازم ليسأله عن مبيته ومتى حضر الى الفندق وما جرى في معرض الفوتوغراف نهار البارحة، لكنه سمع أبو أنمار يوجه الكلام إليه:

ـ استاد محمود عود دير بالك من تطلع تره الشرطة تارسين المنطقة... اكو زلمة انكتل اليوم الصبح.

ـ ٤ ـ

لم يكن «الزلمة» سوى أبو زيدون الحلاق، الرجل العجوز ذي الهيئة العظمية الضامرة. وجدوه نائماً على كرسيه البلاستيكي الأبيض أمام محل الحلاقة العائد له والذي تركه لأبنه الأصغر منذ سنوات طويلة، منذ ان فقد القدرة على القيام على رجليه. كان نائماً أو بدا هكذا لمن ينظر إليه من بعيد، بينما مقبض مِقَصٍّ من الستيل يبرز من خلف عظم القص اسفل رقبته. إنه واحد من الأدوات التي يستعملها الحلاق الابن داخل المحل. دخل أحدهم فجأة الى المحل أثناء غياب الابن لشرب الشاي في عربة في عطفة الزقاق مع الشارع التجاري. استل المقص وغرزه عميقاً في ترقوة الرجل العجوز الساهي والغارق في غيبوبات الشيخوخة المتقدمة.

هناك من توقع هذه النهاية منذ زمن بعيد. لن يموت أبو زيدون في فراشه بشكل هادئ، العدالة الالهية تأبى ذلك. كان أولاده يحملونه وهو جالس على كرسي البلاستيك الأبيض من البيت حتى محل الحلاقة. يتركونه أمام المحل ويرحلون من دون أن يودعوه أو يسمعونه كلمةً طيبة. يلاحق ببصره الغائم من يدخل الى الزقاق أو يخرج، يرد السلام على معارفه، وفي بعض الأحيان يرفع يده تحيةً لشبح ما يمر من أمامه. يسمعه ابنه من داخل المحل وهو يرد السلام، فينظر من الباب ولا يرى أحداً.

لاحقاً، كان التقرير الطبي يقول ان الأب مات بالسكتة القلبية. ربما قتل المجرم رجلاً كان ميتاً في الأصل. وسيقتنع أولاد العجوز بهذا التفسير لأنهم لا يملكون طاقة لمتابعة ثأر ما.

ـ مسكين.. لم يكن بحاجة إلا لدفعة صغيرة لكي يلتحق بالرفيق الأعلى.

قال فرج الدلال في تعليقه على خبر مقتل أبو زيدون، ولم يخل ذلك من سخرية وهو يمط مفردة (الرفيق) مع ابتسامة صفراء.

استحضر آخرون سيرة الرجل خلال السنوات الطويلة الماضية، وكيف انه تسبب بترحيل العديد من الشباب الى الجبهات. كان عاملاً نشطاً في منظمات حزب البعث، وكان يلاحق باخلاص وصبر كل الهاربين من الخدمة العسكرية والمتخلفين عن الالتحاق بمعسكرات التدريب، ولربما أسهم في عمليات اقتحام لبعض البيوت. لم يكن ينقصه الأعداء أو المبغضون، ولكن أحداً لم يعرف من قام بهذه الجريمة. لا شك أنه ليس حادثاً عابراً، واجتهد البعض في مجلس العزاء لاستحضار فضائل أبو زيدون، وكيف كان يساعد الآخرين ويقدم الخدمات للمحتاجين، كما ان سيرته كحزبي متحمس وقاسٍ تتعلق، في نهاية المطاف، بالسنوات الأولى من الحرب العراقية الايرانية. هكذا كان يريد الجميع تذكر الرجل، والموت، كما يرون، يضفي وقاره على الميت، ويدفع الاحياء للشعور بذنب يستدعي الغفران للموتى.

كان هناك شخص واحد، على الأقل، غير مستعد للبحث عن اعذار لأبي زيدون، أو اعطائه غفراناً مجانياً على ما قام به خلال حياته. لا فائدة من العدالة لاحقاً، يجب أن تكون هنا أولاً، اما لاحقاً فيسكون الانتقام الرهيب؛ عذاب متصل من الرب العادل، عذاب لا نهاية له على الإطلاق، فهكذا يكون الانتقام. اما العدالة فيجب أن يحسم أمرها هنا على الأرض، وتحت أنظار الشهود. هذا ما شعرت به أم دانيال بشكل غامض وهي تسمع صديقتها أم سليم تروي لها مذهولة كيف قتل العجوز الشرير. أم سليم نفسها التي نذرت ان تذبح خروفاً أمام باب بيتها لو انتقم الله لها من أبو زيدون ولكنها الان نسيت كل شيء. لقد مضت أكثر من عشرين سنة على مقتل ابنها الأكبر سليم

٩٤

في الحرب. لكن أم دانيال لم تنس. أم سليم لديها ثلاثة أولاد آخرين، لديها بيت صاخب بالحركة والحياة، ليس لدى العجوز إيليشوا سوى قط منتوف الشعر وصور وآثاث قديم. سمعت بمقتل أبي زيدون فشكرت الله مع نفسها، واستحضرت أحد نذورها المثيرة؛ عشرون شمعة وردية توقدها أمام مذبح العذراء في كنيسة الأرمن المجاورة. عشرون شمعة بعدد سني حياة ابنها الذي انتزعه أبو زيدون من بين يديها. ولا تغادر المذبح حتى تذوب الشموع جميعاً وتنطفئ شعلاتها العشرون داخل الشمع الذائب، لتنطفئ حرارة قلبها على ابنها. وترى عدالة الرب ويستحق الشكر منها.

لن تطلب الغفران لأبي زيدون، كما سيخبرها أبونا يوشيّا، لأنها لن تخبره بالقصة أبداً. سيخبرها الله أو ماركوركيس الشهيد أو قطها نابو أو شبح ابنها العائد بأن من العدالة ان تفعل ذلك. لها الحق الكامل بالتشفي، فهذا يقوّي ايمانها ويعطي روحها الذاوية طاقة تحتاجها للاستمرار بالحياة.

ـ ٥ ـ

كان هناك شابان صغيران يجلسان أمام هادي العتاك عند تخته المعتاد في مقهى عزيز المصري. كانا سمينين لهما شاربان ناعمان ويرتديان كلاهما قميصين ورديين وبنطلونين من الكتان الأسود، وكأنهما عضوان في فريق أو ناد معين؛ شعر خفيف وزلف مقطوع مع مستوى الاذن، يضحكان كثيراً ويرويان النكات. شربا أربعة استكانات شاي حتى الآن منذ ان حضرا هذا الصباح وجلسا فوراً أمام هادي العتاك. وضع أحدهما مسجلة ديجتال صغيرة وسط الطاولة الخشبية. ونظرا كلاهما الى هادي العتاك وقالا في وقت واحد:

ـ أروي لنا حكاية الجثة .

ـ حكاية الشِسْمه .

صحّح لهما هادي، فهو يسمّي الكائن الذي صنعه بيديه باسم
«الشِسْمه» لأنه ليس جثة فعلاً . الجثة تشير الى شخص أو كائن محدد
وهذا ما لا ينطبق على الشِسْمه . كان بإمكانه الاسترسال في سرد
الحكاية كما هو شأنه دائماً، ولكن رؤيته لمسجلة الديجتال اثارت
القلق لديه، كما ان الأجواء في المنطقة هذه الأيام مضطربة ومحيّرة .
عاد عزيز المصري باستكان شاي جديد وضعه أمام هادي العتاگ وغمز
له بعينيه في إشارة فهمها هادي من فوره . عزيز المصري غير مرتاح
لهذين الشابين . هما من المخابرات أو الاستخبارات العسكرية أو من
جهة امنية معينة، ومن المؤكد ان لقاءهما مع هادي العتاگ سينتهي
باعتقاله .

ـ الشِسْمه مات الله يرحمه .

ـ شلون مات؟ . . لا . . . أحكيها من البداية . شلون سويت
الجثة .

ـ الشِسْمه .

ـ اي الشِسْمه . . سولف ومشاريبك علينه .

ـ دا اگُلّك مات . .

قال هادي ذلك ثم نهض من فوره . وصاح على عزيز المصري
ليأخذ الشاي الجديد ويعيده الى القوري . خرج من المقهى وترك
الشابين الضاحكين محتارين . حاولا مع عزيز المصري ولكنه أغلق
وجهه أيضاً . ظلا لنصف ساعة أخرى يتحدثان مع بعضهما همساً،
وغادرت الابتسامات العريضة وجهيهما، أعطيا عزيز المصري خمسة
آلاف دينار بزيادة كبيرة على ثمن الشايات وغادرا .

عند الظهر عاد هادي الى المقهى من جديد. جلس في مكانه، ثم جاءته من مطعم علي السيد المجاور للمقهى صينية فيها رز ومرقة فاصوليا. ظل يأكل وحين أنهى عزيز المصري تنظيف بعض الاستكانات والصحون أمام سماور المقهى جاء وجلس أمام هادي وتلبّسَ وجهُهُ هيئةً جديّة:

ـ انته إيه حكايتك؟ . . . . إنسه الحدوتة الكدابية بتاعتك.

ـ وشصاير يعني؟

ـ إيش صاير؟!. . . يدورو على اللي قتل الشحاتين الأربعة وأبو زيدون والزابط اللي لقوه مخنوق بغرفة القحاب في بيت ام رغد.

ـ وآني شلّي علاقة؟

ـ حكاياتك دي ح توديك في مصيبة.. انته عارف لما يمسكوك الأميركان ياخدوك على فين؟ الله وحدو العالم اي تهمة يلبسوك.

طرق قلب هادي بضربات مفاجئة، ولكنه أكمل غداءه. وقرر مع نفسه، دون أن يخبر صديقه عزيز، ان لا يذكر حكاية الجثة أبداً بعد اليوم. أخبره عزيز بكلام الشحاذ السكّير وروايته عن المجرم الذي قتل الشحاذين الأربعة؛ هيئة بشعة وفم كأنه جرح في الوجه. كذلك ما روته ام رغد وبناتها عن الشخص الذي داهمهم في الظلام وخنق الضابط وهو نائم في غرفة احدى البنات. كان جسمه لزجاً وكأنه مدهون بدم أو عصير طماطم. وحين قفز على السطح تناوشه بعض الشباب ببنادقهم، الجميع مسلّحون هذه الأيام. رموا باتجاهه إطلاقات كثيرة. كانت تخترق جسده ولا تؤثر في ركضه وظل يقفز بخفّة فوق السطوح حتى اختفى. وقد ينتهي الأمر مع رواية أم سليم البيضه أو لا ينتهي، فلا أحد يعرف ما الذي سيجري في الأيام القادمة. أم سليم تدّعي انها شاهدت، وهي جالسة أمام دكة بابها في الزقاق، شخصاً

٩٧

غريب الهيئة يرتدي قمصلة عسكرية حائلة اللون ويحكم غطاء الرأس فيها بحيث لا يبين من وجهه أي شيء للناظر من بعيد. كان ينظر الى الأرض قادماً من جهة محل حلاقة أبي زيدون، مر بجوارها وشاهدت جانباً من وجهه؛ كان أبشع ما رأت عيناها. حاشا لله ان يخلق وجهاً مثل هذا. النظر إليه يورث الغم والخوف والفزع. ظلت تثرثر حول هذا الشخص الغريب أمام كل من يقف بجوارها، وتدّعي أنه من قتل العجوز أبو زيدون، حتى جاءها أولاد أبو زيدون الى البيت ذات مساء وهددوها أمام زوجها وأولادها ونهروها ان استمرت بهذه الحكاية. لقد مات والدهم بالسكتة القلبية.

ـ حكاياتك صارت تخوّف. . . أستر على نفسك احسن.

أنهى عزيز المصري كلامه بهذه الجملة قبل أن ينهض لتلبية نداء زبائن عجائز دخلوا الى المقهى. ظل هادي العتاگ جالساً في مكانه ينظر من وراء الواجهة الزجاجية للمقهى الى السيارات والمارة في الشارع التجاري. اخرج سيجارة من جيبه أشعلها وبدأ يدخن. استمر بالتدخين لنصف ساعة، وهي اطول فترة قضاها هادي حتى الآن في صمت متصل. نسي لبرهة من الوقت مشاويره المتعلقة بالعمل والتي يمضي إليها غالباً في فترة ما بعد الظهر. استسلم بشكل كامل لبذرة الخوف التي بدأت تنمو في روحه. فالأكاذيب يمكن أن تغدو حقيقة. تذكر حلماً يشعر بأنه بعيد جداً، استحضره في ذهنه وبدأ يستعيد كلام عزيز المصري من جديد وتيقّن بأنه يتعرف على شيء ما. فما عدا الكلام عن معجون الطماطم أو الدم فإن الأوصاف الأخرى للمجرمين الغامضين تنطبق على هيئة شاهدها ويعرفها؛ الفم المتسع كجرح على طول الفكين. الهيئة البشعة. غرزات خياطة على طول الجبهة والوجنتين مع أنف كبير.

خرج من المقهى مودعاً صديقه عزيز المصري. انه اخلص الأصدقاء. الآخرون جميعاً ينظرون إليه على انه شخص تافه، حين يختفي لن يفتقده أحد، وهذا زمن يختفي فيه الكثيرون دون اي سبب معقول، وهو لا يريد ذلك. يريد الاستمرار بالحياة. يشتري الأغراض المهملة ليعيد ترميمها وبيعها من جديد من دون أن يفكّر بتكوين ثروة أو تطوير عمله فهذا قلق يشبه المرض. من المهم وجود نقود في جيبه لا أكثر، تكفي لينام مع النساء وقتما يشاء ويحتسي الخمر. يأكل ويشرب ما يشتهي. ينام ويصحو دون رقيب أو مسؤوليات.

ذهب الى سوق الهرج في الباب الشرقي. كان قد وضع بعض اجهزة الراديو والتسجيل نوع ناشينال في بسطة أحد الباعة. رفض هذا البائع شراءها كلها دفعة واحدة، واتفق معه على بيعها بالتصريف؛ يسلمه ثمن ما يباع، والذي لا يباع يعيده إليه حين يرغب بذلك.

قبل مغيب الشمس عاد الى المنطقة وارتعب من منظر انتشار الجنود الأميركان وهم يسيرون ببدلاتهم وخوذهم ومعداتهم في الأزقة يحملون بنادقهم بشكل متقاطع وينظرون بارتياب الى الجميع. شاهد فرج الدلال بدشداشته الرمادية ومسبحته السوداء الطويلة واقفاً يتحدث مع أحد المترجمين. عرف انهم يقومون بجولة تمشيط عادية بحثاً عن الأسلحة خصوصاً مع الاخباريات عن إطلاق نيران كثيفة خلال ليلة أمس. سار بجوار الحائط ببطء محاولا ما أمكن ان لا تلتقي عيناه بعيني أحد هؤلاء الجنود. دخل الى بيته ودفع فرضة الباب الخشبية الثقيلة بصعوبة ليغلق الباب باحكام. انتظر وهو يتسمع للحركة في الزقاق تلك اللحظة التي سيطرقون بها على بابه من أجل إجراء التفتيش، أو يدفعونه بعنف بأقدامهم الثقيلة، كما في المشاهد التي تبثها بعض التقارير التلفزيونية. استغرق في انتظارٍ وجلٍ دقائقَ طويلةً

حتى اطمأن انهم غادروا الزقاق. تلهى بترميم طاولات خشبية صغيرة. طرق بضعة مسامير هنا وهناك، ثم طلاها بوارنيش التلميع وتركها في هواء الحوش لتجف. ومع مغيب الشمس خرج من البيت، وذهب الى بيت ادوارد بولص بائع المشروبات الكحولية، الذي أغلق محله المطل على حديقة الأمة، بسبب رمانة يدوية القيت عليه فجراً وحطمت واحرقت موجودات محله الصغير، فنقل تجارته التي لا يجيد غيرها الى منزله. اشترى منه نصف بطل عرق أوزو وتسوق جبناً أبيض وزيتوناً وبضعة أشياء أخرى من محال مجاورة قبل أن يعود الى البيت.

استغرق في الشرب البطيء والهادئ طوال ساعات الليل، جالساً على سريره بينما قنينة العرق وكاسه وصحن المزة على طاولة حديد عالية. يستمع لضوضاء خافتة من الراديو وسط الظلام المنار بضوء ضعيف من فانوس كثير السخام. رفع كأسه الأخيرة الى الأعلى، كما يفعل دائماً، وكأنه في حانة صاخبة وحيا اشباحاً من الجلّاس بجواره. أشباح اناس رحلوا وآخرين لم يرهم أبداً. حيا الظلام وموجودات غرفته المبعثرة الضاجة بالجرذان. شرب كأسه الأخيرة وسمع حركة ما تصدر من جهة الباب. التفت إليه فشاهده يتحرك. انفتح الباب بالكامل وبانت خلفه هيئة معتمة لرجل طويل. جمد الدم في عروقه وهو يرى هذه الهيئة تتقدم باتجاهه.

ضرب الضوء الاصفر للفانوس على وجه الرجل الغريب فبانت ملامحه بوضوح؛ وجهٌ مزرر بقطب خياطة وانف كبير وفم مشقوق مثل جرح.

الفصل السابع

أوزو وبلوديميري

ـ ١ ـ

في ساعات الصباح الأولى جاء أحد مساعدي فرج الدلال ليخبره أن هناك أشخاصاً يتجولون في المنطقة ويضعون علامات بصبغة سبري زرقاء على حيطان البيوت التي يملكها. كانوا، في الواقع، افراداً من جمعية متخصصة بحماية البيوت التراثية في بغداد، يرافقهم موظفون من امانة العاصمة ومجلس المحافظة. شعر فرج الدلال بالتوتر فحمل حقيبته الجلدية الصغيرة التي تحوي وثائقه المهمة وسار باتجاههم مع بعض الشباب من المنطقة ممن يعاونونه في مشاويره وأعماله.

وجدهم أمام بيت أم دانيال. يطرقون ولكن لا أحد يرد عليهم أو يفتح لهم الباب. حتى خرجت لهم أم سليم من باب بيتها وأخبرتهم انها ذهبت للصلاة في الكنيسة. رجّ أحد الشباب علبة السيبريه الأزرق بيده ثم رسم علامة اكس بالأزرق على الحائط. ثم توجهوا الى بيت هادي العتاگ ورسموا علامة اكس ولكن باللون الأسود. وهذا يعني ان البيت غير صالح للترميم وبالإمكان ازالته. لم يفهم فرج الدلال الكلام الذي تحدثوا به أمامه. انهم بالتأكيد يريدون الاستيلاء على بيوته، أو البيوت التي استأجرها من الدولة بعقود شرعية ونظامية. قالوا له انه عمل روتيني، من أجل الاحصاء، وتحديد البيوت التراثية، خاصة

تلك التي تحوي شناشيل خشبية، وفرج الدلال الذي يضع يده على أربعة أو خمسة من هذه البيوت العتيقة جداً يفهم انها خطة من أجل انتزاع البيوت منه، لذا فقد وجد نفسه مندفعاً للعراك مع الشباب، ورفع أحدهم اصبعه في وجهه وحذره بأنه يعرقل عمل موظف حكومي أثناء أداء مهامه الرسمية. تدخل بعض الجيران وسحبوه بعيداً، وشعر شباب المنظمة الأهلية والموظفون الحكوميون الذين يرافقونهم بالقلق لذا غادروا سريعاً.

في ما بعد سيعرف فرج الدلال ان بعض هؤلاء الشباب ظلوا يترددون على المنطقة بشكل منفرد، وانهم زاروا العجوز أم دانيال في محاولة لاقناعها ببيع بيتها للدولة، مع امتياز ان تبقى تعيش في البيت ما شاء الله لها دون أن تدفع فلساً واحداً كإيجار. وينتقل التصرف بالبيت الى الدولة بشكل تلقائي بعد وفاتها أو مغادرتها للبيت.

ماذا لو أنها قبلت بهذا العرض؟ ستكون كارثة بالنسبة لفرج الدلال. ولكن العجوز، على ما يبدو، رفضت كالعادة. لقد أخبرتهم بأنها لا تستطيع التصرف بالبيت في غياب ولدها. وحين استمروا بالإنصات الى كلامها تحيروا أكثر وازدادوا غموضاً، ولأنهم مشغولون ببضعة بيوت مشابهة متناثرة في أحياء عديدة من قلب بغداد لذا لم يتأخروا كثيراً معها. دوّنوا في مفكّراتهم وأوراقهم إشارات معينة عن البيت ومن يملكه، ولربما حدّدوا لانفسهم موعداً لاحقاً لتبيان كلام العجوز بدقة أكثر. وعلى خلاف شباب جمعية حماية البيوت التراثية كان فرج الدلال يفهم كلام العجوز وما تقصد، ولكنه لم يحصل بعد على أدلة على ما تقول. كانت تقف أمام فرن الصمون أو بائع الاجبان وتتحدث عن وجبات معينة تعدها لابنها العائد. تكرر الأمر أيضاً أمام الجارات العجائز في باحة بيت أم سليم، وهن يكسرن الجوز بالمطرقة

ويأكلن لبّه مع الشاي الساخن. حزنت النساء العجائز لأول وهلة، فإيليشوا المجنونة والمسكينة صاحبة الفوطة الحمراء الغريبة فقدت عقلها نهائياً. ولكن، في ساعة متأخرة من الليل شاهد البعض خروج شاب تجلله العتمة، من باب العجوز إيليشوا.

حين ذاع الخبر كمن بعض الشباب في ركن الزقاق علّ هذا الزائر الغريب يخرج في الليالي الأخرى لكنه لم يظهر. مضى اسبوع حتى نسوا الأمر ثم في مصادفة شاهدوا رجلاً يخرج من البيت ويغلقه باحكام، وحين ركضوا خلفه ركض بسرعة كبيرة ثم اختفى.

قالت أم سليم لجاراتها ان زوجها يعرف الحقيقة؛ هو يجلس أغلب وقته أمام نافذة الشرفة في الطابق الثاني يقرأ في الصحف القديمة ويطل ببصره بين الحين والآخر ليتابع حركة الزقاق والداخل والخارج من بيوت الجيران، هذه متعته الوحيدة. إن زوجها الصموت يؤكد بثقة أن هذا الزائر ليس سوى أحد اللصوص أو المجرمين خدع العجوز وأوهمها بأنه ابنها، وهو يستخدم بيتها كمخبأ. وحين سمعت امرأة شابة هذا الكلام من أم سليم وكانت تحضر الى مجلسها أحياناً هتفت بأن فرج الدلال هو وراء القضية. فتحت أم سليم فمها دهشة، هي تعرف ان فرج الدلال قام بطرد هذه المرأة مع ابنائها من بيت استأجروه منه بعد ان امتنعوا عن دفع الزيادة في الايجار. تحدثت المرأة الشابة بنبرة حاقدة ان فرج الدلال هو الرجل الذي يقف وراء كل السوء في المنطقة. ولم لا، وقد طردها في ليلة ظلماء كما تقول، ولم يرحم حالها أو حال ابنائها الصغار. ثم في جلسات أخرى في حوش أم سليم تطورت القصة وصارت أكثر تماسكاً.

قالت هذه الجارة الحاقدة، وكأنها تأكدت ان صويحباتها قد نسين كلامها السابق؛ ان الشاب الذي تسور الحائط الواطئ في البيت الذي

يسكن فيه العتاگ، قفز الى فضاء الغرفتين المنهارتين على الطابق الثاني لبيت العجوز إيليشوا. كان من المقرر ان ينزل إليها ويخنقها في سريرها. لن يبحث أحد عن اسباب موت امرأة بلغت ارذل العمر. لقد قبض الله روحها وهي نائمة. هكذا سيقولون ثم ينسون الأمر كله. نزل الشاب المجرم من السلم وشاهدها جالسة مع مصباحها النفطي في الغرفة الكبيرة المطلة على الشارع والتي ظلت على حالها كغرفة للضيوف منذ عقود طويلة. شاهدها وهي تصلي وتتحدث مع القديس مارگورگيس. أثر كلامها في قلبه رغم أنه لم يفهم لغتها. كانت تتحدث بالسريانية مع الصورة الكبيرة المعلقة على حائط الغرفة. وشعر هذا الشاب بأن هناك من يرد الكلام عليها. اقترب من باب الغرفة وظل ينصت أكثر، فتأكد له ان ما يجري هو حوارية بين شخصين. نظر الى الغرفة المنارة بالضوء الباهت للمصباح النفطي، فلم ير غير العجوز وهي تشبك قبضتيها على صليب معدني في مسبحتها وتقربه من شفتيها. التفتت إليه فشاهدته واقفاً أمامها. مر قطّ ضامر وتمسح بساقيه واستمر في سيره حتى جلس عند أقدام العجوز. ظل الشاب المجرم جامداً لا يعرف ماذا يفعل، وكأنها سمّرته بنظرتها الامومية الحانية. قالت له: تعال يا ولدي. فجاءها طائعاً مستسلماً وهو يخطو مثل طفل، ثم ارتمى في حضنها باكياً.

لم تصدق أم سليم والنساء العجائز الأخريات هذه الحكاية بالطبع، ولكنهن هتفن بصوت متقارب: اللهم صلِّ على محمد وآل محمد. اصابتهن القصة بالقشعريرة. هذه المرأة الحاقدة تسلب اللب بكلامها حقاً. ليس مهماً ان القصة مزيفة، انها مؤثرة، وهن يقضين جزءاً من النهار في باحة بيت أم سليم للهروب من حي البتاويين كله ومن يومياتهن الرتيبة للسباحة في عالمٍ آخر. وهذه المرأة اللعينة

الحاقدة على فرج الدلال قامت بواجبها على اكمل ما يكون. فغدون شاكرات لها.

ـ الله يلعنك يا فرج الدلال بهالمسيّة.. الله ياخذك.

هتفت أم سليم، وكررت النساء الأخريات هذه اللعنة واسقطن على رأسه لعنات وشتائم أخرى متنوعة. وشعرت المرأة الحاقدة براحة نفسية كبيرة بسبب ردة الفعل هذه، وأحسَّت، فجأة، بأنها لم تعد تكره فرج الدلال كثيراً!

ـ ٢ ـ

كان الجو دافئاً لذا فقد تخلت عن بلوزتها الداكنة التي تداوم على ارتدائها. وارتدت ثوباً خفيفاً من قطعة واحدة أزرق داكناً، واحتفظت بعصابة الكونكثا الحمراء ذات الزهور السوداء، والتي غدت علامة فارقة على تحولها الجديد. لم تحضر الاسبوع الماضي للصلاة. فضّلت الذهاب الى كنيسة مارقرداغ في عكد الآثوريين بالشيخ عمر لتفي ببعض نذورها «الاسلامية» المتأخرة. وضعت قبضة من عجينة الحنّاء على المقبض المعدني التي تستعمل لطرق الباب الخشبي الكبير في كنيسة سانت جورج الانغليكانية في الباب الشرقي. رشت مياهاً على حديقة الزهور الصغيرة في كنيسة السريان الارثوذكس. مهام معقدة استغرقت منها الاسبوع بكامله. وضعت قبضة الحناء الداكنة على حائط الكنيس اليهودي المهجور، وكذلك على باب «الأورفلي» المطل على مدخل شارع السعدون، وهو الجامع الوحيد في حي البتاويين.

أشعلت أعواداً من البخور الهندي أمام مذبح العذراء في كنيسة مارعوديشو قبل أن يحضر الأب يوشيّا. اكتملت نذورها الآن جميعاً.

كان الأب يوشيّا قد تلقى اتصالين هاتفيين على هاتفه النقال من الابنة الصغرى للعجوز إيليشوا خلال الاسبوع الماضي، وكان في نيته ان يبعث الشماس العجوز نادر شموني الى بيت إيليشوا في حال لم تحضر هذا الأحد أيضاً.

قبل أن يشرع في طقوس الصلاة تقدم إليها باسماً وأخبرها بسؤال بناتها، وان ماتيلدا ستتصل بها اليوم ظهراً. انفرد وجهها بابتسامة راضية، وشكرت الأب يوشيّا. وخلال الوقت اللاحق، كانت تتابع قراءة القداس، ثم تردد بشفتيها دون صوت تسبيحتها الأثيرة «المجد لله في العلى وعلى الأرض السلام وللناس المسرة» بينما ذهنها مشغول بالمكالمة المتأخرة لثلاثة أسابيع.

بعد انتهاء القداس أسهمت بتوزيع الطعام الذي تجلبه نساء الرعية من المنازل على الطاولات العريضة في صالة المناسبات. أكلت معهم، وانتهى الطعام وودع الجميع الأب يوشيّا والشمامسة الشباب وعاملة التنظيف والشرطيين مع سيارتهما الحكومية الواقفين أمام باب الكنيسة للحماية. خرج الجميع وبقيت إيليوشا جالسة تنتظر مكالمة بناتها. داهمها شيء من اليأس حين بدأت تستشعر الهدوء وهو يخيم على المكان. رن هاتف الأب يوشيّا مرتين أو ثلاث باتصالات من بيته ومن آباء اخرين وأصدقاء. ثم في النهاية جاء الاتصال الذي انتظرته العجوز. سمع الأب يوشيّا الصوت على الطرف الآخر فابتسم وسلّم الهاتف للعجوز:

ـ هيلدا كانت مريضة... لم نرغب باخبارك... مريضة نفسياً.. هي في المستشفى ولكنها الآن احسن.

ـ لقد عاد دانيال يا ماتيلدا. عاد ولدي.

ـ هيلدا زعلانة في الحقيقة. تقول انها لن تحكي معك أبداً بعد

اليوم. . هي ليست بجواري. . لا تسمع لكلامي معك الآن. اصلاً ستزعل اذا عرفت انني كلمتك.

ـ انه معي الآن. . . يرفض ان يخرج ليراه الناس. . يخرج في الليل. من سطح البيت. يختفي لأيام ولكنه يعود.

ـ هل انت بصحة جيدة؟ انا اتصل مئة مرة في اليوم وافشل في الاتصال. أكاد أجن. يخرج لي أشخاص غرباء أحياناً، لا افهم ما المشكلة.

ـ انا بخير. . . كيف هي هيلدا وابناؤها؟ كيف ابناؤك. . هل كبروا؟. . دعيني أكلمهم.

ـ هيلدا في المستشفى. . . هي احسن الآن. ابنها الكبير يشبه دانيال تماماً. . . يريد ان يدرس الطب هذه السنة.

ـ دانيال قرة عيني. . . ولدي الحبيب. . روحي.

ـ لقد بعثنا لك ٥٠٠ دولار. . . أرسلتها انا بنفسي على مكتب أياد الحديدي للصيرفة في الكرادة. . باسم الأب يوشيّا. . . سيستلمها ثم يعطيك اياها. . . هل تحتاجين الى شيء؟

ـ احتاج ان تعودوا وتملأوا البيت حولي.

ـ لن نعود. . . انت يجب أن تأتي هنا. . سترتاحين أكثر.

قالت ماتيلدا ذلك ثم فكّرت أن تبتزّ والدتها بمشاعرها الدينية:

ـ هنا في ميلبورن كنيسة آثورية باسم كنيسة ماركوركيس. . ألا يشكّل ذلك لك شيئاً؟ لقد أخبرت راعيها القس أنطوان ميخائيل ورحّب بقدومك.

ـ لن اذهب. . . انا هنا مع دانيال ولدي.

ـ قولي لدانيال هذا ان بناتك بحاجة اليك. . . سيتفهّم الأمر.

ـ انت تفهّمي يا ماتيلدا.

ـ البلد يحترق من حولك. . ياالله. . . انا روضت نفسي ألا احزن ولا ابكي بعد اليوم. . . انت ستقتلينا هنا. . . تحبين تعذيبنا.

ـ لا تعذبي نفسك ولا تحزني. . . لا تتصلي حتى ترتاحي.

ـ كيف لا اتصل. . .؟

اعطت العجوز الهاتف للأب يوشيّا. وشعرت بأن أقدامها قد تيبست من كثرة الوقوف. هي تظل واقفة كلما أجرت هذه المكالمة. كانت تشعر بدوامة صغيرة من الغضب تتحرك في صدرها. جلست وظلت تستمع لكلام الأب يوشيّا وهو يتلقى التعليمات بشأن الحوالة المالية، والحاجات المادية للعجوز. أسئلة عن الراتب التقاعدي الذي تتسلمه ايليوشا كل ثلاثة أشهر. عن المساعدات المكفولة للمحتاجين وفق سجل سيتا الموجود في الكنيسة. ظلت ماتيلدا تشكو ان أحوالهم المادية ليست جيدة، ولكنهم يرتبون لزيارة الى العراق من أجل جلب العجوز قبل أن تتدهور الأمور أكثر.

ـ يجب أن نجلبها بالقوة ان تطلب الأمر. . . ليس لها الحق بتعذيبنا كل هذه المدة.

ظل الأب يوشيّا يرد على ماتيلدا بلطف، محاولاً التخفيف من انفعالها. فهو غير قادر على تأييد مطالبها. واجبه الديني لا يتيح له تشجيع ابناء الرعية على الهجرة. ولكنه لا يمنع أحداً من ذلك. وغالباً ما يقوم بتصديق الوثائق الدينية الخاصة بالزواج والولادات وغيرها من تلك التي يحتاجها ابن الرعية قبل أن يهاجر حتى يسهل عليه الانتساب في المهجر الى كنيسة آثورية حيثما وجدت.

انتهت المكالمة، وبدت العجوز غير راضية. رافقها الأب حتى باب الكنيسة وعرض عليها ان يوصلها أحد الشمامسة بسيارته الى البيت فرفضت؛ انها مجرد سيارة واحدة تركبها من رأس الشارع من

أمام الجامعة التكنولوجية باتجاه الباب الشرقي. وقبل أن تغادر التفتت الى الأب يوشيّا وخلعت نظارتها الطبية الكبيرة وقالت له بعيون لامعة فيها تصميم على قرار أكيد بأنها لا تريد اي اتصال هاتفي بعد اليوم. لن ترد على اتصالات بناتها، ولن تطلب هذا الاتصال. ضحك الأب يوشيّا، وحاول التربيت على كتفها الضامر، لكنها ردت عليه بأنها، إن لم يؤيد مطلبها، ستذهب الى كنيسة مارقرداغ في الشيخ عمر ابتداءً من الاسبوع القادم. ولن تأتي الى كنيسته هذه بعد اليوم.

ـ ٣ ـ

أصبح الجو دافئاً بشكل مفاجئ. هكذا شعر محمود السوادي وهو يتقلب على فراشه في غرفته بفندق «العروبة» داخل العتمة وانقطاع التيار الكهربائي لساعات طويلة. وخمّن ان الصيف الذي على الأبواب سيكون شديد الحرارة، ولكن، ما هي خطط أبو أنمار لتكييف الغرف، إن كان حقاً يفكّر ويقلق تجاه الزبائن الذين يطمح باقامتهم في فندقه العتيق.

عرف ان بعض الفنادق في البتاويين وشارع السعدون والكرادة بدأت بالاستعداد لحرارة الصيف الشديدة، بالذات أولئك الذين لديهم زبائن منتظمون، فعمدوا الى شراء مولدات ديزل تتم صناعتها حسب الطلب في ورش خاصة، هي تحوير وتركيب من محرك سيارة كيا مع رأس توليد، وهي ارخص ثمناً بكثير من المولدات الشبيهة بها والتي تستورد من خارج العراق، وتوفر الكهرباء الكافية لهذه الفنادق خصوصاً خلال الليل، ولكن أبا أنمار ليس من هؤلاء ولا يبدو مهتماً بالأمر لانه لا يملك الأموال الكافية لشراء مولدة من هذا النوع وتوفير الكاز لها. أصبح نزلاء فندقه أربعة أشخاص. أجرة كل فرد منهم

تعادل عشرة دولارات في اليوم الواحد، وهذه مبالغ ليست كبيرة.

إنه شأن أبو أنمار في نهاية المطاف. ما يهم محمود السوادي هو ان يجد حلاً للصيف القادم، فهو قد جرّب في مواسم سابقة، مثل كثيرين غيره، الليالي اللاهبة التي تطرد النوم وتنهك الجسد، وتسبب الكسل المدمر خلال النهار، ولا يحتاج الى هذه المعرقلات الآن، خصوصاً وهو يبذل جهداً كبيراً من أجل تدعيم وضعه داخل المجلة والاستمرار بكسب ثقة رئيس التحرير السعيدي.

يجرجره السعيدي معه في مشاويره المتعددة، بالإضافة الى مهام التحرير، ومتابعة صفحات المجلة مع المصمم. كما انه، في غياب رئيس التحرير، يجلس في مكتبه ليرد على اتصالات مسؤول المطبعة أو الإعلانات. كان السعيدي يترك واحداً من هواتفه دائماً معلقاً بسلك الشاحنة، وحين يرن داخل المكتب لا يتجرأ أحد على فتح الاتصال، سوى محمود، الذي يضطر أحياناً الى حمله معه ما دام يتحرك داخل المجلة، ويتركه على الشاحنة الكهربائية قبل الخروج. في مرة تلقى اتصالاً من مسؤول كتلة نيابية كبيرة في البرلمان، يلوم فيه المجلة على نشرها تقريراً ملفقاً، حسب قوله، عن قيام جماعة مسلحة تابعة لهذا المسؤول بعمليات تصفية لبعض خصومها. شعر محمود بالخوف وهو يرد ويعتذر، ويوضح أن رئيس التحرير ليس في المجلة. وان المجلة نشرت التقرير نقلاً عن وكالة الانباء الفرنسية.

ـ مو انتم من جماعتنه.. ليش تخلونه نزعل عليكم.

تكلم المسؤول وظل محمود يبالغ في الاعتذارات، ويشتم مع نفسه الظرف الذي جعله في هذا الموقف المحرج. وصمم أن يهاتف السعيدي ليخبره بالموضوع. لكن السعيدي تقبل الأمر ببرود وطلب من محمود ان لا يهتم كثيراً.

في مرة رد على مكالمة من رقم مجهول. كان اسم المتكلم كما بدا على شاشة الهاتف هو (٦٦٦) وهو يعرف، كما شاهد في أحد الأفلام الأميركية ذات مرة، ان هذا الرقم يمثل الدجّال أو الشيطان في رؤيا دانيال بالكتاب المقدس.

ماذا يريد الدجال؟ هل نشرت المجلة شيئاً مضاداً للدجالين ام ماذا؟!. . ألوو. .

كانت نوال الوزير على الطرف الثاني، ولكنها على ما يبدو لم تنتبه ان من رد عليها لم يكن علي باهر السعيدي. تكلمت مباشرة وبانزعاج شديد. كانت كلماتها متلاحقة ونزلت على محمود مثل الصاعقة. أشياء كثيرة فضحتها بهذا الاتصال الغاضب، ولم يرغب محمود بأن يرد عليها ليكشف هويته.

ـ ليش ما تجاوب؟. . ليش ما ترد؟. .

ارتفعت نبرتها الغاضبة، ففضل محمود اغلاق الاتصال بوجهها وهو يشعر بالحرج. ماذا لو أن هذا الأمر برمته لم يعجب السعيدي؟ لماذا يترك هاتفه هنا اذاً؟ لماذا لا يجلب هاتفاً خاصاً بالمجلة؟ ستفهم نوال الوزير ان السعيدي هو من أغلق الاتصال بوجهها. ويبدو انهما ليسا على وفاق. ويبدو أنها «الفاك بودي» حقاً كما قال فريد شوّاف ذات يوم.

شعر محمود بالكآبة وهو يتخيل جسدها اللدن بين احضان السعيدي. من المؤكد انه ضاجعها عشرات المرات. إنها امرأة تستحق اي جهد يبذل في سبيل مضاجعتها. أووف.

عند الظهيرة انتهى من عمله، وغادر فريد شوّاف وبقية المحررين بناية المجلة. وجلب له عامل الخدمة العجوز غداءً من مطعم مجاور. داهمه الخدر والتعب. كان هواء المكيف البارد يضرب وجهه فيشعر

بالنعاس. لم يرغب بالخروج للقاء أصدقائه في مقهى ما، ولا العودة الى فندق «العروبة». سيجد الأجواء ساكنة هناك. ورائحة الرطوبة تزداد حدة مع زيادة حرارة الجو. استلقى على الأريكة الجلدية الحمراء في مكتب السعيدي واغمض عينيه محاولاً النوم. طرد كل شيء من ذهنه وتخيل، في محاولة للاسترخاء، نوال الوزير تأتي وتدخل الى المجلة. ترمي ملابسها بسبب الشعور بالحر، ثم تنطرح بجواره على الأريكة وتطوّق خصره بذراعها السمينة اللدنة.

ـ ٤ ـ

عند الغروب أيقضه السعيدي. كان قد اتصل على هاتفه الخلوي أكثر من مرة. وعامل الخدمة العجوز الذي يسكن في بيت قريب من بناية المجلة، غائباً. هو يذهب ويعود خلال النهار أكثر من مرة، حتى يتأكد من مغادرة الجميع ليطفئ المولدة الخاصة بالمجلة ويغلق الأبواب جميعاً.

كان السعيدي في نشوة غامرة لذلك لم يجر اي تحقيق معه بشأن عدم الرد على اتصالاته. تذكر محمود ما حصل خلال النهار واتصال نوال الوزير المفاجئ، ولكنه طرد طيفها من رأسه بحزم وظل يتابع حركة السعيدي. فتح بعض الادراج في مكتبه العريض. اخرج بعض الأوراق ووضعها في حقيبته، وأخبر محمود بأنه اليوم انتهى من صفقة جيدة.

ـ لقد كان كلام العميد سرور صحيحاً.

قال السعيدي ذلك، دون أن يوضح اين وجه الصحة في كلام العميد سرور وحول اي موضوع. ثم دخل الى التواليت وغاب لدقائق استثمرها محمود باستعادة وعيه وتجديد طاقته. شعر بأن جسده محطم

وعضلاته كلها توجعه. غسل وجهه أمام المغسلة ورتب شعره وملابسه. وحين خرج السعيدي من التواليت أخبره بأنه يجب أن يذهب معه في مشوار ثم يذهبان للاحتفال.

غادر مع السعيدي بسيارته الفارهة، وحضر عامل الخدمة العجوز فجأة ليغلق المجلة. ذهبا في البداية الى مكتب للعقارات في الكرادة. ظل السعيدي يتفاوض مع صاحب المكتب حول قطعة أرض مطلة على دجلة. كان السعيدي يريد شراءها على ما يبدو.

تأخرا في مكتب العقارات، وشربا أربعة شايات. ظل محمود يتابع التلفزيون أثناء انشغال السعيدي بمفاوضاته التي لا يمل منها. اخيراً غادرا مع حلول الليل. كان محمود جائعاً ولا يدري ما هي خطط السعيدي بشأن الليل وما هو نوع احتفاله.

انطلقا بسيارة المارسيدس السوداء داخل العتمة. كانا يتجهان الى مكان ما في العرصات. دخلا الى شارع أبي نواس، وشاهد محمود مصابيح الأعمدة منارة، بينما يبين النهر من وراء السياج بين لحظة وأخرى متلألئاً ببقع ضوئية متراقصة تعكسها على النهر أنوار من الضفّة الأخرى. كان يتوقع انهما ذاهبان للعشاء في مكان فخم بأسعار باهظة. ولكنه تفاجأ بدخولهما الى بناية عالية مع حرس في الباب وحرس وراء الرواق الطويل. عمليات تفتيش عن الاسلحة للداخلين، ثم أصوات لأغاني شعبية تأتي من بعيد ورائحة مميزة تأتي من بعض الأبواب هي مزيج لخمور مع معسل ناركيلات ودخان سجائر. كان السعيدي قد حجز طاولة قريبة من ساحة الرقص في القاعة الرئيسة. يفعل ذلك عادة بالتلفون، يصرف دون حساب، النقود مفتاح كل شيء، النقود هي المصباح السحري في هذه الحياة. فكّر محمود وهو يجلس في صخب الصالة. صخب غير معقول، ومع ذلك، لم يجد السعيدي اي مشكلة

بالميلان بجسده الى الصحفي الشاب لكي يتحدث معه، وكأنه متأكد انه يسمعه . لم يسمع محمود أي شيء، ولكنه أومأ برأسه دلالة الفهم . لم يكرر السعيدي المحاولة، وفضل النظر الى الفرقة الموسيقية الصاخبة وهو يبتسم . لم يكن هناك أي شيء يمنعه من الابتسام . ومحمود لا يخفي، مع نفسه، مشاعر الحسد تجاه هذا الرجل .

أراد أن يخبره باتصال نوال الوزير . أراد أيضاً ان يسأله عن قضايا أخرى تخص المجلة والمحررين والإعلانات . لكنه، وسط هذا الصخب، لن يسمعه بالتأكيد . وخشي ان يعكر مزاجه الرائق بقضايا تخص النهار ومتاعبه .

وضع النادل أمامهما كأسين دمويين من شراب غامض . أخذ السعيدي كأسه ورشف منها ثم دنا من محمود وصاح في اذنه :

ـ بلوديميري . .

نعم، بلوديميري . لذيذ، طيب، رائع . يا للسعادة . اي سعادات أخرى صغيرة يطوف بينها هذا الرجل . لا شك أنه شخص سعيد . لقد تحولت نوال الوزير الى شيطان إذن . اكيد هو استبدلها بأخرى . لا يمكن لشخص مثله ان يكون بلا نساء . أكيد، رائع، جميل .

حضر النادل مرة ثانية، وهو يحمل قنينة ويسكي كبيرة داكنة اللون، مع اقداح جديدة وسطل معدني مملوء ثلجاً . ثم انبثق نادل من ورائه وهو يحمل صحون المزة . فتح النادل الأول قنينة الويسكي بمهارة ثم سكب منها في الكأسين، وانحنى انحناءة بسيطة وهو يستمع لكلمات ما من السعيدي، ابتسم بامتنان ثم انسحب .

ظلا يشربان . ثم توقفت الفرقة عن عزفها الصاخب فجأة، فاستطاع محمود سماع أشياء أخرى . قرقعة كؤوس ولغط وهمهمة احاديث في الطاولات المجاورة . كانوا قادرين على الحديث إذن رغم

١١٤

كل هذا الصخب؟! هل هذا المكان داخل بغداد حقاً؟

كان فريد شوّاف يحذره من هذا الاذعان لعلي باهر السعيدي. (لا تكن ذيلاً له) هذه الجملة تطوف في رأسه أثناء تحذيرات فريد شوّاف، ولكن فريد لا ينطقها، يخشى ان ينطقها. انها جملة جارحة، ولكن محمود يستشعر رائحتها دائماً في كلام صديقه القديم فريد شوّاف. كما انه ليس ذيلاً له ولا لأي أحد. هو لا يلاحق السعيدي. السعيدي هو من يجرجره معه. السعيد يحتاجه. ولكن، بماذا يحتاجه يا ترى؟

لقد قدّمه وعرّفه، حتى الآن، على نصف الطاقم الحكومي، والكثير من الضباط والدبلوماسيين الاجانب. عرّفه على شخصيات غامضة لم يسمع بها في حياته مثل العميد سرور مجيد. وجعله يتحسس وطأة الأسرار الرهيبة. ما هي غاية السعيدي من كل ذلك؟ ما الذي يكسبه السعيدي من هذا الأمر في نهاية المطاف؟ كان يحتاج الى قليل من الجرأة ليستجوب رئيسه في العمل. هو يحتاج الى إجابات، رغم أنه مؤمن بأن الإجابات ستأتي في كل الأحوال.

ـ لماذا كان العميد سرور محقاً في كلامه؟

تجرأ وطرح هذا السؤال. فبدا السعيدي وكأنه يغوص في ذهنه قليلاً ليسترجع الأشياء التي لها صلة بسؤال محمود. ثم انفرجت اسنانه بابتسامة صافية:

ـ حول المطبعة.. كانت ستكون كارثة... هناك أجيال جديدة من المطابع الأحدث. مطابع المانية الصنع. ينتظر الكثير من العاملين في حقل الطباعة ان تهدأ الأوضاع الأمنية قليلاً، ولا يحدث الاسوأ، كي يتحركوا. لا تنس هذه سنة انتخابات غير مسبوقة... هناك الكثير من العمل على الملصقات الدعائية والصور والمطبوعات.

ـ وهل ستشتري مطبعة غيرها ام أجلت الموضوع؟

ـ لا . . . لقد اشتريت بيتاً قرب ساحة الأندلس . . هذه هي الصفقة الجيدة اليوم. بيت مع اثاثه من رجل عجوز من بيت الآمرلي.

تيقّن محمود بأن الرجل يتجاوب مع اسئلته، وانه لا توجد مشكلة في استجوابه، أو ربما هي تأثيرات المزاج الرائق والويسكي والبلوديميري ليس إلا. حاول ان يتجرأ أكثر ليسأله عن أشياء خصوصية. عن نوال الوزير مثلاً. ولكن الفرقة الموسيقية عاودت عزفها الصاخب فجأة. اغنية لحسين نعمة ولكن بايقاعات عالية. قرّب محمود كأسه من فمه ورشف رشفة كبيرة، وظل يأكل من الصحون أمامه، ويلتفت كل حين الى السعيدي. شعر بأنه يحب هذا الرجل حقاً، ويتمنى لو يغدو مثله.

(عليك ان تفهم يا فريد شوّاف. . انا أريد أن أكون مثله، وليس تابعاً له) سيقول ذلك حين يرى صديقه القديم في المرة القادمة. ولن يحتاج الى نصائحه التي تشوش عليه ذهنه.

ظل يشرب بهدوء ثم انتبه للسعيدي وهو يرمقه بنظرة غريبة. كان يبتسم وهو يرشف من كأسه، وبدا وكأنه يريد قول شيء ما، شيء خاص جداً:

ـ كم اتمنى لو أكون في مكانك. لو أن قدرة ما تجعلنا نتبادل مواقعنا. . . بس راحت علينه بعد هههههه.

فتح محمود فمه دهشة. فهذا الكلام لوحده هو الضربة التي يقوم بها جني الأمنيات في الهواء لإنجاز رغبته المستحيلة. تمنى لو أنه يملك شجاعة كافية كي يرد على كلام السعيدي بالقول:

ـ انا أيضاً أريد التحول اليك. أريد تبادل المواقع معك. لن تكون حياتي مهمة ان لم أغد مثلك، ان لم أتحول لاحقاً، في وقت ما، الى باهر سعيدي آخر.

ـ ٥ ـ

شعر هادي العتاگ بالاستياء والإحباط حين علم من الرجل العجوز عبد الودود الآمرلي بأنه باع بيته بآثاثه. وانه سيسافر الى موسكو في غضون اسبوعين ليتزوج من صديقته القديمة التي تعرَف عليها قبل عقود طويلة أثناء دراسته للكيمياء في روسيا.

لم يكن من الضروري ان يحدث هذا له. لقد صرف جهداً ووقتاً طويلاً مع العجوز من أجل إقناعه ببيع مجموعة من الأنتيكات المتهالكة ولكن الرجل كان عاطفياً جداً تجاه ذكرياته المخزونة بهذه القطع الخشبية القديمة. وها هو الآن يعلن تخليه الكامل عن كل شيء. ذاكرته وآثاثه وبيته وحياته في بغداد كي يقضي شهر عسل متأخراً بالمتبقي من حياته.

لم يكن من الضروري ان يحدث هذا أبداً. فهو يحتاج الى أي مبلغ من المال يلبي به احتياجاته البسيطة. لقد قضى الفترة الماضية في حالة من السكر المتصل. منذ تلك الليلة الليلاء التي شهدت زيارة الضيف المخيف، الذي خدع نفسه بشأنه لوهلة فظن انه من صنع خياله وليس يديه.

عاد سيراً ومر بساحة الأندلس ثم قطع المسافة أمام فندق السدير نوفوتيل بخطوات متباطئة، استعاد تلك الليلة التي شهدت طيرانه مع عصف الانفجار، وتمنى لو أنه مات في وقتها فعلاً.

جلس على الرصيف طويلاً وهو يدخن. افترض ان هناك مفخخة أو عبوة ناسفة يمكن أن تنفجر في أية لحظة وفي أي مكان، وان فرصه بالموت ستكون أكثر لو جلس على الرصيف. ظل جالساً هناك حتى حل الظلام، وهو مستغرق في التفكير بأن هناك العشرات من هذه العبوات الناسفة يتم تفجيرها أو ابطالها خلال اليوم. ولا يمر يوم من

دون سيارة مفخخة واحدة على الأقل. فلماذا يرى الآخرين يموتون في نشرات الأخبار ويبقى هو حياً. لابد أن يدخل الى نشرة الأخبار ذات يوم. هذا هو قدره الذي يعرفه جيداً.

حين عاد الى الحي، سمع من عزيز المصري ان أبا أنمار صاحب فندق العروبة يطلبه في شغل معين. ذهب إليه فوجده جالساً في الصالة بدشداشته وكرشه الكبير وعقاله وكوفيته البيضاء، يطالع في كتاب سميك بين يديه. نزع أبو أنمار نظارته الطبية واقفل الكتاب وقام ليصافح هادي العتاگ.

لا يتذكر هادي انه التقى بأبي أنمار كثيراً خلال السنوات الماضية، ولكنه يراه ويصادفه داخل المنطقة، وتحدث معه مرة أو اثنتين. ويعرف بعض الشائعات عنه، أهمها، حسب رأي هادي، تلك التي تتهمه بعلاقة دائمة مع فيرونيكا الأرمنية التي تواظب على تنظيف الفندق كل اسبوع. وهناك من يقول أن ولدها المراهق أندرو الذي يرافقها هو ابنه في الحقيقة.

لن يحاول التأكد من هذه الشائعات، لانها تنتشر مثل الإرضة على الحيطان وتطال الجميع.

قال له أبو أنمار بأنه يفكّر ببيع آثاث بعض الغرف في الفندق، هو يستعد لإعادة تجديد الفندق. في الحقيقة يريد تبديل كل آثاث الفندق. ويتمنى أن يحصل على شارٍ للاسرة والمناضد وسيراميك الحمامات والمرايا وخزانات الملابس وغيرها من قطع الآثاث. تحركت الدماء في وجه هادي وهو يسمع هذا الكلام، وحاول ان يستجمع في ذهنه وبسرعة أشياء لها علاقة بعملية بيع مثل هذه. أخبره بأنه مستعد للقيام بهذا الأمر. وفكّر أبو أنمار بأن جولة على بعض الغرف ستتيح لهادي ان يعرف ويقدر الموضوع بصورة ادق.

كانت الجولة مخيبة لهادي. فالغرف التي يشغلها محمود السوادي ولقمان المواطن الجزائري العجوز ونزيلين آخرين هي الغرف الأفضل في الفندق كله. آثاثها ما زال قابلاً للاستعمال، اما البقية فهي كراكيب قديمة أكلت الإرضة بعضها وعملت الرطوبة في بعضها الآخر. ولكنه، مع ذلك، لم يغير رأيه، وأكد لأبي أنمار انه سيجد شارياً لهذا الآثاث.

جلس معه في صالة الفندق. وانتبه لأول مرة للطاولة الخشبية الصغيرة التي تختفي خلف المنضدة العريضة في الاستعلامات. كانت تجثم في وسطها زجاجة كاملة من العرق مع كأس وصحن خيار. يبدو ان الرجل كان يشرب. ولم يكن هادي في وضع صحي يؤهله للشراب في تلك اللحظة، فجسده مشبع بالخمرة، ورائحتها تفوح منه بوضوح. لقد انتزع نفسه من الفراش بقوة في فترة ما بعد الظهر من أجل الذهاب الى الآمرلي العجوز. خطا في الشارع بصعوبة، واستغرق وقتاً حتى تبخر تأثير الشراب من رأسه. ولكن ماذا يفعل، انه يشعر بعطش شديد في هذه اللحظة لهذه القنينة الرائعة التي تقف بثبات وشموخ على الطاولة الخشبية الصغيرة.

استمر أبو أنمار يتحدث عن خططه بتجديد الآثاث في الفندق، ولم يفكّر بدعوته لمنادمته والشرب معه. لم يكن هادي العتاگ من النوع الذي يفضله أبو أنمار. هو برغم ارتدائه لنظارات طبية أثناء القراءة، إلا انه ليس رجلاً اعمى، ويعرف أن هذا العتاگ رجل غير متزن وغير سليم عقلياً، واذا سمع، في يوم ما، أن هذا العتاگ لص وقاتل فلن يستغرب أبو أنمار كثيراً. فهذه الهيئات متشابهة. كل شيء واضح على الانسان من مظهره وسلوكه، وقد استدعاه من أجل قضية تجارية بحتة.

أنهى أبو أنمار كلامه، لكن رغبة هادي بالمغادرة لم تكن قوية، وكان من الممكن ان يحصل موقف غير مريح، فيبدو هادي في مظهر غريب أمام صاحب الفندق، لولا دخول محمود السوادي.

كان محمود سكراناً، ولكنه يجاهد لعدم ظهور أي إشارة الى سكره. ضربه هواء المروحة السقفية في صالة الاستقبال في الفندق، فاستعاد الأجواء الكئيبة التي هرب منها طوال النهار. حتى انه شرب أكثر من طاقته، أثناء منادمته لعلي باهر السعيدي، وهو ينوي ان يتجه الى النوم مباشرةً فلا يكون ذهنه قادراً على التركيز، فينسى الرطوبة أو سوء التكييف والروائح غير المريحة في غرفته بالفندق.

رفع يده بالتحية، وانفرجت شفتاه بابتسامة كبيرة وهو يتفاجأ برؤية الحكّاء الكبير داخل الفندق. جلس في الصالة وضرب بيده على فخذ العتاگ وهو يسأله عن أحواله وأموره. لم يكن الوقت متأخراً وكان السعيدي قد أنهى احتفاله بصفقاته الناجحة بوقت مبكر، ربما لخشيته من فرض حظر التجوال. أنزل محمود أمام زقاق ٧ في البتاويين وغادر بسرعة.

لم ينتبه محمود للملامح الجادة لأبي أنمار. لم يكن مرتاحاً لبقاء العتاگ وقتاً اطول. كان يريد العودة الى شربه المتمهّل أثناء قراءته في كتب التنجيم والتنبؤات التي يعشقها كثيراً. ظل محمود يثرثر مع هادي العتاگ وعاد أبو أنمار للجلوس وراء المنضدة الكبيرة. ثم بهدوء، وفي تجاهل تام للشخصين الآخرين معه في الصالة، سكب في كأسه ووضع قطعة ثلج مع ماء وبدأ يشرب بهدوء. في مناسبات سابقة كان يدعو محمود وحازم عبود للشرب معه. كان يستمتع بمسامرتهم. ولكن الليلة الأمر مختلف.

كان محمود في حالة انتشاء عالية، مع شعور غير مريح بالثقل في

معدته، وفكّر قبل لحظات، أثناء سيره في الزقاق المعتم باتجاه الفندق، انه سيحاول أن يتقيأ في الحمام إن لم يتلاشَ شعوره بالضيق. وربما وجد من المفيد ان يبقى جالساً يثرثر ويشغل نفسه بعيداً عن معدته قليلاً حتى يتحسن حاله. نظر محمود الى هيئة هادي البائسة ولم ير فيها ما يزعجه، بادره بالسؤال عن قصته العجيبة. تلك الجثة التي خاطها بيديه وما الى ذلك. رفع أبو أنمار رأسه قليلاً من الكتاب الذي يقرأ فيه ونظر من فوق نظارته الطبية الى محمود بشيء من الفضول والعجب.

كان هادي، حتى هذه الليلة، ملتزماً بالوعد الذي قطعه مع نفسه، أثناء كلامه مع صديقه عزيز المصري بأن ينسى هذه الحكاية تماماً ولا يعود لذكرها أمام اي مخلوق. ثم حدث أن اكتشف انها قصة حقيقية وغير مختلقة. فلم يعد سردها أمام الآخرين مسلياً بالنسبة له. خصوصاً بعد حدوث تطورات جديدة عليها.

لم يعرف أحد، حتى عزيز المصري، ان «الشِسْمه» حسب تسمية هادي، قد عاد إليه حياً واقفاً على قدميه، وانه في مهمة، وان الأمر ليس عبثياً بالمرة. هناك أشياء خطيرة تحدث، ولم يكن هادي العتاگ سوى ممر ومعبر لهذه الأشياء. مثل أب وأم جاهلين وساذجين ينجبان نبياً أو مخلصاً أو قائداً شريراً. هما لم يخلقا الطوفان الذي جاء بعدهما بشكل دقيق. هما مجرد قناة لأمر أكثر قوة وأكثر معنى منهما.

ما الذي سيقوله الآن لهذا الصحفي الشاب الذي ينوس برأسه من ثقل السكر، ويحاول التغطية على ذلك بإسناد جبهته على قبضته المضمومة، أو يغير وضعية جلوسه كلما فقد اتزانه قليلاً.

لم يكن الأمر جدياً تماماً لدى محمود. ولكن هادي العتاگ نقل الأمر الى حدود أبعد مما كان يفكّر بها محمود. كان يتوقع ثرثرة

مسترخية من تلك التي عود هادي مستمعيه عليها. ثرثرة مجانية ممتعة، ثم يغادر محمود الى غرفته لينام مثل جثة هامدة حتى الصباح.

تلبّس هادي ملامح لم يرها محمود سابقاً، وقال له:

ـ سأروي لك تكملة الحكاية. ولك انت فقط. ولكن بشرطين.

كانت عينا العتاگ تقدحان بجنون مؤكد، وهذه هي فكرة محمود عن الرجل منذ البداية، لذا شعر باغراء وفضول أكبر للمتابعة، وترك أبو أنمار الكتاب بين يديه وصار منصتاً الى هذه الحوارية الغريبة.

ـ ما هما؟

سأل محمود، فمسح العتاگ على شواربه ولحيته الكثة قبل أن يجيب متقصداً ان يبدو جاداً وواضحاً:

ـ لازم تروي لي سراً مقابل سري.. والشغلة الثانية.. تشتري لي عشاءً وبطل عرق أوزو.

الفصل الثامن

أسرار

ـ ١ ـ

التقارير الأولية التي أعدها فريق المنجّمين في مكتب العميد سرور مجيد، منذ مساء أمس، كانت تتحدث عن أشباح تتجمع على «جسر الأئمة» فوق نهر دجلة والذي يصل بين منطقتي الكاظمية والأعظمية. ساورته الشكوك في كون هؤلاء المتنبئين والمنجّمين يخلطون بين الأشباح والأرواح وأجساد الاناس العاديين الذين انطلقوا منذ يومين من مناطق متفرقة داخل بغداد باتجاه الكاظمية لأداء مراسيم الزيارة بمناسبة ذكرى وفاة الإمام موسى الكاظم.

وصله التقرير النهائي في مغلّف وردي من «كبير المنجّمين» عند الظهر وهو يحوي العدد التقريبي لهؤلاء الأشباح، كانوا في حدود الألف. قرأ ذلك وهو يشاهد على شاشة التلفزيون الكبيرة في مكتبه الفخم خبراً تلفزيونياً عاجلاً يتحدث عن مقتل العشرات على «جسر الائمة» بسبب شائعة وجود انتحاري بين صفوف الزائرين. ما أثار حالة من الهلع، ومات البعض دوساً بالأقدام، بينما قضى الاخرون غرقاً بعد ان ألقوا بانفسهم الى النهر.

شعر باستياء شديد، لأنه لم يستطع فعل شيء لمنع حدوث هذه الكارثة. ثم تذكر أمراً زاده احباطاً ويأساً؛ فهو يقدم معلومات ثمينة

دائماً، ولكن الجهات المعنية لا تستفيد منها. تهملها أو تتجاهلها عمداً. لقد أبلغ عن مجرمين كثيرين، استطاع بعد جهود مضنية ان يحدد مواقعهم وفي أي وكر يقيمون، ولكن، لم يتم القبض على واحد منهم أبداً، وان فعلوا فهم يتجاهلون دوره ودور دائرة المتابعة والتعقيب التي يرأسها. من الضروري ان يظهر ذلك الضابط في الحرس الوطني أو في وزارة الداخلية على شاشة التلفزيون أو أمام مرؤوسيه على انه صاحب الفضل الوحيد في نجاح العملية الأمنية، من دون أي ذكر لدائرة غريبة اسمها «المتابعة والتعقيب» وجهود مضنية لفريق عمل يرأسه رجل جاد وصارم اسمه العميد سرور محمد مجيد.

كذلك فإنه يشك بالأميركان. هم يستثمرونه من أجل تحديد خريطة حركة الخصوم والأعداء والحلفاء، والاستفادة من هذه المعلومات بالطريقة التي تنفعهم. والتي لا تكون دائماً متطابقة مع مفهوم المنفعة الذي يفكّر به العميد سرور مجيد.

إنه يبيت أغلب ليالي الاسبوع في المكتب. لديه غرفة صغيرة تشبه الكابينة ملحقة بمكتبه الفخم، لا تحوي سوى سرير مع خزانة ملابس. لديه كل شيء لدورة حياة كاملة هنا، ما عدا جسد امرأة، وهو لا يفكّر بذلك غالباً. يفكّر بالنجاح والاستمرار بكونه «غير قابل للاستبدال» و «لا يستغنى عنه». وينتظر تحقيق ضربة كبيرة بتوقيعه الشخصي من أجل الارتقاء ربما الى مكان أفضل. ضربة تعني بالتحديد إلقاء القبض على مجرم خطير وكبير يعاني منه الجميع. وهو ما يعمل عليه منذ شهرين تقريباً. حيث توصل فريق عمل المنجّمين والمحللين الذي يرأسه الى توحيد كل البيانات المتعلقة بحوادث القتل الغريبة في بغداد، والتي تجري غالباً لشخص واحد. اي؛ في كل جريمة هناك ضحية واحدة. كما انها تكون مخنوقة غالباً. وروايات

شهود العيان تكاد تجمع على ملامح واحدة لمرتكب الجريمة.

انتهى الى أن هناك شخصاً واحداً يقف وراء هذه الجرائم كلها. وهي تكاد تكون جريمة واحدة أو اثنتين في اليوم، ومع توالي الأيام والأشهر فان العدد أصبح كبيراً. ثم قبل يوم من حكاية الأشباح على جسر الأئمة جاءه كبير المنجّمين بخبر سعيد؛ لقد توصل الى اسم هذا المجرم. سخّر الجان والتوابع واستثمر الأسرار البابلية في التنجيم وعلوم الصابئة المندائيين للعثور على طيف الاسم محلقاً حول جسد المجرم.

ــ انه.. الذي لا اسم له.

قال «كبير المنجّمين» ذلك، وهو يرفع يديه في الهواء بحركة مبالغ فيها، تنسجم مع مظهره الاستعراضي بلحيته البيضاء الطويلة ذات النهاية المدببة وقلنسوته القطنية وثوبه الفضفاض الذي يذكّر بأشكال السحرة في أفلام الرسوم المتحرّكة.

ــ ماذا يعني هذا؟... الذي لا اسم له؟ ما اسمه يعني؟

ــ الذي لا اسم له.

قال كبير المنجّمين ذلك ثم تراجع عدّة خطوات الى الوراء واستدار ليخرج من مكتب العميد. لم يستوقفه العميد أو يأمره باعطاء معلومات أكثر، فالسلوك الغريب هنا، داخل دائرته، هو أمر عادي، وتعوّد ان يتعامل مع هؤلاء المنجّمين بمرونة عالية فهم مصادره الأساسية. ظل مستغرقاً مع نفسه؛ فالذي لا اسم له يمكن أن يكون غداً هو الذي لا هوية له والذي لا جسم له والذي لا يمكن القبض عليه ورميه في الزنزانة.

ولكنه اليوم يمكنه أن يتجاهل حكاية هذا المجرم الذي لا يملك اسماً. فالكارثة كبيرة ومن أجل أن يعد تقريراً نهائياً عن رصد دائرته

لجسر الأئمة في حال طلب الأميركان أو الحكومة العراقية ذلك، جمع فريق مساعديه من الضباط في فترة ما بعد الظهر، وجلس يدردش معهم، وذكر له أحد الضباط الصغار معلومة مهمة تم الوقوف عليها قبل ساعتين من الاجتماع؛ فهذه الأشباح التي كانت تحوم فوق الجسر، هي أشباح راقدة في جسد الانسان، تنام وتسبت في جسده من دون أن يشعر بها الانسان، يحملها معه أينما ذهب، ويمكن أن تظل على حالها هذا وكأنها شيء غير موجود بالمرة وتصاحب الانسان الى قبره، ويمكنها أن تستيقظ وتحرر نفسها قليلاً وتطوف خارج جسد الانسان في حالة واحدة: الخوف. إن اسمها حسب كلام المنجّمين هو؛ توابع الخوف.

انتهى فريق المساعدين من إعداد التقرير. تم تدوين تفاصيل الرصد والمتابعة والتحليل والمعلومات النهائية والتوصيات فكانت خمس صفحات وضعت في مغلف وردي اللون على مكتب العميد سرور.

لم يكن متأكداً أن الحكومة أو الأميركان سيطلبون منه هذا التقرير، ولكنه يقوم بعمله، وعليه أن يكون جاهزاً دائماً لأي مفاجأة. عاد المنجّمون الى قطاعهم السكني داخل الدائرة، وخرج عددٌ من الضباط من الدائرة بعد انتهاء الدوام الرسمي وتوزع الحرس على نقاط الحراسة. اطفأ جهاز التلفزيون، ودخل الى كابينة نومه وفتح مكيف الهواء ثم استلقى على السرير. اغمض عينيه مدة دقيقة لم يكن يسمع خلالها سوى فحيح هواء المكيف. كانت أشياء كثيرة تدور في رأسه، ولم يعرف من اين جاءه ذلك الشعور بأن ما يطوف في رأسه خرج الآن ليطوف تحت سقف الكابينة الصغيرة التي يرقد فيها، ومن بينها شبح هو «تابع» خوفه الشخصي. تابعٌ لا يملك اسماً. اسمه، في

١٢٦

الأصل: الذي لا اسم له. يطوف ويطوف ويستمر بذلك، لأن لديه مخاوف جدية أن يستيقظ ذات صباح ليرى أمراً باقصائه من منصبه موقعاً من رئيس الوزراء. مخاوف ان يرفع الأميركان ايديهم عن دائرته ويتركونها نهباً لأحزاب السلطة. وهناك خوف أعمق وأكثر خصوصية؛ فهو لئن سخّر الجن والأشباح والأرواح والمنجّمين وقارئي الطالع ضد أعداء متعددين لن يكون بمنأى عما يسخره هؤلاء الأعداء ضده الآن، وبالطريقة ذاتها. ربما مخاوفه الآن يصنعها هؤلاء الأعداء ويغذونها في أعماقه بعمل وجهد متصل من قبلهم.

مد يديه، بحركة لا واعية، ليقبض على رقبة «تابع» خوفه، وفتح عينيه باتساعهما فلم ير بينه وسقف الغرفة شيئاً.

ـ ٢ ـ

قال محمود أنه يحب امرأة رئيسه في العمل ويرغب بمضاجعتها، ولكن هادي لم يعتبر الأمر مخجلاً.

ـ لقد حكيت لك سري الرهيب. حكيت لك عن «الشِسْمه» وما فعله. لو وصل الكلام الى الشرطة فيمكن أن تنتهي حياتي. أريدك ان تروي لي سراً حقيقياً بالمقابل.

صمت محمود طويلاً وجال ببصره في حطام البيت الذي يسكن فيه هادي العتاگ، واسترجع بعض الصور القديمة في ذهنه، ثم اضمر ان يقول شيئاً محدداً.

ـ سأقول لك؛ انا لا اعتقد ان اصل عائلتي من العرب. لسنا عرباً ولا مسلمين.

ـ لعد شنو؟

ـ اعتقد ان جدي الثالث أو الرابع كان صابئياً، واسلم بسبب

علاقة حب، وانتمى الى عشيرة حبيبته التي أصبحت زوجته. لقد كان والدي يدوّن هذه الأشياء في يومياته قبل أن يقوم اخوتي مع امي باحراقها عقب وفاته.

ـ وما المشكلة؟

ـ إنها مشكلة كبيرة. لسنا عرباً أصلاء.

ـ أنا كنت أحكي في المقهى ان جدي الكبير كان ضابطاً عثمانياً، والآن لا أعرف هل كان ذلك حقيقياً أم مجرد كذبة.

ـ وحكايتك التي رويتها لي الآن. . أليست كذبة هي الأخرى؟

ـ لا . . . اذا كنت تظن هذا فساكون حزيناً.

ـ أعطني دليلاً على صدق حكايتك. ساصدقك، اذا اعطيتني دليلاً.

ـ ماذا تريد بالضبط؟

ـ اجعلني التقي بهذا «الشِسْمه».

ـ لا . . مستحيل . . . ربما يقتلك.

ـ إجعلني في مكان ما بين هذه الكراكيب استرق النظر إليه.

ـ لا أعرف متى يحضر. ربما لن يأتي بعد اليوم أبداً.

ـ والحل؟ . . . انت تتملص من الموضوع.

ـ لا والله . . . قل لي ماذا تريد وأنا افعل.

ـ التقط صورة له. اعطيك كاميرا وتأخذ صورة له.

ـ أهّا . . مستحيل . . يقتلني.

ـ آهووو . .

قام محمود من الكرسي الخشبي الذي وضعه هادي العتاگ لضيفه في باحة بيته المهدم لأن الحر لا يطاق داخل غرفته الخانقة. لم يكن يخطر في بال محمود أن يتطور الحوار بينه والعتاگ الى هذا المستوى.

وحين صادفه مساء البارحة في استعلامات فندق العروبة كان في مزاج مختلف . وقف معه عند باب الفندق وانقده عشرة آلاف دينار ثمناً للعشاء وقنينة العرق، وضرب معه موعداً لليوم التالي من أجل الاعترافات المتبادلة بالأسرار الخطيرة. قال له محمود ذلك بمرح بالغ، وظل جالساً لربع ساعة أو أكثر بجوار أبي أنمار في الاستعلامات، وتحرك كرم أبي أنمار المعتاد فجأة ودعا نزيل فندقه وصديق صديقه الى الشرب معه، ولكن محمود اعتذر لأنه بلغ حدوده القصوى في الشرب مع باهر السعيدي منذ ساعة على الأقل .

اليوم ومع الفوضى الأمنية ومقتل العشرات على جسر الأئمة نسي محمود كل شيء. كان رئيس التحرير قد ألقى عليه بأعباء العدد الجديد من المجلة وسافر الى اربيل صباح اليوم مع وفد سياسي واقتصادي في قضية تتعلق بالنفط أو ما شابه . قال له بأنه يعتمد عليه ويثق به كثيراً، وستجري الأمور بشكل جيد. وان لديه مطلق الصلاحية لفعل أي شيء .

كانت الشوارع شبه مقطوعة بسبب التشدد الأمني الذي يرافق أجواء الزيارة الدينية، وقطع المسافة حتى بناية المجلة سيراً. لم يحضر أحد الى المجلة ما سوى عامل الخدمة العجوز، ووجد الهاتف الثاني للسعيدي موصولاً بالشاحن الكهربائي. فتحه فوجد أربع عشرة مكالمة فائتة نصفها من الـ ٦٦٦ .

ماذا لو اتصل بها الآن؟ سيقول لها بأنه تلقى الاتصال السابق وانه يعرف طبيعة العلاقة بينها والسعيدي، وانه يقدم لها نصيحة الآن؛ انسي هذا الرجل، لأنه بلا ذاكرة. هو رجل المتعة فحسب، وبإمكانك ان تجربي حظك مرة ثانية وثالثة مع آخرين ان شئت. جربي حظك معي ايتها المرأة الشيطان.

ظل يصارع نفسه من أجل الاتصال لسماع صوتها فحسب. خصوصاً وانه لم يرها منذ عشرة أيام تقريباً. أقنع نفسه اخيراً بأنه سينتظر اتصالها. لقد اتصلت سبع مرات اليوم، ومن المؤكد انها ستكرر المحاولة حتى عشر مرات أو أكثر. سيرد على مكالمتها ويكشف عن نفسه أمامها.

لم يجد أمامه الشيء الكثير الذي يمكن أن يفعله. أراد عامل الخدمة ان يصنع له شاياً أو فنجان قهوة فأبدى عدم رغبته وطلب منه ان يغلق الأبواب حتى يخرجا. حمل أدواته من منضدة السعيدي ثم نظر الى هاتف السعيدي على المنضدة. شعر برغبة جامحة لارتكاب حماقة ما. حماقة صغيرة. سيسمع صوت نوال الوزير لا أكثر. لن يخبر أحداً. لن يعرف أحد أبداً.

رفع الهاتف ثم اظهر قائمة الاتصالات الأخيرة وضغط على الـ ٦٦٦. سمع صوت الرنين على الطرف الآخر وبدأت الدماء تسخن في عروقه وضربات قلبه تزداد قوة وشدة. رنَّ لبضعة ثوان ثم انفتح الاتصال فجأة:

ـ آلوووو..... آلووو.

كان صوتها هي وتموجاته الشهوانية المؤلمة لروحه. ولكنه لم يستطع الرد. لم يستطع تحريك حنجرته أو شفتيه أو حتى أن يرمش بعينيه. كان متخشباً جامداً يتابع التفاصيل المتسارعة للمفاجأة التي لم يكن يتوقعها.

ـ آلوووووو..... أگلك باهر هذا منو جاي يستخدم تلفونك بالمكتب؟

ـ ما ادري... بلله انطيني اياه....... ألو.. ألو... هاي انته أبو جوني.؟

قطع الاتصال، وأغلق الهاتف نهائياً. ورمى به على منضدة رئيس التحرير وكأنه تلقى صعقة كهربائية منه.

هي معه إذن. مؤتمر سياسي واقتصادي، آه، ولكنها مخرجة سينمائية؟ ربما ذهبت لكي تصوّر بعض اللقطات الواقعية لفلمها القادم الذي تثرثر كثيراً حوله. ربما هو فلم عن علاقة المال بالسياسة والنفط بالسفر هرباً من أجواء الطقوس الدينية داخل بغداد التي تتعطل بسببها الحياة. ربما تُضيف لها أيضاً بعض اللقطات على السرير، لقطات واقعية جداً لفلمها العظيم.

التفت فشاهد عامل الخدمة العجوز أبو جوني واقفاً يراقبه، أو ينتظر ان ينهي شؤونه كي يخرجا ويغلقا البناية من الخارج.

ظل صامتاً لساعة كاملة. عاد سيراً أيضاً. أكل من مطعم في الطريق، وفكّر بالاتصال بصديقه فريد شوّاف والمرور عرضاً خلال كلامه معه الى موضوع نوال الوزير ولكنه سيحوّل نفسه، إن فعل ذلك، الى أضحوكة أمام فريد. سيتصل إذن بصديقه المصوّر حازم عبود. لكن هذا الأخير سيشتمه بشكل مباشر، لأنه لم يتعلم الدرس، وعاد الى ذات النقطة التي كان من المفروض انه غادرها بشكل نهائي.

ـ المسألة تتعلق بعضوك الذكري. جد له ثقباً لحمياً دائماً.

سيعيد أمامه ذكر هذه العبارة القبيحة بغاية ان يصدمه ويتفه له مسائله العاطفية.

وصل الى مقهى عزيز المصري وهناك وجد هادي العتاگ، الذي ذكّره باتفاقهما مساء البارحة. طلب شاياً واستسلم، رغبةً بنسيان كل شيء، للحكاية الخيالية للعتاگ المجنون. كان يتحدث بشكل هادئ ويقطع الكلام ويتلفت كل حين. كان على غير عادته حين يتلبس روح «القصّخون» القديم. يتحدث الآن وكأنه يفشي سراً. ثم حين وصلت

حكايته الى مرحلة حرجة، طلب من محمود مرافقته الى البيت حتى يتكلما براحة أكثر.

بعد ان انتهى من سرد التفاصيل الجديدة في حكايته مع الشِسْمه، ظل محمود واقعاً تحت تأثيره لنصف دقيقة وهو يقلب الكلام والتفاصيل في ذهنه. إنها قصة رهيبة حقاً، ولا يمكن لخيال هذا العجوز المخبول لوحده ان يخلقها. انها تحوي أشياء أكثر تعقيداً من دماغ هذا العتاگ المسطح. أيقضه هادي من شروده بسؤال مباشر:

ـ والآن أنت؟... أروي لي سرك الخطير.

ـ ٣ ـ

لقد كشف له سراً حقيقياً، فهو لم يخبر أي أحد، حتى صديقه المقرّب حازم عبود، بهواجسه حول اصوله العائلية البعيدة. لم يجد مناسبة تستدعي ذكر الموضوع، أو هو، ببساطة، لا يملك الجرأة الكافية لذلك. في كل الأحوال هو سر حقيقي مطمور في ذاته، ولا يتذكر متى أثير الكلام حوله آخر مرة داخل عائلته هناك في ميسان. لقد كان صادقاً مع العتاگ إذن، رغم أن هذا الأخير لم يبد عليه أنه يقدر هذا الاعتراف الهام. ظل محمود مشغول الذهن لما تبقى من اليوم بكلام العتاگ، واضمر مع نفسه ان يعيد تسجيل هذه التفاصيل على مسجلته الديجتال في غرفته داخل الفندق حتى لا ينساها. هو يؤمن أن العاطفة تغير في الذاكرة، وحين تفقد انفعالاً يرافق حدثاً معيناً فإنك تفقد جزءاً مهماً من هذا الحدث. لذا عليه أن يدون الأشياء التي يراها مهمة أو يسجلها على مسجلته الصغيرة ما دام الانفعال المصاحب لها قوياً.

يدوّن كل شيء تقريباً على هذه المسجلة نوع باناسونيك التي

اشتراها من محل في الباب الشرقي قبل نصف عام تقريباً. يسجل هواجسه وأفكاره وملاحظاته، ويرى أنها ستكون مفيدة في وقت لاحق. المسجلة هنا تبدو بالنسبة له وكأنها مرحلة متقدمة من التطور الداروينى للدفاتر المدرسية التي كان والده رياض السوادي يدون عليها يومياته، فغدت أكثر من سبعة وعشرين دفتراً مدرسياً من فئة المئة صفحة عشية وفاته. اطلع محمود على بضعة صفحات فيها، في مناسبات نادرة قبل أن تقوم والدته بعمل إجرامي كبير فتضعها كلها في قاع التنور وتصب عليها النفط وتضرم النيران بها ثم تخبز سبعة وعشرين قرص خبز وتنضجها بهدوء على نيران الاعترافات الخطيرة. كان الأب يدوّن كل شيء. يدوّن الحقيقة العارية بقلمه الحبر الأسود الأنيق المشابه لما في كراسة تعليم خط الرقعة. هناك كلام عن المرات التي مارس فيها الأب العادة السرية خلال زواجه، وعن النساء اللائي حلم بمضاجعتهن، بعضهن نساء كبيرات بالسن من الجيران في المنطقة. كان كلامه داخل كراساته الوثائقية لا يشابه إطلاقاً هيأته الخارجية والصورة المعروفة عنه في حي الجِدَيْدة داخل الِعْماره. إنه شخص محترم جداً وذو مهابة. ولكنها ربما ليست ذاته التي يحبها كثيراً. انها ذاتٌ فرضت عليه واستطاع التكيف معها في نهاية المطاف من خلال الاتكاء على سحر الاعترافات اليومية.

شعر الأخوة الذين اطلعوا على هذه الدفاتر بالصدمة والعار، وسمع منهم محمود كلاماً عن الأصول وتحول الديانة وما الى ذلك، ولم يتأكد كثيراً مما سمع، وتم انهاء الموضوع وغلقه وتجاهل وجوده بالكامل مع همود رماد الدفاتر السبعة والعشرين داخل تنور الوالدة. ولكن محمود يتذكر أحياناً بعضاً من كلام أبيه ويحاول الربط مع الحقائق الجزئية التي كُتِمَتْ الى الأبد، ليفهم أشياء لم يعد هناك من

سبيل للتأكد منها بشكل قطعي. واحدة من هذه الأمور هو لقب «السوادي» نفسه، الذي اخترعه والده، مدرس اللغة العربية، بتجاهل تام للقب العشائري المعتاد. حتى غدا الكثيرون يعرفون بيت العائلة بأنه بيت آل السوادي. غير ان وفاة الأب كانت وفاةً للقبه المختَرَع أيضاً، حيث عاد الأخوة الى لقبهم العشائري المعتاد الذي يفخرون به. ونكاية بهذه القسوة في طمس سيرة الأب تمسك محمود بلقب السوادي وكرّسه اسماً يُعرَفُ به في الصحف والمجلات.

ـ ٤ ـ

بعد أن نهض محمود من الكرسي الخشبي الذي وضعه له هادي العتاگ في باحة بيته المتهالك. رفع بصره الى السماء وهي تشحب مع اقتراب المغيب وسحب نفساً مديداً ثم قال لهادي أنه لن يصدق حكايته الخيالية هذه مالم يعطه دليلاً مادياً على وجود هذا الشِسْمه الذي يتحدث عنه.

مد يده الى جيبه واخرج مسجله الديجتال واعطاه لهادي وقال له؛ ان عليه إجراء حوار مع هذا الشخص. يفتح جهاز التسجيل ويسأله عمّا يقوم به وأين يذهب واين يقيم.

اقترب من هادي ودعاه للنظر الى جهاز التسجيل، وشرح له كيف يفتح التسجيل وكيف يغلقه. ظل واقفاً هكذا لخمس دقائق. وانتظر ان يجرب هادي التسجيل ويعود ليسمع صوته ويتأكد انه فهم الخطوات جيداً.

ـ احرص على البطاريات.. انها تنفد بسرعة.

قال له ذلك قبل أن يغادر، وهو لا يدري بالضبط ما الذي فعله قبل قليل. سيقوم هذا العتاگ ببيع الجهاز غداً على الأرجح. ربما هي

تأثيرات يومه المرهق، أو هو تأثير حكاية العتاگ الغريبة واغراء سماع تفاصيل أكثر. ماذا لو أنه قدم له دليلاً حقيقياً على وجود كائن خرافي من هذا النوع؟ هل سيصدقه حقاً؟

سار باتجاه فندق «العروبة» وهو يفكّر بالسعيدي وشيطانه الأنثى وأصدقائه ووالده المتوفي منذ عشر سنين.

حين وصل الى الفندق وجد مولدة صغيرة موضوعة أمام الفندق على الرصيف، كان أبو أنمار قد جلبها، وهي تكفي لتشغيل المراوح والاضاءة في الغرف الأربع المشغولة حالياً من الفندق بالإضافة الى الاستعلامات والغرفة الشخصية التي يقيم فيها أبو أنمار.

صعد الى غرفته وانطرح على فراشه لساعة كاملة. كان يشعر بألم في أقدامه بسبب السير الطويل. اغمض عينيه أمام هواء المروحة السقفية التي كانت تدور بقوة. تنساب من ذاكرته صورة محددة عن والده؛ جالساً بالدشداشة في صالة الضيوف داخل البيت. يرتدي نظارته الطبية ويضع لوحاً خشبياً عريضاً فوق ساقيه المتقاطعتين ويفرد عليه دفتراً مدرسياً ليكتب بصمت واستغراق طويل.

لم يعرف كم مضى من الوقت حين فتح عينيه في الظلام الدامس. نزل وذهب الى مطعم مجاور لتناول العشاء وحين عاد شاهد لقمان الجزائري المقيم في الفندق جالساً في الاستعلامات مع نزيل عجوز آخر بالإضافة الى أبو أنمار و«آندرو» الشاب المراهق الذي يقوم مع والدته العجوز فيرونيكا بأعمال التنظيف الاسبوعية. كان الجميع يتابع التلفزيون، بينما المولدة الصغيرة تهرّ في الخارج. سلّم عليهم وجلس يتابع أيضاً، وكم فاجأه ان يرى على الشاشة صديقه فريد شوّاف وهو يرتدي بدلة رمادية مع ربطة عنق حمراء على قميص أسود. كان انيقاً بشكل لم يعهده محمود عنه سابقاً.

رفع أبو أنمار يده السمينة وأمر الصبي المراهق فقام من فوره ليجلب من جنبر في الشارع أربعة استكانات شاي .

كان الجميع في الصالة واجمين يتابعون البرنامج الحواري على التلفزيون . إنها مصيبة كبيرة، أكبر مصيبة حلت بالعراق حتى اليوم، كما يقول أبو أنمار . حوالي ألف شخص يقتل غرقاً أو دعساً بالأقدام من دون أن يعرف أحد من هو المجرم الحقيقي . خرج الناطق باسم الحكومة مبتسماً كعادته وهو يعلن احباط محاولة تفجير انتحاري على جسر الأئمة، وقد لاذ المجرم بالفرار .

ــ لو كان المجرم قد فجر نفسه لكان هناك آلاف الضحايا اليوم .

قال الناطق باسم الحكومة ذلك وسمع الجميع مباشرةً عفطة قوية هادرة وطويلة تتردد في أرجاء صالة الفندق وفي الخارج أيضاً . انصت لها الجميع مشدوهين قبل أن ينتبهوا سريعاً انه صوت منبه لسيارة حمل مرت في الشارع التجاري بالبتاويين أثناء مروق أحد الأطفال أمام عجلاتها الكبيرة .

عاد مقدم البرنامج الحواري الى ضيوفه بعد ان عرض مقطعاً من تصريح الناطق الاعلامي الحكومي، وانبرى فريد شوّاف الانيق جداً لشرح وجهة نظره :

ــ كما قلت سابقاً؛ من يتحمل مسؤولية هذا الحادث هي الحكومة التي وضعت حواجز كونكريتية على الجسر نفسه، ولم تجعل عملية التفتيش قبل أو بعد الجسر حتى لا يصير زحام هناك .

رفع مقدم البرنامج يده مقاطعاً فريد ليلتفت الى ضيفه الثاني وهو رجل كبير بالسن اصلع مع لحية خفيفة بيضاء ويسأله السؤال ذاته؛ من المسؤول عن هذه الجريمة . فردّ عليه :

ـ انها بالتأكيد خلايا تنظيم القاعدة وفلول النظام السابق. فهي حتى وان لم تقم بهذه الجريمة فعلياً وبشكل مباشر فهي مسؤولة عنه. بسبب تكرار حوادث إجرامية باسم هؤلاء سابقاً، حتى صار اسمهم لوحده بمجرد ان يذكر عاملاً في اقلاق الأمن والتشويش على المواطنين.

قاطعه المقدم ليسأله:

ـ هناك من يقول ان الذي أطلق شائعة وجود انتحاري على الجسر هو المسؤول عن الموضوع.. كان عليه أن يعي مسؤولية القيام بعمل مثل هذا.

ـ لا.. لا اعتقد انه مسؤول.. لا أحد يعرف من الذي أطلق الشائعة، ولكنها حاضرة بقوة في الأجواء... ربما كان هذا الشخص قد اعتقد بوجود انتحاري وبحسن نية حذر الآخرين.

رد الرجل ذو الشيبة فالتفت المقدم الى فريد شوّاف ليستزيد منه حول الموضوع:

ـ والله أنا ارى الجميع مسؤولين بطريقة أو بأخرى عن هذا الحادث، وازيد أكثر فاقول؛ ان كل الحوادث الأمنية والمآسي التي نمر بها لها مصدر واحد هو الخوف. الناس البسطاء على الجسر ماتوا بسبب خوفهم من الموت. كل يوم نموت خوفاً من الموت نفسه. المناطق التي آوت القاعدة وقدمت لها الدعم فعلت ذلك بسبب الخوف من المكون الآخر، والمكون الآخر هذا جنّد نفسه وصنع مليشيات لحماية نفسه من القاعدة. صنع آلة موت مضادة بسبب الخوف من الآخر. وسنشهد موتاً أكثر وأكثر بسبب الخوف. على الحكومة وقوات الاحتلال ان تقضي على الخوف. تلقي القبض عليه، اذا أرادوا حقاً ان ينتهي مسلسل الموت هذا.

ـ ٥ ـ

كان العميد سرور يتابع البرنامج الحواري على التلفزيون، واثاره هذا القميص الأسود مع البدلة الرمادية وربطة العنق الحمراء التي كان يرتديها فريد شوّاف، انها تشكيلة مثيرة. ربما يبعث بأحد المنتسبين العاملين لديه ليشتري له تشكيلة مشابهة من الملابس. ولكنه يشكّ في توفّر مناسبة لارتداء ملابس مثل هذه، فهو قابع ها هنا أغلب أيام الاسبوع مثل سجين.

قلّب القنوات العراقية كلها فشاهد انها مازالت مشغولة بحادثة جسر الائمة، والكل يتراشق الاتهامات، وهاجس ما في رأسه يقول له انهم كلهم مخطئون، الجميع مخطئون، والمتهم الحقيقي ما زال هارباً ويجب إلقاء القبض عليه. ولربما سيقبض عليه هذه الليلة تحديداً.

أخذ رشفة من استكان الشاي الموضوع أمامه، وسمع طرقات خفيفة على الباب ثم دخل عليه شابان سمينان صغيران في السن بشعر رأس خفيف، يرتدي كلٌ منهما قميصاً وردياً مع بنطلون كتان أسود. أخذا التحية له ووقفا بثبات.

شرب العميد رشفة إضافية من شايه قبل أن يلتفت إليهما ويتكلم بأعلى قدر من الحرص والتأكيد، فالليلة يمكن أن تكون ضربته الكبرى. لم يكن هذا الاستدعاء ضرورياً إلا لإشباع رغبة ما لدى العميد سرور بأنه يسيطر على عمله. وأدار حوارية فارغة من المضمون:

ـ راح تروحون؟

ـ نعم سيدي.

ـ لا تسوون اي بلبلة.. تحركوا بشكل عادي.. ألقوا القبض عليه وتعالوا بأسرع وقت.. أريدكم سباع زلم، يلله الله وياكم.

ـ صار سيدي.

أدى الشابان السمينان التحية مرة ثانية بقوة وثبات، ثم غادرا سريعاً.

عاد العميد الى استكان الشاي فوجد انه برد. مد يده الى ملف موضوع على الطاولة وأعاد النظر فيه مجدداً. كان يحوي النبوءة الخاصة بفريق المنجّمين وقارئي الغيب في دائرة المتابعة والتعقيب. وكان قد وصل منذ ربع ساعة الى طاولته، الأمر الذي استوجب تهيئة سريعة لفريق يلقي القبض على المجرم الخطير (الذي لا اسم له) كما أسماه كبير المنجّمين شحيح الكلام.

سيقضي هذه الليلة في الدائرة أيضاً بانتظار عودة فريق الملاحقة، وبأمل ان تكون هذه نهاية القصة. ونهاية الصداع والقلق والتوتر. سيكون موقفه ممتازاً أمام الأميركان وكذلك أمام الأحزاب القابضة على السلطة التي تنظر إليه نظرة ريبة وعدم اطمئنان. ولربما رقّي الى رتبة أعلى، أو خرج من هذا الظل الغامض والداكن الذي يرقد فيه منذ سنتين الى العلن والاضواء.

كيف ستكون هيئة هذا المجرم يا ترى؟ فكّر العميد وهو يخطو داخل غرفة مكتبه الواسعة. كيف سيكون هذا الرجل الذي تخترق الرصاصات جسده فلا يموت أو ينزف. وما هو مستوى البشاعة والقباحة في ملامحه. ثم كيف سيتم إلقاء القبض عليه إن كان لا يخشى الموت والإطلاقات النارية؟ هل يملك قدرات خارقة؟ هل سينفث النار من فمه على رجاله فيحولهم الى رماد، ام يحلّق في الهواء بأجنحة خفية مبتعداً عن مطارديه؟ ام سيختفي فجأة من أمامهم وكأنه لم يوجد أصلاً؟

أسئلة يعرف أن الجواب عليها سيكون أمامه بعد ساعتين أو ثلاث.

الفصل التاسع

تسجيلات

ـ ١ ـ

يفتح محمود شباك السلايد بشرفة غرفته في الطابق الثاني من فندق «دلشاد»، فيلفحه الهواء الدافئ. ينظر الى تموجات الحرارة على إسفلت شارع السعدون، وضربات الشمس القاسية المؤذية للعين وهي تنعكس على بدن وزجاج السيارات المارقة، ويشعر أن مجرد المراقبة من فوق لما يجري تحت وطأة الحرارة يكفي لإضعاف رغبته بمغادرة الفندق هذا النهار.

كان محمود قد نجح أخيراً بترك فندق العروبة والانتقال الى فندق دلشاد، باغراء وتشجيع من السعيدي، الذي يريد من مساعده ان يعيش في ظروف أفضل استعداداً لمهام وعمل أكبر على ما يبدو.

أغلق سلايد الشباك الزجاجي العريض فانقطع شيء من صخب الشارع وهدير سياراته. أخذ منظم المكيف من على الطاولة ورفع مستوى التبريد الى درجة ٢٤. جلس على مقعد خشبي واسند كوعيه على الطاولة الدائرية قهوائية اللون، ثم قرّب مسجلته الديجتال من فمه، وكما في لقطات شاهدها مراراً في الافلام الأميركية ضغط على زر التسجيل وبدأ يملي ملاحظاته الصوتية. كان يرغب باستعادة تفاصيل جرت في اليومين الماضيين، وبالذات حواره الغريب مع هادي العتاگ.

بدا هادي في وقتها مستعداً للإجابة على أي سؤال. كان حريصاً على إقناع محمود بصدق حكايته. لم يكن بذلك المزاج المعهود عنه حين يروي حكايات مشابهة فيبدو مسترخياً ومرحاً، رغم أنه يعرف في دخيلته أن الآخرين لا يصدقون ما يقول، فيغدو عدم التصديق جزءاً من طقس المتعة لديه أثناء سرد الحكاية. لم يكن، وهو يروي لمحمود التفاصيل السرية لحكاية الشِسْمه، مستمتعاً بالموضوع، كان اشبه بمن يؤدي واجباً أو يبلغ رسالة.

زار الشِسْمه هادي في الليلة نفسها التي شهدت مجموعة من حوادث القتل داخل منطقة البتاويين، وبعد تحذير عزيز المصري له بأن يتوقف عن سرد حكايته مع الجثة المقطعة التي خاطها بيديه. فهذه الحكاية لم تعد ممتعة بل أصبحت مثيرة للريبة حسب رأي عزيز المصري. كان هادي يشرب قدح العرق الأخير حين ظهر الشِسْمه في باب غرفته. وشعر هادي حين شاهده يقف على مبعدة عدة أشبار منه بأنه يقف أمام شيء ظن انه مجرد كابوس سيئ ومزعج. وما دام هذا الكابوس تجسد أمامه فإن نواياه لن تكون طيبة. لقد جاء من أجل قتله.

كانت الجملة الأولى التي تحدث بها الشِسْمه مطابقة لظنون هادي العتاگ، فهو يزوره في هذه الليلة من أجل قتله فعلاً.

ـ لقد تسببت بمقتل حارس الفندق حسيب محمد جعفر. لو أنك لم تمر من أمام باب الفندق لما تقدم الحارس حتى بوابة الأعمدة الحديدية. لربما بقي بالقرب من الكابينة الخشبية البعيدة نسبياً عن الباب الخارجي، وأطلق نيرانه على سائق الكابسة الانتحاري من مسافة بعيدة. ربما يصيبه الانفجار لاحقاً ببعض الجروح أو يرميه العصف بعيداً فيصاب برضوض وخدوش، ولكنه من المؤكد لن يموت.

وسيعود صباح اليوم التالي الى زوجته وابنته الصغيرة زهراء. ولربما يفكّر، وهو يفطر مع زوجته الشابة وطفلته بأن يترك هذا العمل الخطر ويعمل بائعاً للحب الشمسي على الرصيف في قطّاع ٤٤.

قال الشِسْمه ذلك مظهراً تصميمه الأكيد على تنفيذ مهمته التي جاء من أجلها هذه الليلة. تجادل معه هادي مستجمعاً شجاعته للدفاع عن نفسه، فهو، بوجه من الأوجه، بمثابة أبيه. فهو الذي أتى به الى هذه الدنيا. أليس كذلك؟!

ـ انت مجرد ممر يا هادي. كم من الاباء والامهات الاغبياء انجبوا عباقرة وعظماء في التاريخ. ليس الفضل لهم، وإنما لظروف وأحوال وأمور أخرى خارجة عن سيطرتهم. انت مجرد أداة، أو قفاز طبي شفاف ألبسه القدر ليده الخفية حتى يحرك من خلالها بيادق على رقعة شطرنج الحياة.

يا للكلام البليغ. كل ما فعله هادي من أعمال شنيعة لا يقدم عليها إنسان بكامل قواه العقلية، كل ذلك أصبح الان مجرد ممر. مجرد شارع مبلط مرت عليه سيارة القدر المسرعة. والآن على هذه السيارة ان تحطم هذا الشارع بعد ان مرت عليه.

استمر الجدال لعدة دقائق، وهذا التأخير لوحده يكشف عن أن الشِسْمه لم يكن متأكداً تماماً مما يصنع. لو كان قد صمم على قتل هادي، لما تحدث معه اصلاً. لدخل عليه، ومثلما فعل مع الشحاذين الأربعة، يقوم بخنقه بيده الثابتة والقوية، حتى يزهق روحه ثم يرميه جثةً هامدة على سريره القذر. ويتركه ها هنا ويخرج، وسوف يكتشف الناس أمر الجثة بعد شهر ربما، فلا أحد يزور هادي، منذ وفاة ناهم عبدكي. ولا أحد يحبه كثيراً أو يفتقده.

نظر الشِسْمه الى آية الكرسي المعلقة على الجدار البعيد في

الغرفة . كان يحتاج للقيام بشيء ما من أجل أن يترك دماغه يشتغل ويحسم أمره . ظل ينظر الى الآية والى الحافة الكارتونية المتدلية . تقدم عدة خطوات باتجاهها ثم سحب هذه الحافة فانخلعت الاركان الأخرى الملصقة بالعجين المتيبس، تخلعت وانسلخت من الجدار بسهولة، وكأنها كانت تنتظر هذه اليد منذ زمن بعيد لكي تسقط وتغادر الجدار . لا يتذكر هادي كيف ومتى وضع ناهم عبدكي هذه الآية هنا ، ولكنها موجودة منذ ان شغلا هذه الغرفة . رما الشِسْمه الآية جانباً وظهرت ثغرة معتمة في الجدار ، بارتفاع نصف متر تقريباً وعرض ثلاثين سنتمتراً . ثغرة سوداء سيعرف هادي ما هي في صباح اليوم التالي .

كان الوقت يمضي ببطء مملوءاً بالحضور الثقيل للشسمه ، ولكنه مسار أوحى لهادي بأن صنيعته ليس متأكداً من مهمته هذه الليلة . التفت الشِسْمه إليه واعترف له بأنه مشوش . فروح حسيب محمد جعفر تطلب الثأر ، ويجب أن يقتل المتسبب في موته .

ـ الانتحاري السوداني هو الذي تسبب في مقتله .

قال هادي بثقة ، محاولاً استثمار الوضع لصالحه .

ـ نعم . . . ولكنه مات . كيف اقتل شخصاً ميتاً .

ـ إذن إدارة الفندق . . . الشركة التي كانت في الفندق .

ـ نعم . . ربما . يجب أن اعثر على القاتل الحقيقي لحسيب محمد جعفر حتى تهدأ روحه وينتهي من النواح .

قال الشِسْمه ذلك ، ثم ادنى صندوقاً خشبياً وجلس عليه .

‫ـ ٢ ـ‬

أمسك محمود بالعدد الأخير من مجلة الحقيقة وقرأ فقرة من عمود علي باهر السعيدي الاسبوعي :

هناك قوانين يجهلها الانسان، لا تعمل على مدار الساعة، كما هي القوانين الفيزيائية التي تتحرك وفقاً لها الرياح وتنزل الامطار وتتحرك الصخور من الجبال ساقطةً الى الأرض، وغيرها من القوانين التي، بسبب تكرارها، يرصدها الانسان ويضبطها ويجد تعريفاً واضحاً لها. هناك قوانين لا تعمل إلا في ظروف خاصة، وحين يحدث شيء ما وفقاً لهذه القوانين يستغرب الانسان ويقول ان هذا شيء غير معقول، إنها خرافة، أو في أفضل الأحوال معجزة. ولا يقول انه يجهل القانون الذي يحركها. الانسان مغرور كبير، لا يعترف بجهله أبداً.

افترض محمود ان هذه الفقرة تلخص ربما، بشكل منطقي، فكرة الشِسْمه عن أسباب وجوده. غير ان العتاگ يتمسك بصيغة أكثر خيالية، فالشِسْمه مصنوع من بقايا أجساد لضحايا، مضافاً إليها روح ضحية، واسم ضحية أخرى. انه خلاصة ضحايا يطلبون الثار لموتهم حتى يرتاحوا. وهو مخلوق للانتقام والثأر لهم.

تحدث الشِسْمه عن ليلة مواجهته للشحاذين السكارى وانه حاول جاهداً ان يتحاشاهم ولكنهم كانوا عدوانيين، واندفعوا نحوه من أجل قتله. كان وجهه البشع حافزاً لهم لكي يعتدوا عليه. لم يعرفوا عنه أي شيء، ولكنها طاقة الكراهية النائمة التي تستيقظ فجأة تجاه شخص غير مناسب. استمر العراك لنصف ساعة وهم يحاولون ضربه بقبضاتهم أو الإمساك برقبته لخنقه، ولكن أحدهم، داخل الظلمة، أمسك برقبة رفيقه واجهز عليه بقوة مسعورة، ثم انتبه ان شحاذاً اخر فعل الشيء نفسه. وهنا أصبح الشحاذان الميتان ضحيتين لعمل احمق والشحاذان الناجيان مجرمين، لذا قام هو بخنقهما انتقاماً للشحاذين الميتين. ولأنهم كانوا يضمرون فعل الشيء نفسه تجاهه، ولأن الأربعة كانوا

سيفشلون بمحاولة قتله في كل الأحوال، فإنهم، وهذا هو المغزى العميق لما جرى في تلك الليلة الغريبة، كانوا بصدد الانتحار، ولم يجدوا وسيلة مناسبة بعد حتى ظهور الشِسْمه وهو يتمشى في الزقاق المعتم مرتدياً ملابس دانيال العتيقة.

كان دانيال أو الشِسْمه مجرد سبب للدخول الى موتهم الذي يلمسون حلاوته مع كل سكرة عميقة كالتي كانوا فيها تلك الليلة.

لقد ماتوا لأنهم أرادوا ذلك، وهذا ما يفسر الوضع الغريب الذي كانوا عليه حين صادفهم الناس والجيران صباح اليوم التالي؛ متربعين على الأرض يخنق كل واحد منهم الآخر.

سجّل محمود هذا الكلام على مسجلته الديجتال، وهو يعرف أنه يقوم بتعديل كلام هادي المنقول على لسان الشِسْمه، وانه يضفي تفسيراته الخاصة أيضاً.

ـ من الصعب إقناع شخص ما بهذا الهراء، ولكن، كل الجرائم التي ترتكب يقف خلفها هراءٌ مرتبٌ كهذا.

قال محمود ذلك ثم استأنف إعادة سرد التفاصيل الغريبة، فالشِسْمه كان يخطط لشيء آخر تماماً عوضاً عن التورط بمعارك مع أشخاص هم ليسوا أعداءه بالأصل. هو لا يشك في قدرته على النجاة مهما حاول الآخرون قتله، ولكنه لا يبحث عن الاستعراض والنجومية وابراز القوة. هو لا يقصد أيضاً إخافة الناس. انه في مهمة نبيلة، ومن الضروري أن ينجز هذه المهمة بأقل قدر ممكن من المعرقلات. لذا وبعد حادثة الشحاذين الأربعة، وحادثة صدمه بشكل غير مقصود على الشارع بجوار نصب الحرية من قبل سيارة شرطة. قرر أن لا يتحرك علناً، ويتحاشى الناس قدر الإمكان.

وها هو، جالس على صندوق خشبي مقلوب، في غرفة هادي

العتاگ، يرى ويسمع كيف ان سيرته انتشرت في الحي وفي مناطق أخرى من بغداد، باعتباره مجرماً خطيراً، وهو ليس كذلك بالمرة.

لقد قتل أبو زيدون انتقاماً لدانيال تيداروس، وقتل ذلك الضابط في بيت القحاب لانه تسبب بمقتل ضحية أخذ هادي بعض اصابعها وركّبها لجسد الشِسْمه. وهو مستمر في عمله هذا حتى النهاية.

ـ وما هي النهاية؟ اين يمكن أن ينتهي؟

سأل محمود فصمت هادي العتاگ قليلاً ثم أجاب:

ـ يقتلهم جميعاً. جميع المجرمين الذين أجرموا بحقه.

ـ وبعدها ماذا يكون؟

ـ يتساقط ويعود الى وضعه السابق. يتحلل ويموت.

كان هادي نفسه على لائحة الشِسْمه. ان وقته ليس مفتوحاً وعليه إنجاز مهمته بسرعة. ينهض الآن مثلاً ويخنق هادي على سريره ويجعله يتقيأ كل العرق الذي شربه على وسادته. ولكنه لم يملك عزيمة كافية لفعل ذلك. تلمس هادي بحسه الثعلبي هذا الوضع فانتهزه قائلاً:

ـ اجعلني في الأخير.. أنا لا أريد حياتي اصلاً.. ما حياتي؟.. ما أنا وما حياتي... أنا لا شيء... اموت أو احيا.. أنا لا شيء... اقتلني، ولكن في الأخير.. اجعلني آخر واحد.

صمت الشِسْمه ناظراً بمحجرين معتمين الى هادي، وبدا صمته كافياً لطمأنة العتاگ بأنه لن يموت في هذه الليلة.

ـ ٣ ـ

في اليوم التالي لزيارة الشِسْمه التقى هادي بمحمود. أخبره بأنه أعطى مسجلة الديجتال للشسمه. وتبادرت الى ذهن محمود سريعاً

صورة العتاگ وهو يبيع جهاز التسجيل في سوق الهرج بالباب الشرقي. ولكن، بعد مضي عشرة أيام، خالف هادي شكوك محمود وأعاد له المسجلة. لم يكن لصاً ولا كذّاباً إذن. فتح محمود المسجلة فوجد ان ذاكرتها قد ملئت تماماً.

كان هادي جالساً كالعادة في الباحة أمام غرفته. اخرج سريره الى الهواء، وانطرح عليه ناظراً الى النجوم القليلة والمتفرقة المرسومة على صفحة الليل. في تلك الأثناء، وقريباً من منتصف الليل، وأثناء ما كان محمود يحاول النوم تحت هدير المروحة السقفية في غرفته البائسة بفندق العروبة، اشتعلت الأجواء بالرصاص.

ليس بالأمر الاستثنائي أو الغريب، ولكن الرصاص بدا قريباً. شعر هادي العتاگ بالقلق، فبإمكان رصاصة تنزل من السماء ان تقتله وهو منطرح على فراشه في الحوش.

كان الأمر خطأً شنيعاً من قبل الفريق الخاص بدائرة المتابعة والتعقيب، وبقيادة الضابطين الصغيرين صاحبي القميصين الورديين. اكد عليهم العميد سرور أن لا يثيرا الجلبة، ولكنهم، برفقة أحد المنجّمين الخاصين بالدائرة، استطاعوا تحديد موقع المجرم الخطير وضيقوا الحلقة عليه شيئاً فشيئاً حتى شاهدوه في أحد الأزقة المظلمة. لم يستطيعوا الإمساك به، ونسوا تماماً انه لا يموت بالإطلاقات النارية وفتحوا بنادقهم ومسدساتهم وظلوا يركضون وراءه وهو يتسلق الحيطان ويقفز من على السطوح. ثم نجح أحد الضابطين الصغيرين في قطع الطريق على المجرم الخطير والإمساك به من ملابسه. تصارعا بالأيدي لدقائق وجيزة، وكان الضابط الصغير يعوّل على مقدم جماعته بسرعة ومشاركتهم له في تقييد هذا المجرم. لكن الغلبة كانت للشسمه. خنقه بكلتا يديه، وكادت عينا الضابط ان تخرجا من محجريهما. ثم حين

١٤٧

شاهد الشِسْمه اقتراب فريق المطاردة ضرب رأس الضابط بالحائط وتركه يترنح ثم يتهاوى مثل الميت على الأرض وولى الادبار مختفياً عن اعين المطاردين.

بعد نصف ساعة همدت المنطقة تماماً واختفى صوت الرصاص أو اي صوت آخر. وخرج هادي العتاگ من غرفته الساخنة والمليئة بروائح الرطوبة لينطرح على فراشه مجدداً. غير انه شاهد شخصاً ما يجلس على فراشه. كان صديقه الشِسْمه.

تخيل هادي لوهلة ان الشِسْمه قد انتهى من مهمته ولم يتبق غير العتاگ ليقتص منه. ولكن الشِسْمه بادره بالقول ان المنطقة مطوقة بالشرطة ورجال من فريق استخبارات خاصة. سيمكث قليلاً عنده ريثما يتأكد من مغادرتهم.

قال له إنه يكتشف أشياء جديدة كل يوم. لقد عرف مثلاً ان اللحم الميت الذي يتكون جسده منه يتساقط من تلقاء نفسه في حال لم يجر الثأر لصاحبه في الوقت المعلوم. كما ان إتمام الثأر لصاحب جذاذة من جذاذات جسده يؤذن بسقوطها أيضاً. وكأنما تنتفي الحاجة لوجودها حينذاك.

أطمأن هادي حتى انه جلس بجوار الشِسْمه على السرير وتشمم رائحة جسده العفنة. وقال له انه مستعد لتقديم أي مساعدة يريدها. أخبره بأنه يحتاج الى تعويضات لاجزائه الساقطة. يحتاج الى لحم جديد لضحايا جدد. قال له هادي إنه سيحاول تقديم المساعدة ابتداءً من نهار الغد، ولكن هادي، في واقع الحال، كان يضمر شيئاً مخالفاً. فمن الجيد ان يتحلل جسد الشِسْمه سريعاً لينتهي منه ومن رعبه.

التفت إليه الشِسْمه وقال له:

ـ هذا ليس كل شيء... الأسوأ هو السمعة السيئة التي يبثها

المغرضون ضدي. انهم يتهمونني بالإجرام، ولا يفهمون اني أنا العدالة الوحيدة في هذه البلاد.

في تلك اللحظة تذكر هادي مسجلة الديجتال العائدة لمحمود. نهض وعرض على الشِسْمه ان يشرب معه لكنه رفض. دخل هادي الى غرفته المعتمة وأوقد المصباح النفطي فيها، ثم اخرج عدة الشرب الخاصة به وسكب لنفسه، ثم نظر الى الشمسه وقال له:

ـ عليك ان تعمل لقاء صحفياً تبين فيه قضيتك.

ـ لقاء صحفي؟ أنا اقول لك لا أريد ان الفت الانتباه لي وانت تقول لي لقاء صحفي.

ـ لقد لفتّ الانتباه وخلص. عليك ان تدافع عن نفسك. حتى تكتسب أصدقاء يساعدونك في مهمتك. الآن انت عدو الجميع.

ـ ومع من أجري اللقاء الصحفي. هل اذهب الى التلفزيون برجلي مثلاً. ما هذا الكلام الماسخ؟

ـ أنا أجري اللقاء الصحفي.

قال هادي هذا واخرج مسجلة الديجتال. حاول فتحها ولكنه نسي كلام محمود كله. فشل في فتح التسجيل. ثم تناول الشمسه المسجلة منه وقلبها أيضاً. ظلت في يده وهو جالس على سرير العتاگ الذي كان يحاول التمتع بكأس من العرق الساخن بلا ثلج ولا مزة. كان يشغل نفسه لا أكثر، حتى سمعا أصوات إطلاقات نارية من جديد فنهض الشِسْمه على قدميه. التفت الى هادي وقال له:

ـ أنا سأجري اللقاء مع نفسي.. ولكن هل هذا نافع؟

ـ ينفع..

قال هادي وشاهد رفيقه الغريب يخطو مبتعداً ليعبر بخفة على الاحجار باتجاه بيت أم دانيال المجاور، ليختفي هناك بينما أصوات

الإطلاقات النارية المتفرقة تغدو اقرب مع وقع أقدام وهمهمة رجال يركضون في الزقاق .

ـ ٤ ـ

في صباح اليوم التالي جرى تطويق المنطقة من الحرس الوطني العراقي والأميركان من الميلتري بوليس . حتى ان محمود لم يستطع الخروج من المنطقة، وتم نهره بشدة من قبل جندي افروأميركي رفع سلاحه باتجاهه حينما حاول التقدم أكثر من أجل افهامه بأنه من الصحافة . خاف محمود ورجع الى الفندق، ووجد أبو أنمار جالساً مع بضعة أشخاص في الصالة، يتحدثون عمّا جرى ليلة أمس . كانت ملاحقة حامية للمجرم الغامض . تم اقتحام عدة بيوت ورفس أبوابها بشدة وتخليع الأقفال، واعتقال عدد من الرجال المشتبه بهم وسط الظلام والاضوية الكاشفة لبطاريات الاضاءة . لكن المجرم افلت منهم، وجرى سريعاً تطويق المنطقة . فالمجرم مازال موجوداً ولم يخرج من حدود البتاويين .

اتصل محمود هاتفياً برئيس التحرير ونقل له صورة عن الوضع من حوله واعتذر عن عدم المجيء للمجلة هذا اليوم، لكن السعيدي دعاه الى الخروج من أجل مراقبة ما يجري، وأخذ اراء الناس ومحاولة الاقتراب أكثر من عناصر الجيش العراقي للاستعلام عن الغاية من هذه العملية .

استاء محمود من هذا الكلام، ولكنه خرج من الفندق على أي حال . لم تكن حصيلته من المعلومات ذات قيمة . هناك ضابط في الاستخبارات نقل الى المستشفى بسبب اصابة بالغة في الرأس أثناء عملية البحث عن إرهابي كبير دخل الى المنطقة في الليل .

عند منتصف النهار انتهت عملية البحث والتطويق. شاهد محمود بعينيه بضعة شباب ورجال متوسطي العمر وهم مقيدو الايدي من الخلف يساقون الى السيارات العسكرية. انتبه محمود بسرعة على أن الجامع الأساسي بينهم؛ انهم كلهم من قبيحي المنظر. كان بعضهم بعيوب خلقية ولادية، والبعض الآخر مشوه جراء حرائق التفجيرات الإرهابية، واخرين كأنهم مجانين رسميين، فبدت وجوههم مسترخية ورائقة لا تبدي أي خوف أو قلق.

عاد محمود الى غرفته في فندق العروبة. وعند العصر توقفت المروحة فوق رأسه بسبب تعطل المولدة الصغيرة التي اشتراها أبو أنمار من أجل نزلائه الأربعة. وتأخر امر اصلاحها فشعر محمود أنه بدأ يغرق في تعرقه. خرج وقصد مقهى عزيز المصري الذي وضع منذ بداية الصيف مبرّدة كبيرة معلقة بمساند من حديد فوق الواجهة الزجاجية للمقهى، وهناك صادف هادي العتاگ جالساً يدخن النارجيلة في مقعده المعتاد بجوار الواجهة الزجاجية.

جلس إليه وطلب نارجيلة أيضاً مع استكان شاي. بدا هادي وكأنه استعاد مرحه المعهود. أخبره بأن عملية البحث كانت تستهدف «الشِسْمه». وانهم لم يلقوا القبض عليه. قال ذلك بثقة بالغة، ثم ابلغه أنه أقنع الشِسْمه بإجراء الحوار.

ـ سيجري الحوار مع نفسه.

قال العتاگ، وتيقّن محمود لحظتها أنه خسر المسجلة ام المئة دولار. فهذا الرجل يكذب. ما دام مرحاً ويضحك فقد استعاد صورته الأصلية كذاباً و(كلاوچي اصلي) كما يصفه الجميع هنا.

ولكنه أعاد المسجلة بعد عشرة أيام. انفق محمود ساعات طويلة في الاستماع فقط، واعادة الاستماع. كان الفضول يدفعه لتفحص كلام

المتحدث داخل التسجيل الصوتي، فما يقوله كلام مثير وصادم، وهناك صورة حسية قوية لهذا الشخص. من المؤكد انه شخص واقعي من لحم ودم مثل محمود ومثل هادي وأبو أنمار والآخرين. ولا يشبه تلك الصورة التي رسمها هادي العتاگ بكلامه الخيالي.

ظل محمود يستمع ويغرق نفسه في الحكاية المثيرة، ويغرق أيضاً في الأجواء شديدة الحرارة داخل فندق العروبة. وفي اليوم التالي انتبه علي باهر السعيدي على الهالات السود حول عيني محمود.

ـ لدي عمل كثير ومهمات أخرى لك. . . وأريدك نشطاً. اترك هذا الفندق الكهف.

هكذا قال السعيدي بحزم، لينتقل محمود بعدها الى فندق «دلشاد» المطل ببنايته على شارع الاطباء. وحين شاهده أبو أنمار واقفاً أمامه بحقيبته وكتبه واشيائه القليلة عازماً على المغادرة شعر محمود بأن الرجل اصيب بصدمة، ولكنه لم يقل شيئاً. تصرف بمهنية. أغلق حساب محمود بعد تسلم المتأخر من اجور إقامته. لم يخبر محمود صديقه حازم عبود بامر انتقاله لأنه لم يكن موجوداً منذ اسبوع أو أكثر. هو يسافر هنا وهناك الى المحافظات من أجل التصوير للوكالة التي يعمل بها.

سمع السعيدي تفاصيل ما جرى لمحمود مع هادي العتاگ، وبدا السعيدي مهتماً لسماع الحكاية منه حتى انه دعاه لمغادرة المكتب والجلوس في حديقة المجلة الداخلية وشرب الشاي من يد أبو جوني العجوز. ظل يستمع لكلام محمود وهو يراقب الحشائش والاشجار القليلة في الحديقة رغم أن الجو كان حاراً والرطوبة تتصاعد من النباتات.

ـ يجب أن تصرف جزءاً من نهارك في مراقبة النباتات والنظر الى

الخضرة. هذا مفيد ومهم للصحة النفسية والجسدية.

برر السعيدي موقفه.

ـ على الأقل تزيح شيئاً من رماديات الحواجز الكونكريتية التي نصادفها في الشوارع على مدار الساعة.

كان تعليقاً بعيداً نوعاً ما عن حكاية العتاگ المثيرة. ولم يعرف محمود هل يستمر في سرد الحكاية أم ينتظر إشارة من السعيدي بذلك.

ران صمت بينهما لنصف دقيقة قبل أن يلتفت السعيدي ويقول:

ـ اكتب لي قصة عن هذا الموضوع. اكتب تحقيقاً أو انترفيو مع هذه الشخصية. اصنع لي شيئاً للعدد القادم.

بعد يومين دفع محمود للسعيدي مقالة باسم «أساطير من الشارع العراقي» نالت اعجابه فوراً. وخلال تصميم العدد ارفق المقالة بصورة كبيرة لروبرت دي نيرو في فلمه الشهير عن فرانكشتاين. لم يفرح محمود بالنتيجة كثيراً، خصوصاً مع التعديل الذي شاهده على عنوان المقالة.

ـ فرانكشتاين في بغداد...

صاح السعيدي وعلى فمه ابتسامة عريضة، كان محمود يحاول ان يكون أميناً ومحايداً، ولكن السعيدي بعنوانه المثير يحاول جعل الموضوع ممتعاً. بل أنه كتب مقالة عن الموضوع في ذات العدد أيضاً.

ها هو عدد المجلة الجديد بيد محمود. ينطرح على سريره الآن في غرفته بالطابق الثاني من فندق دلشاد ويستشعر لسعات البرودة على جسده، فيخفض مستوى التبريد في المكيف حتى لا يصاب بالزكام، ويحاول التناوم والاستمتاع بيوم عطلته. ينظر الى غلاف العدد فيرى

نظرة روبرت دي نيرو الكئيبة يوجهها الى عالم جاحد غير متفهم، ويفكّر كيف سيتلقى «الشِسْمه»، إن كان موجوداً حقاً، هذا المقال الذي كتبت عنه؟ هل سيعتبرها اساءة فهم أخرى لمهمته الرسولية؟

ماذا سيقول هادي العتاگ لو تسنى له ان يقلب المجلة. هل سيشتم محمود ام يشعر بالاطراء؟

ـ ٥ ـ

كان محمود السوادي يتناوم على سريره شاعراً بالرضا عن نفسه، في الوقت الذي كان فيه العميد سرور مجيد في مكتبه الفخم داخل دائرة المتابعة والتعقيب يقف أمام المكيف ليأخذ أكبر كمية ممكنة من الهواء البارد وهو يعلم ان هذا امر غير جيد صحياً ولكنه يشعر بأن رأسه بدأ يسخن بشكل غير معقول. ربما ارتفع ضغطه. كان الموظفون في دائرته قد أخروا الخبر المزعج عنه طوال الصباح، وانتظروا ان يصحو من قيلولته لكي يواجهوه بالعدد الأخير من مجلة «الحقيقة» التي يرأس تحريرها صديق طفولته القديم علي باهر السعيدي.

قرأ مقالة السوادي مرتين، وشعر بأنها تحوي معلومات سرية كان يجب عدم كشفها إلا بموافقة دائرة المتابعة والتعقيب، ولكن ماذا يفعل لحرية الصحافة التي نزلت على رأس البلاد فجأة. لقد اخطأ السعيدي بالموضوع، وكان عليه أن يفاتحه بالأمر قبل أن ينشر شيئاً من هذا الكلام في المجلة.

تثلج خده السمين من هواء المكيف ولكنه ظل يشعر بالحرارة تتأجج في داخله. رما المجلة على منضدة مكتبه الواسعة ثم رفع أحد هواتفه الخلوية واتصل برقم السعيدي.

ظهر له السعيدي على الخط ضاحكاً كالعادة.

ـ ما المشكلة يا رجل؟

ـ هل التقى هذا الصحفي الذي يعمل عندك بهذا المجرم؟

ـ لا اعتقد. هو تحدث مع رجل بسيط من الأهالي صاحب خيال جامح.. القصة بسيطة صديقي.. الرجل كذاب.

ـ نعم، وربما هو هذا المجرم الذي نبحث عنه. ما كان لون بشرته. هل كانت فيه ندوب لإطلاقات نارية، أو جروح مخاطة؟

ـ لا أعرف... الموضوع خيالات ناس شعبيين صديقي.

ـ لا.. ليست خيالات.. هل هذا الصحفي بجوارك الآن؟

ـ اليوم جمعة صديقي... ألستَ في بيتك؟

ـ أين يسكن هذا الولد؟

دوّن العميد سرور العنوان على قصاصة ورق. ثم أغلق الهاتف. وضرب على جرس الخدمة فدخل شاب بجسد عضلي. أخذ تحية عسكرية ووقف بثبات.

ـ نادي لي إحسان.

بعد دقيقة تقريباً دخل شاب سمين حليق الوجه ذو شعر خفيف ويرتدي قميصاً وردياً مع بنطلون كتان أسود.

ـ خذ هذا العنوان.. واجلب لي الصحفي محمود رياض محمد السوادي الآن.

الفصل العاشر

الشِشمه

ـ ١ ـ

ـ ألو . . ألو . . تيست تيست . . .

ـ لقد بدأ التسجيل . .

ـ أعرف . . . ألو ألو . . . تيست تيست . . .

ـ انتبه للبطارية . .

ـ أسكت رجاءً . . الو . . ألو . . . نعم .

ليس لدي وقت كثير. ربما انتهي ويذوب جسدي وأنا اسير ليلاً في الأزقة والشوارع حتى من دون أن أنهي مهمتي التي كلفت بها. أنا مثل هذه المسجلة التي اعطاها ذلك الصحفي المجهول لوالدي العتاگ المسكين. والوقت بالنسبة لي هو مثل هذه البطارية، ليس كثيراً ولا كافياً.

هل هذا العتاگ المسكين والدي حقاً؟! انه مجرد ممر ومعبر لإرادة والدي الذي في السماء، كما تحب ان تصف والدتي إيليشوا المسكينة. هي مسكينة جداً، كلهم مساكين، وأنا الردُّ والجوابُ على نداء المساكين. أنا مخلصٌ ومنتَظَرٌ ومرغوبٌ به ومأمولٌ بصورة ما. لقد تحرّكت أخيراً تلك العتلات الخفية التي اصابها الصدأ من ندرة

الاستعمال. عتلاتٌ لقانون لا يستيقظ دائماً. اجتمعت دعوات الضحايا وأهاليهم مرة واحدة ودفعت بزخمها الصاخب تلك العتلات الخفية فتحركت أحشاء العتمة وأنجبتني. أنا الردُّ على ندائهم برفع الظلم والاقتصاص من الجناة.

سأقتص، بعون الله والسماء، من كل المجرمين. سأنجز العدالة على الأرض اخيراً، ولن يكون هناك من حاجة لانتظار ممض ومؤلم لعدالة تأتي لاحقاً؛ في السماء أو بعد الموت.

هل سأكمل المهمة؟ لا أعرف، ولكن سأحاول، في الأقل، ان انجز «أمثولة» القصاص. قصاص الأبرياء الذين لا ناصر لهم إلا خلجات ارواحهم الداعية لدفع الموت وإيقافه.

مع نفسي وفي دخيلتي لا يعنيني كثيراً ان يسمع لي أحد من البشر أو ان يعرفني، فلست هنا من أجل شهرةٍ أو تعارفٍ مع آخرين، ولكن، حتى لا تتشوه مهمتي وحتى لا تغدو اصعب وأكثر مشقة اجد نفسي مدفوعاً للإدلاء بهذا البيان. لقد حوّلوني الى مجرم وسفّاح، وشابهوني بهذا الوصف مع الذين اسعى للقصاص منهم اصلاً. وهذا ظلمٌ كبير، بل أن الواجب الأخلاقي والانساني يدعو الى نصرتي والوقوف في صفي، لاحقاق العدالة في هذا العالم المخرّب تماماً بالاطماع وجنون السلطة وشهوة القتل المفتوحة دائماً على مزيد من الدماء.

لا أطلب، في واقع الحال، ان يحمل احدٌ ما السلاح معي، أو ان يقتص من المجرمين بالنيابة عني. لا أريد غير ان تفتحوا لي الطريق. ولا تفزعوا حين تروني. اقول هذا لأولئك الناس الطيبين المسالمين. واطلب ان تدعوا لي وتعقدوا الأماني في قلوبكم على انتصاري وإكمالي لمهمتي قبل فوات الوقت وضياع كل شيء من يديَّ.. و..

ـ انظر . . لقد نفدت البطارية . .

ـ لماذا تقاطعني؟ . . ما بك؟

ـ نفدت البطارية يا سيدي ومولاي . .

ـ نعم . . . لا مشكلة . اخرج الآن من البناية ولا تعد إلا ومعك كيس كبير مملوء بالبطاريات .

ـ ٢ ـ

أسكن الآن في عِمارةٍ غير مكتملة البناء تقع في مكان قريب من حي الآثوريين بالدورة جنوبي بغداد ، وهو مكان تحوّل الى ساحة معركة قلقة وغير مستقرة بين ثلاثة أطراف؛ الحرس الوطني العراقي والجيش الأميركي من جهة ، والمليشيات السنيّة والشيعية من جهة ثانية وثالثة . يمكن أن أصف العمارة التي اقيم فيها بأنها المنطقة صفر . لأنها ، والبنايات المجاورة لها في مربع بقطر كيلومتر واحد ، لم تخضع لأحد هذه الأطراف الثلاثة بشكل كامل في يوم ما . ولأنها ساحة حرب فعلية فهي خالية من السكان ، ولأنها خالية من السكان فهي المكان المناسب لي .

لدي ممرات آمنة على شكل ثغرات كبيرة بين جدران البيوت المهدمة والمهجورة . اخرج منها في مهماتي الليلية واعود ، مترقباً ، مع نفسي ، تلك اللحظة التي سأواجه بها مجموعة مسلحين من أحد الأطراف الثلاثة التي ذكرتها اعلاه . فجميعنا؛ أنا وهؤلاء ، نسير في واقع الحال داخل شبكة معقدة من الطرق وكأنها متاهة نهارية تزداد تعقيداً خلال الليل . نتحاشى فيها قدر الإمكان الالتقاء بالآخر رغم أننا نتحرك بحثاً عن هذا الآخر .

لدي عدد من المساعدين يقيمون معي تكوّنوا وتجمعوا حولي

١٥٨

خلال الأشهر الثلاثة الماضية. أهمهم رجل عجوز أسميه «الساحر».

كان الساحر يسكن في شقّة في حي أبي نواس في الضفة الأخرى من حي البتاويين، وهو يقول بأنه كان من ضمن فريق السحرة الخاص برئيس النظام السابق، وانه فعل الافاعيل حتى يدفع الأميركان بعيداً عن بغداد ولا تسقط بأيديهم، ولكنهم كانوا يملكون، بالإضافة الى معداتهم العسكرية الثقيلة والمتطورة جيشاً رهيباً من الجن استطاع القضاء على الجن الذي سخرهم هذا الرجل الساحر مع معاونيه.

كان، حين التقيت به، يعيش حالة من الأسى والألم العميق، ليس لأن النظام السابق سقط، وإنما لأنه فشل في أكبر اختبار في حياته. لم يعد السحر الذي عنده مفيداً في أي شيء بالنسبة له.

غير أن أحد الجن ممن نَجَوا من المذبحة الرهيبة خلال معركة مطار بغداد بقي يطوف حوله، ويزوره أحياناً لتسليته في وحشته. وأخبره أن لديه مهمة كبيرة واحدة باقية. واعطاه أوصافاً لي ولهيئتي.

علمت منه أنه طرد من شقته، بسبب تهم تتعلق بجرائم مرتكبة في زمن النظام السابق، وان هناك من ظل يلاحقه اينما يذهب. حتى الجن الذين يخدمونه لم يكونوا قادرين على تقديم أي مساعدة. وهو الآن لا يكاد يخرج من مقر إقامتنا الجماعي داخل هذه البناية المتهالكة. لقد أصبح دوره ووظيفته هنا هو تأكيد مسار حركتي داخل حي الدورة خروجاً الى باقي احياء بغداد ثم العودة الى المقرّ. وهو يؤدي هذا العمل بتفانٍ وإخلاص لأنه مؤمن بأنني امثل انتقامه وثأره ممن أساؤوا له في حياته.

الشخص الثاني في الاهمية بين مساعديَّ هو «السفسطائي» كما يسمي نفسه. إنه بارع في تبرير الأفكار الجيدة والترويج لها وتلميعها وجعلها أكثر قوة ونصاعة، وبارع أيضاً في عمل ذلك مع الأفكار

السيئة أيضاً، بالقدرة والكفاءة نفسها، لهذا هو رجل خطر مثل الديناميت. وقد استعنت به كثيراً من أجل فهم المهمة التي اقوم بها الآن، كما اني اراجعه هو بالتحديد في حال ساورتني شكوك حول عمل ما. إنه يبعث الطمأنينة لدى الجميع، ويقوي الإيمان، والسبب أنه غير مؤمن تماماً بأي شيء. وحين صادفته في ذلك المساء سكراناً وجالساً على أحد أرصفة شارع السعدون قال إنه مستعد للإيمان بي، رغم أنه لا يحترم الإيمان إطلاقاً، لسبب واحد: ان الآخرين غير قادرين على الايمان بي ولا يستطيعون تصديق وجودي.

الشخص الثالث من حيث الأهمية هو من أطلق عليه تسمية «العدو» لأنه يعمل ضابطاً في جهاز مكافحة الإرهاب. إنه يعطيني مثالاً حياً أستطيع لمسه لهيئة العدو وكيف يفكّر ويتصرف، كما انه بسبب موقعه الحساس، يسرّب لي الكثير من المعلومات المهمة التي تفيدني في تحركاتي الصعبة. أما سبب لجوئه لي فهو بسبب اخلاقياته الصارمة، فهو، بعد عمل سنتين في الجهاز الأمني الحكومي وصل الى قناعة بأن العدالة التي يبحث عنها تتجزأ وتضيع بين الرجلين ولا تتحقق على الأرض أبداً.

إنه بجواري الآن ويقدم خدماته الجليلة لأنها الطريقة الوحيدة، برأيه، لتحقيق العدالة التي يتعطش لها.

هناك ثلاثة آخرين أقل شأناً هم؛ المجنون الصغير والمجنون الكبير والمجنون الأكبر. والمجنون الصغير هو من كان يقاطعني في بداية تسجيلي لهذه الملفات الصوتية ودفعته للنزول وشراء بطاريات من محل يبعد عدة كيلومترات عن مقرّنا هنا متجاوزاً، أثناء ذلك، عدة تقاطعات نارية خطرة.

المجنون الصغير يؤمن بأنني مثال للمواطن الانموذجي الذي

فشلت الدولة العراقية في انتاجه منذ أيام الملك فيصل الأول وحتى الاحتلال الأميركي .

أنا، ولأني مكوّن من جذاذات بشرية تعود الى مكونات واعراق وقبائل واجناس وخلفيات اجتماعية متباينة، أمثل هذه الخلطة المستحيلة التي لم تتحقق سابقاً . أنا المواطن العراقي الأول، هكذا يرى .

المجنون الكبير يرى أني آداة الخراب العظيم الذي يسبق ظهور المخلص الذي بشّرت به كل الأديان على الأرض . أنا الذي سأفني البشرية الضالة والمنحرفة والمارقة، وبمساعدتي في هذه المهمة، فهو يسرّع من قيام المخلص المنتظر .

اما المجنون الأكبر فهو يرى انني أنا المخلّص . وانه في القادم من الأيام سيكتسب جزءاً من صفاتي الخالدة، وسيغدو اسمه محفوراً بجوار اسمي في أي مدوّنة تتحدث عن هذه المرحلة العصيبة والفاصلة في تاريخ الأرض وتاريخ هذا البلد .

حين استشرت «السفسطائي» قال لي إن هذا المجنون الأكبر، ولأنه كامل الجنون، فهو صفحة بيضاء لتلقي الحكمة الخارقة والمتجاوزة لحدود العقل، وهو يتحدث دون أن يعي بلسان الحقيقة الصافية .

‫‫
— ٣ —

أخرج ليلاً، بعد الغروب بساعة أو ساعتين . امر تحت تقاطعات نيران لا تهدأ تنطلق من جهات مختلفة . اكون السائر الوحيد في شوارع طويلة فارغة حتى من القطط أو الكلاب السائبة . لا شيء سوى وقع خطواتي في الفواصل القليلة من الصمت بين رشيش الرصاص الذي يشتد ويتزايد مع اقتراب منتصف الليل . اكون مجهّزاً بكل ما

احتاجه؛ بضع هويات ووثائق جيدة الصنع وغير قابلة للكشف زودني بها «العدو»، مسار دقيق لحركتي بين الأحياء السكنية والشوارع والأزقة زوّدني به «الساحر» ويمنحني فرصة للافلات من مصادفة إنسان لا احتاج الى رؤيته ولا يحتاج هو لذلك أيضاً.

تجهيزات كاملة من الملابس تناسب المكان والحي السكني الذي اتجه إليه يزودني بها المجانين الثلاثة دائماً. وماكياج يخفي الندوب والضربات وعقد الخياطة في وجهي. يقوم «السفسطائي» بهذا العمل غالباً، ويعطيني المرآة كي أرى نتيجة عمله قبل خروجي الذي لا يرافقني فيه أي أحد.

أقارب على الانتهاء من مهمتي. هناك رجل في تنظيم القاعدة يقيم في أحد البيوت بمنطقة أبي غريب عند أطراف العاصمة، وكذلك ضابط فنزويلي من المرتزقة في شركة أمنية تعمل في بغداد. اقتص منهما وينتهي كل شيء. غير ان الأمور لم تكن تتجه الى النهاية كما كنت افترض.

عدت ذات ليلة وقد ثقّب الرصاص كامل جسدي. كانت معركة حامية ومطاردة مهلكة وكدت افشل في الوصول الى رقبة ذلك المجرم الذي يزوّد الكثير من العصابات المسلحة بالديناميت ومواد التفجير بغض النظر عن خلفياتها العقائدية أو السياسية. انه تاجر موت بامتياز، ويقيم مع أفراد عصابته في أحد البيوت القريبة من سوق الشورجة وسط بغداد.

اخرج المجانين الثلاثة الكثير من الرصاص من جسدي. وأسهم الساحر والسفسطائي بمحاولة خياطة الأجزاء الممزقة. لكن قطعة ما من لحم الكتف رفضت ان تستقر في مكانها، كانت ذائبة تماماً وكأنها من لحم جثة قديمة مضى على هلاكها عدة أيام.

نهضت في اليوم التالي لأرى الكثير من أجزاء جسدي وقد تساقطت على الأرض وانتشرت رائحة موت عفنة وقوية. لم ار أي واحد من مساعديّ حولي. كانوا قد خرجوا الى سطح البناية هرباً من الرائحة.

لففت نفسي بملاءة كبيرة ومضيت ابحث عنهم، فانتشرت سوائل جسدي المفتوح على أكثر من مكان في هذه الملاءة. وقفت على مسافة منهم فوق السطح وسألتهم:

ـ ما الذي يحدث؟.. هل هذه هي النهاية؟

نظر الساحر نحوي وكان مغموماً. والآخرون يدخنون وينظرون بفضول من خلال فتحات في سياج السطح الى ما يجري في الشوارع والأزقة المحيطة بالعِمارة. قال لي الساحر:

ـ كل من تقتله يتم غلق حسابه، أي ان طالب الثار يلبى طلبه. فيذوب في جسدك ذلك الجزء العائد له. هناك وقت معين على ما يبدو. اذا انتهيت من الثأر لجميع الضحايا قبل الوقت النهائي فسيظل جسدك متماسكاً ثم يذوب بعد انتهاء المهمة، اما اذا تأخرت، فلن يتبق لديك أمام مهمتك الأخيرة إلا تلك القطعة الأخيرة من جسد طالب الثأر الأخير.

ـ هذا خرط..

قال السفسطائي، ثم اكمل وهو يرمي سيجارته على الأرض:

ـ لا يموت ولا يذوب ولا اي ضرطة من الضراط المعلّب... انت كذاب تريد اخافتنا. المُخَلّص لا يموت.

قال ذلك والتفت الى المجنون الأكبر، فهو المعني أكثر من الآخرين بهذه الفكرة. فتجاوب معه بسرعة ورفع قبضتيه في الهواء وهزّهما وكرّر:

ـ نعم.. المخلص لا يموت.

استمرا بالجدال بينما اكتفى البقية بمراقبة ما يجري في الأسفل.
كانت هناك مجموعتان على ما يبدو تقتربان من الاشتباك مع بعضهما
في وضح النهار. البقاء هنا والنظر من الفتحات في سياج السطح هو
مجازفة بالنسبة لشخص قابل للموت برصاصة مجهولة المصدر. ولكن
الفضول استبد بالجميع لرؤية ما سيحدث.

فرشت الملاءة على الأرض ونمت عارياً على السطح أمام
الشمس. كانت السوائل اللزجة ذات اللون الفاتح تنزل ببطء من
فتحات جسدي ومن شقوق الجروح التي تفتقت خيوطها. كنت بحاجة
الى اعادة صيانة كاملة، وكذلك، وهذا استنتاج فاجأني، كنت بحاجة
الى قطع غيار جديدة.

سمعت أصوات المواجهة المنتظرة في الأسفل وقد بدأت.
رشقات من الرصاص الذي يصم الآذان. وصراخ بشري حاد.
أحسست بنفسي اتعرض للشواء تحت الشمس لذا نهضت ولففت
نفسي من جديد بالملاءة القذرة واقتربت من السياج. كانت المعركة
سريعة بين مجموعتين من المسلحين. سرعان ما انكسرت المجموعة
الأولى وهربت، واستطاعت المجموعة الثانية ان تلقي القبض على
اثنين من المجموعة الهاربة. ظلوا يدفعونهم بمؤخرات البنادق الى
حائط شبه مهدم ومليء بثغرات كبيرة خلفتها طلقات الرّشاش البي كي
سي. كان أحد الاثنين المعتقلين مصاباً بجروح بليغة ويتأوه وربما كان
يستنجد ويتوسل. اما الثاني فكان صامتاً وشامخ الأنف وكأنه من
الشهداء المقدسين. وكأنه يعلم ان هناك شهود عيان يتابعون ما يجري
له وسينقلون شهادته المشحونة بالانفعالات الى الآخرين. لم يستغرق
الأمر وقتاً طويلاً. دفعوا الشابين على الحائط. ثم صاحوا مرتين أو

ثلاث «الله أكبر» وفتحوا نيران بنادقهم. تهاوا الشابان على الأرض سريعاً. وضع المسلحون بنادقهم على اكتفاهم مثل مساحي فلاحين وغادروا سريعاً.

نظرت الى رفاقي ومساعدي فوجدت ان الرعب قد كسا وجوههم جميعاً ما عدا الساحر الذي كان يفكّر بشيء محدد:

ـ شباب حلوين.. حرامات.

قال ذلك ثم نظر إلي نظرةً ذات مغزى وأكمل:

ـ أليسوا ضحايا أيضاً؟

ـ لا ادري.. إسأل السفسطائي.

ـ كلهم ضحايا كما أرى.

في غضون الساعات الثلاث اللاحقة سقط إبهام يدي اليمنى وثلاثة اصابع من يدي اليسرى. ذاب أنفي، وتكوّنت ثغرات كبيرة داخل جسدي بسبب ذبول اللحم فيها. شعرت بضعف يعتريني ورغبة عميقة بالنوم. كان مساعديّ الستة جالسين في الصالة المفروشة بالآثاث المستولى عليه من البيوت المهجورة المحيطة بعمارتنا. كانوا يتحدثون بجدية وقلق، ويناقشون وضعي على الأرجح.

حسب الجدول الذي لديّ فإن مهمتي تنتهي هذه الليلة. سأقبض على الضابط الفنزويلي المرتزق في فندق بحيّ الكرّادة. أتعرض لإطلاقات كثيفة قبل أن أقبض على رقبته. ثم أغادر في سيارة خاصة تابعة لأحد الاجهزة الأمنية وفّرها لي «العدو»، واتجه الى منطقة أبي غريب. ستنتهي مهمتي هناك؛ اقتل ذلك القيادي في تنظيم القاعدة ثم أتلاشى، وأغادر عالمكم الرهيب هذا.

مع حلول المساء كنت قد دخلت في غيبوبة. فتحت عينيّ

فوجدت المجانين الثلاثة ينحنون فوقي وهم ملوثون بالدم ويقومون بغسلي بالماء. كنا في حمّام شقة في الطابق الثالث من العمارة. لقد قاموا بأمر ما.

كان الستة قد وصلوا بعد نقاشات حامية الى قرار حاسم؛ نزل المجانين الثلاثة من العمارة وقطعوا الشارع المعتم باتجاه الساحة التي جرى فيها اعدام الشابين خلال النهار. سحبوا جثة القتيل «القدّيس» وتركوا ذلك المتوسل الخائف الباكي. حملوها حتى العمارة، وفي غرفة بالطابق الأرضي جرت عملية إعدادها لتوفير قطع غيار مناسبة لي. تم تقطيع الأجزاء التي احتاجها، وضعوها في كيس بلاستيكي أسود وتركوها هناك، ثم حملوا جثة «القدّيس» من جديد ورموها بعيداً فوق ركام بيت هدمته صواريخ الأميركان.

قام المجنون الأكبر بنزع الأجزاء التالفة في جسدي، ثم تولى المجنونان الكبير والصغير خياطة الأجزاء الجديدة. ثم حملوني جميعاً الى الحمام في الطابق العلوي. غسلوني من الدماء وسوائل البلازما اللزجة. جففوني. اعطاني «العدو» ملابس ضابط في القوات الخاصة الأميركية مع بطاقات هوية مناسبة. ثم تولى السفسطائي عملية ترميم وجهي بالمساحيق. كساني بطبقة كثيفة من الماكياج النسائي واعطاني المرآة. نظرت الى وجهي فلم أعرف نفسي. حرّكت شفتي متسائلاً فعرفت ان هذا الوجه عائد لي:

ـ ما الذي حصل؟

ـ لقد أعدنا احياءك.

قال الساحر ذلك، وهو يعلّق سيجارة في فمه ويدخن مرتاحاً فارداً ذراعيه على مساند الأريكة في الصالة. كان هو العقل المدبر وراء

هذا الأمر كله . لقد أقنعهم بأن هذا «القدّيس» هو ضحية أيضاً وروحه تطلب الثأر . ولا بأس باستخدام جسده كمحل تسوق لقطع غيار جديدة بدل تلك التالفة والعائدة لأجساد ضحايا تم الثأر والقصاص لهم .

نهضت واقفاً . شعرت بالحيوية وفيض من المشاعر الجديدة يجتاحني وكأني استيقظت من حلم ثقيل . بدت وجوه من حولي غريبة بعض الشيء، ونسيت ما كنت اخطط له منذ الصباح . وضعت قبعة مارينز صيفية على رأسي ثم نزلت بسرعة من العمارة . اتجهت شرقاً، الى المكان الذي غابت فيه العصابة التي نفذت عملية الاعدام ظهر اليوم . كانت أصابع «القديس» تدفع الأبواب وتدلني على الطريق الذي يجب أن اسلك فيه . وجدتهم جالسين على الأرض يشربون الشاي . لم يستطع الحرس المتمركز على بناية قريبة ان يرصدني . تفاجأوا من دخولي، وفي لمح البصر تناوشوا بنادقهم، غير اني كنت حينها قد أصبحت قريباً بدرجة كافية لسحب هذه الأسلحة من أيديهم أو دفعها جانباً والدخول معهم في معركة حامية بالأيدي والأرجل . أنطلقت عدة رصاصات . ودخل أشخاص آخرون من غرف وأماكن قريبة . انطلق رصاص كثير وتعالى الصياح، لكن النتيجة لم تكن في صالحهم . تثقّب ظهري بالرصاص الكثير ولكني كنت اطبق بيدي على رقابهم وأحطمها بسرعة واحدة بعد الأخرى . بعد نصف ساعة كان هناك شخص واحد بقي من هذه المجموعة، يجلس في زاوية الغرفة مرعوباً، والضوء الصادر عن مصابيح كهربائية تعمل بالشحن لا يُظهِر لي كامل ملامحه . لكنه كان يبكي . اقتربت منه بهدوء، وبدا مثل نعجة خائفة تستسلم لجزارها . دنوت منه ووجدته يرتجف . كان يعرف تماماً ان ما واجهه هو ومجموعته هذه الليلة ليس عدواً اعتيادياً . انه غضب

من الله. في النهاية شاهدت على ضوء المصابيح الخافتة لمحة من وجهه وعينيه المفزوعتين، كان يشعر بالخطيئة لذا فقد أعانني على نفسه، وصار عدواً لها حتى قبل أن ألمسه.

ـ ٤ ـ

قتلت الضابط الفنزويلي المرتزق الذي كان يقود الشركة الأمنية المسؤولة عن جذب الانتحاريين إليها، والتسبب في ضحايا بين المدنيين ومنهم حارس فندق السدير حسيب محمد جعفر. وقتلت ذلك القيادي في القاعدة المقيم في منطقة أبي غريب المتسبب في الانفجار الرهيب بالسيارة المفخخة في ساحة الطيران ببغداد، الذي خلف العديد من الضحايا ومنهم صاحب الأنف الذي أخذه هادي العتاگ من الرصيف ورمم به وجهي. استغرق الأمر مني عدة أسابيع في التهيئة واقتفاء الأثر والدخول بشكل متخفي في جماعات مناوئة. يستغرق الأمر بعض الوقت، ولكن إن كانت حجتك قوية يمكن أن تكسب ثقة الجماعة المناوئة للشخص الذي تسعى إليه.

لكن قائمة المطلوبين من قبلي اتسعت مع إضافة أجزاء جديدة الى جسدي من ضحايا جدد. وظلت الأجزاء القديمة تسقط ليضيف فريق مساعديّ أجزاء أخرى، وهكذا حتى انتبهت ذات ليلة أنني، على وفق هذه الخطة، أمام قائمة مفتوحة لا تنتهي.

كان الوقت عدوي، فهو لا يكفي لإنجاز المهمة. وبت آمل أن ينتهي القتل هناك في الشوارع، حتى ينتهي «انتاج» الضحايا، وانتهي أنا بدوري ذائباً في مكاني.

لكن القتل كان في بدايته. هذا على الأقل ما كان يبدو من خلال الشرفات المفتوحة الخالية من الزجاج في العمارة التي اقيم فيها. حتى

اني في بعض الأحيان حين اخرج امر على أجساد قتلى عديدين مطروحين في الأزقة كأنهم نفاية.

ومع ازدياد القتل كانت الخطط تتسع أيضاً. جلب المجانين الثلاثة العديد من الاسلحة الخفيفة والمتوسطة ونصبوا رشّاشات بي كي سي على سطح العمارة نحو الاتجاهات الأربعة. وأغلقوا مدخل العمارة بالنفايات والكتل الخراسانية واكياس تراب لا أعرف من أين جلبوها. استغرقوا في عمل طويل لعدة أيام، ثم وجدت شباباً صغاراً يساعدونهم في هذه المهمة. وبين ليلة وضحاها اكتشفت ان العمارة أصبحت ثكنة عسكرية بامتياز، وتحوي، بالإضافة الى الاسلحة المختلفة، جنوداً متطوعين لحماية هذه الثكنة المصغّرة.

كان كل واحد من معاونيّ المجانين يروج لفكرته عني بين طائفة من الناس، فاكتسبوا بعض الاتباع الذين سئموا الوضع العام وما يرونه حولهم، ويبحثون عن خلاص ما.

المجنون الصغير احتل الطابق الأرضي بالكامل مع اتباعه القادمين من مناطق مختلفة من العاصمة، وهم يؤمنون مثله بأنني المواطن العراقي رقم واحد. وقد عرفت لاحقاً انه اعطاهم أرقاماً بدل الاسماء، فغدا هو، اي المجنون الصغير، رقم ٢، والبقية أخذوا الأرقام من ٣ الى تسلسل مفتوح ظل يتسع ببطء مع كل يوم جديد.

المجنون الكبير شغل بضع شقق في الطابق الثاني مع اتباعه الذين يؤمنون مثله انني الثقب الأسود والعزرائيل الأكبر الذي سيبتلع هذا العالم كله مرعياً بالبركة الإلهية.

أما المجنون الأكبر فأخذ الشقتين الاخريين في الطابق الثاني، ويملي على اتباعه، الأقل عدداً من أتباع المجنونين الآخرين، كتابه المقدس الذي يشرّع فيه أنني صورة الإله المتجسدة على الأرض، وانه

«الباب» لهذه الصورة. وكانت رؤيتي محرّمة عليهم، لذا حين كنت أنزل من الطابق الثالث ويصادفوني في الممرات أو عند السلم يسجدون على الأرض بسرعة ويغطون وجوههم بايديهم خشيةً ورعباً.

كان «الساحر» غير مرتاح لهذه التطورات ويرى ان نهايتها لن تكون حسنة، فنحن الآن ظاهرون للعيان أكثر:

ـ لربما لن تموت انت في أي قصف لبنايتنا . . . ولكننا سنغدو لحماً مفروماً.

قال لي ذلك ثم نظر الى «السفسطائي» كي ينال تأكيداً منه، غير ان السفسطائي ظل واجماً، وبعد دقائق حين غادر الساحر الى الحمام، اقترب مني السفسطائي وقال لي وكأنه يسرّني بشيء:

ـ إنه يغار . . يريد ان تبقى تحت سيطرته. خاضعاً له . . أرجوك لا تأبه لكلامه.

لم يكن السفسطائي يشعر بالود تجاه الساحر، وافهم كلامه هذا على انه محاولة معاكسة للتقرب مني أنا والحلول محل الساحر. لم يكن يرتاح لليقينيات القطعية التي يتحدث بها الساحر، خصوصاً بشأن خريطة تحركاتي والطرق التي اسلكها والتي تكون غالباً دقيقة وسليمة تماماً.

أما «العدو» فلم يكن حاضراً دائماً. يغيب لفترة طويلة ثم يظهر ومعه شيء جديد. وفي آخر زيارة له جلب معه معدات واجهزة لاسلكي وبضعة هواتف نقّالة وشاشة مراقبة أمنية وكاميرات وضعها على شرفات الطوابق.

كان ذلك هو آخر الأعمال التي قام بها خدمةً لي ولأهدافي، وكانت تلك آخر زيارة له. لم اره بعدها. اتصل هاتفياً بعد بضعة أيام. بدا قلقاً وهو يتحدث عبر الهاتف. قال إنهم كشفوه. هناك تحقيق

داخلي في دائرته يجري لمعرفة تحركاته الأخيرة. كما ان الأميركان أرسلوا بطلبه لذات الموضوع. من المحتمل جداً ان يتهموه بالتعاون مع جماعات إرهابية أو ما شابه.

اختفى بعدها، حتى عندما اتصلنا بهاتفه الذي تحدث منه، كان الهاتف خارج الخدمة.

ـ ٥ ـ

أعرف ان الأمور لم تجرِ مثلما احب، لذا فها أنا اطلب ممن يسمع تسجيلي هذا ان يساعدني، وان لا يعرقل عملي، حتى أنتهي منه وأغادر عالمكم هذا بأسرع وقت ممكن، فلقد تأخرت كثيراً. أعرف ان لدي أسلافاً كثيرين، ظهروا ها هنا في هذه الأرض في حقبٍ وأزمانٍ ماضية. انجزوا مهامهم في أوقات المحن العصيبة، ثم غادروا. ولا أريد أن أكون مختلفاً عنهم.

كنت حذراً تجاه اللحوم التي تستخدم في ترميم جسدي. وأن لا يجلب لي المساعدون لحوماً «غير شرعية»، أي؛ لحوم مجرمين، ولكن، من يحدد نسبة الإجرام في شخصٍ ما؟ هكذا تساءل الساحر ذات نهار.

ـ ان كل شخص فينا لديه نسبة من الإجرام تقابل نسبة معينة من البراءة. ربما يكون من قُتل غدراً ودون ذنب شخصاً بريئاً هذا اليوم، ولكنه كان مجرماً قبل عشر سنوات حين ألقى بزوجته الى الشارع مثلاً أو والدته العجوز في دار العجزة، أو قطع الكهرباء أو الماء عن عائلة لديها طفل مريض ما تسبب بموته سريعاً. وهكذا.

قال الساحر ذلك وهو يدخن من أرجيلة أعدها لنفسه. واستقبل السفسطائي، كالعادة، كلامه بشكل سلبي تماماً. حتى أذا مضى جزء

من النهار وخرجت الى سطح العمارة لكي اتأكد من المعلومة التي قيلت لي إن الأميركان قد انسحبوا من المنطقة. انتبهت ان السفسطائي كان ورائي يلاحقني. وقف أمامي وقال لي وهو يكسي وجهه بملامح جادة:

ـ ارجو ان لا تصدق كلام الساحر.. انه يتحدث عن نفسه.. هو المجرم. لقد قتل شخصاً ما قبل عشر سنوات ورمى زوجته وامه وقتل طفلاً رضيعاً. انه مجرم واياك ان تصدق كلامه.

أشحت بصري عنه ورفعت المرقاب الذي زودني به «العدو» في زيارته الأخيرة وبدأت انظر الى الأطراف البعيدة من الشارع حيث كانت دبابات الابرامز الأميركية تتمركز. كانت قد اختفت، كذلك الثكنات الصغيرة ونقاط الرصد على البنايات العالية والسيطرات في الشوارع الفرعية. لقد انسحبوا تماماً مثلما قيل لي، وهذا أمر غريب.

التفتُّ الى السفسطائي وقلت له:

ـ لا تدع هذا الموضوع يشغلك كثيراً. اخرج الساحر من رأسك. أنا آخذ الكلام منك انت. ألم احمل المسدس معي في مهمتي الأخيرة بناءً على طلبك؟

ـ نعم.

ـ لذا اسكت ولا تتحدث بهذا الموضوع بعد الآن.

عدت الى النظر بالمرقاب، ولكن ذهني كان يتابع شيئاً آخر؛ كانت لدي شكوك قوية أن عملية الترميم الأخيرة قد استخدمت فيها لحوم قادمة من جسد مجرم. لقد استعملوا، دون أن يعرفوا ربما، أجزاء من جسد أحد الإرهابيين. لذا ابدو في مزاج غير حسن، وأشعر بشيء من التشويش والارتباك. بقيت اتابع الشوارع والأزقة واسطح

البنايات حتى شعرت بأن الأشياء بدأت تغيم أمام ناظريّ. تغطى بصري بجدار حليبي ساطع الضوء. أنزلت المرقاب وبدأت افرك عينيّ. وطلبت من السفسطائي ان يقودني الى الأسفل.

بعد ساعة عاد إلي بصري من جديد. وخشيت ان يكون السبب هو تلف هاتين العينين ما يستوجب استبدالهما سريعاً. ولكني لم اعد اثق بما يجلبه مساعديّ. كانت الأرض في الأسفل مليئة بالجثث، وتتراكم جثث جديدة مع مقدم المساء. وهم كلهم، على الأغلب، مجرمون يقتل بعضهم بعضاً.

حين وجدت فرصة للحديث مع الساحر على انفراد قال لي بثقة ان نصف جسدي مكوّنٌ الآن من لحوم مجرمين.

ـ كيف هذا؟

قلت له وأنا أراه يعمّر أرجيلة جديدة ثم يسحب من خرطومها نفساً طويلاً لتأجيج الجمر. طرح الدخان من فمه في الهواء ونظر إلي متهكماً:

ـ وهل كان جسد «القديس» مقدساً حقاً؟

ـ ماذا تعني؟

ـ ما دام حمل السلاح فهو مجرم.

قال ذلك وبدأ يدخن بهدوء وراحة، واكتشفت ان السفسطائي كان بالقرب من الباب ينصت لنقاشنا. كنت بصدد التهيؤ لمهمة جديدة هذه الليلة ولن اسمح بتكرار الجدال العقيم بينهما، لذا نهضت وطلبت من السفسطائي ان يساعدني في تجهيز نفسي. كانت المهمة الجديدة تتعلق بقائد مليشيا يقيم في حي شعبي شرقي العاصمة. اخرج السفسطائي ملابس تشبه ملابس هذه المليشيا، ثم اجلسني، مثل ممثل مسرحي يستعد للظهور أمام جمهوره، على كرسي أمام ميز تواليت وبدأ يعمل

لي ميك آب مناسب لشخصيتي الجديدة. ولكنه لم ينس ما سمعه من كلام الساحر معي لذا بدأ يرد عليه وهو يحرك يديه على وجهي:

ـ لقد أقنعك بأنك الآن نصف مجرم، نصف لحوم جسدك عائدة لمجرمين، وغداً يقول لك ثلاثة ارباع وبعدها تصحو وتجد نفسك أصبحت مجرماً كاملاً، ولكنك لست مجرماً عادياً هنا، ستغدو السوبرمجرم. لأنك مكوّن من مجرمين، حزمة من المجرمين... ها؟!!

لم يتوقف عن الكلام حتى خروجي. تركته يغلي داخل ثيابه ولم ارد عليه. لقد أصبحا عدوين للاسف.

أثناء ذلك، وخلال المدة الوجيزة الماضية كانت التغيرات الأهم تجري خارج البناية. وبدا ان جانباً من نبوءة الساحر قد بدأ يتحقق. لقد تزايد عدد اتباع المجانين الثلاثة حتى ان الشقق التي احتلوها في العمارة لم تعد تسعهم، بالإضافة الى ان هذه الكثرة من البشر تتطلب خدمات لوجستية أكثر، من طعام وشراب ومنام، ولم اكن أعرف كيف كانوا يحصلون على هذه الأشياء.

بعد عراك وصياح بين المجانين الثلاثة واتباعهم اقتنعوا بالتوسع الى بنايات أخرى. تركوا بضعة حراسات اسفل العمارة التي اقيم فيها ولكنهم توزعوا على بنايات مجاورة. وهالني مساء هذا اليوم عدد الشباب المسلحين الذين سجدوا لي في الشارع وأنا أمر من خلالهم. كلُّ هؤلاء يؤمنون بأني وجه الرب الأرضي حسب تعاليم المجنون الأكبر الذي لفّ عمامة برتقالية على رأسه واسبل لحيته وغدا نبي الديانة الجديدة جوهراً ومظهراً. وكانت الصورة مشابهة مع اتباع المجنون الكبير، ولكنهم كانوا شاحبي المظهر وأقل صخباً، وكانت المجموعتان تتهمان بعضهما بعضاً بالدجل والتخريف. أما «المواطنون

العراقيون» اتباع المجنون الصغير فقد بلغ عددهم أكثر من مئة وخمسين مواطناً. وكانوا يفكّرون بدخول الانتخابات القادمة.

قتلت قائد المليشيا مع خمسة عشر شخصاً كانوا يدافعون عنه، وبسبب نصيحة السفسطائي استخدمت المسدس في انجاز مهمتي، فما عاد «الموت الغامض» الذي بدأت به مهماتي نافعاً الآن. تركت قائد المليشيا بجسده الضخم منطرحاً وسط حوش بيته وقد حشوت امعاءه بالرصاص بينما امه وزوجته وأخواته يتحلقن حوله بثيابهن السوداء ويلطمن الصدور والخدود بجزع وحزن بالغ.

استخدمت احدى سيارات قائد المليشيا هذا في العودة الى الدورة، وحين اقتربت من مقر اقامتي سمعت أصوات الإطلاقات النارية. كانت المليشيات تتصارع للحيازة على الأرض أثناء غياب الأميركان والجيش العراقي. تركت السيارة في مكان ما وبدأت ادخل من فتحات الجدران متبعاً المسار الذي اعطاني إياه الساحر قبل خروجي.

أثناء ذلك عاودت الغمامة تغطي عيني فلم اعد ارى شيئاً أمامي. توقفت مستنداً الى جدار، وبقيت عدة دقائق على هذه الحال. مسحت على عيني فشعرت بأن عيني اليمنى قد غدت تشبه العجين. سحبتها ببطء فأتت بيدي. سقطت كلها كتلةً داكنة فرميتها جانباً، وخشيت ان اكرر الأمر مع عيني اليسرى فافقد بصري تماماً. جلست بجوار الحائط اتسمع لأصوات الإطلاقات النارية. كانت هذه الأصوات تأتي من كل مكان، وخشيت أن أكون جالساً في منتصف المعركة الحامية لهذه الليلة دون أن أدري. بعد دقائق صعبة عاد النور لعيني اليسرى. نظرت من فتحة كبيرة في الجدار سببتها قذيفة ما. كان الشارع خالياً وموحشاً. نهضت وخرجت من البيت وبدأت انظر الى طرفي الطريق.

ثم لمحت سواداً ما يتقدم من البعيد. بقيت انظر حتى اتضحت ملامح هذا السواد أكثر. كان رجلاً ما. ضرب ضوء قادم من البعيد على وجهه فاتضح لي أكثر. كان رجلاً في الستين من عمره، بديناً متكرشاً يرتدي قميصاً بنصف ردن مع بنطلون قماشي، ويحمل بيديه اكياساً سوداء. لاحقاً علمت ان أحد الكيسين كان يحوي صموناً والآخر فاكهة. كان ظهوره في هذا المكان غريباً. ربما اخطأ الطريق. من أين جاء والى اين يذهب؟

بقيت اراقبه ووجدته ينحرف في أحد الأزقة. كان يتجه مباشرة الى العمارة التي اقيم فيها. وكانت الأصوات الحامية للرصاص المتبادل بين المتقاتلين تبدو أكثر حدة من هذا الاتجاه أيضاً. هل طوقت المليشيات الثكنة التي انشأها المجانين الثلاثة؟

سرت خلف هذا الرجل، محافظاً على مسافة كافية لعدم انتباهه لوجودي، وبدأت استعيد كلام الساحر عن كون البشر مجرمين بنسبة ما، واعتراضات السفسطائي على كلامه. من دون أن أنسى ولو للحظة انني على شفا فقدان بصري بالكامل حتى قبل أن اصل الى مشارف العمارة ربما.

كان الرجل السمين يتوقف بين خطوتين وثلاث لينظر حوله برعب. كان وجهه باكياً ولكن من دون بكاء. أي داهية دفعت بك الى هذا المكان أيها الرجل. أردت الاقتراب منه وسؤاله. ولكن هواجس أخرى هجمت علي واختلط في ذهني كل شيء. توقف مرة أخرى وهو يسمع زخات رصاص قوية تضرب اعلى العمارات القريبة. تسمّر في وقفته، ووجدت نفسي أقف أنا أيضاً على مسافة عشرين متراً عنه. لو اكمل دوران رأسه الحائر والتفت الى الوراء لشاهدني بكل تأكيد. بدأت عيني اليسرى تغيم من جديد، وشعرت بأنها النهاية، وانها

ستذوب على وجهي مثل عجين مختمر. لذا رفعت المسدس بيدي وصوبته باتجاه هذا العجوز البريء. انه بريء بكل تأكيد، وليس مثل اؤلئك الذين يحملهم المجانين الثلاثة إلي من أجل صيانة وترميم جسدي.

أطلقت إطلاقة واحدة من المسدس أثناء ما كان كل شيء يغيب عني. لم أسمع صوتاً بعدها. توقف القصف المتبادل للجماعات المتصارعة. لم يكن هناك وقع خطوات أو بكاء أو حتى صوت تنفس. سرت الى الأمام بخطوات حذرة بعد ان غدوت اعمى حتى اصطدم حذائي بشيء ما. نزلت الى الأسفل وتلمست الجسد الساخن للعجوز الخائف. لقد اصابته الإطلاقة في قحف رأسه تماماً. كان يبحث خائفاً عن مصدر الموت في اعلى البنايات وفي نهايات الطرق أمامه، ولكن هذا الموت جاءه من الخلف.

اخرجت مدية صغيرة وقمت بعملي سريعاً. ماذا سيقول الساحر الآن؟ هذه عيون جديدة من جسد ضحية بريئة. لن تزداد نسبة اللحم المجرم في جسدي غداً. هذا لحم بريء. ولكن، ما الذي اقوله؟

ممن سأقتص الآن للثأر لهذه الضحية؟

سيقول السفسطائي انني بلغت منتهى خطة الساحر وغدوت مجرماً اقتل الابرياء مثلما كان يخطط. لقد دفعك الساحر دفعاً الى هذه النتيجة عن طريق الجن الذي يسخره ويجعله يؤثر في تفكيرك. سيقول السفسطائي ذلك. بينما الساحر سيتحدث بهدوء أكثر موضحاً انني استجيب لنوازع الإجرام في اللحم المجرم الذي رممت به جسدي، وعلي، كي اخرج من هذا الطريق المخيف ان اتخلص من كل هذا اللحم سيئ السمعة. سيتصارعان ولن اصل معهما الى نتيجة، مثلما تتصارع الأفكار كلها في رأسي الآن.

نجحت في تركيب العينين الجديدتين، وبدأت ارى ما حولي. شاهدت جثة العجوز البريء، وخطر في بالي شيء تشبثت به، لأنه هو الحقيقة التي كنت ابحث عنها. فهذا الرجل نعجة ساقها الرب باتجاهي. ان اسمه هو (البريء الذي سيموت الليلة)، هكذا إذن. كان سيموت بعد دقائق من الآن، بعد نصف ساعة على الأكثر. ستناله رصاصات المتصارعين حتماً ويموت ها هنا. ولربما اختلطت جثته مع جثث المجرمين القتلى، ولن يستطيع ايٌ من المجانين الثلاثة أو اتباعهم ان يعثروا عليه.

لم أقم إذن، إلا بتسريع الموت. كان ميتاً سلفاً. وسيموت كل الابرياء الذين يتخذون ذات الطريق الموحش الذي سار فيه العجوز هذه الليلة.

كانت العينان بحاجة الى خياطة وتثبيت، وهذا ما سيقوم به اتباعي حين اعود الى مقري، ولكن حتى اصل الى هناك علي أن احذر من النظر الى الأسفل حتى لا تسقط هاتان العينيان. لذا أخذت النظارة الطبية للعجوز التي وجدتها في جيب قميصه العلوي وارتديتها كنوع من الحاجز الذي يمنع العينين من القفز من مكانهما.

دخلت في زقاق يؤدي الى سياج الاكياس الترابية التي وضعها اتباع المجانين الثلاثة حول ثكنة البنايات التي احتلوها، ورأسي يزدحم بالأفكار المتضاربة، ولكني كنت اتشبث بقوة بفكرة تسريع الموت. لست قاتلاً وإنما أنا قطفت ثمرة الموت قبل سقوطها الى الأرض لا أكثر.

كانت أصوات المعارك الحامية قد هدأت، وكان ظني في غير محلّه. فلم تكن المليشيات تتصارع في غياب الأميركان والجيش العراقي، وإنما من أشعل الحرب في هذه الليلة هم اتباع المجانين

الثلاثة. وكان هذا آخر شيء توقعت حدوثه، وكان هو أيضاً اكتمال للنبوءة التي تنبأ بها الساحر مع ظهور أول شخص غريب بين اتباعيَّ الستة.

ولكي يكتمل المشهد أكثر. لم اجد فرصة متاحة للحديث مع الساحر حول نبوءته التي اكتملت. لن يتحدث لي بعد اليوم أبداً. لقد كان نائماً على ركام احجار أمام البناية التي اقيم فيها. وحين اقتربت منه أكثر لمحت ثقباً في منتصف جبهته ناتج عن إطلاقة نارية.

دخلت الى شقتي في الطابق الثالث ولم اعثر على أحد. كانت هناك فوضى وبعثرة في الآثاث تشير الى معركة ما، وحين نظرت من الشرفة الخالية من شبابيك الزجاج كانت جثة الساحر في الأسفل تماماً. خمنت بسهولة انه ألقي من هذا المكان بعد قتله. ثم اخبرني حدسي بأن من قام بذلك هو السفسطائي وليس غيره. ولكن، اين هو الآن؟

في صباح اليوم التالي. سرت لتفقد المكان من حولي. لم ار غير الجثث المرمية في كل الأرجاء. جثث نائمة على إسفلت الشارع وعلى الأرصفة، وأخرى تجلس متكئة على الجدران، وأخرى تنحني بنصف جسدها من الشرفات أو تحتضن بعضها عند مداخل الشقق والغرف. لم يكن هناك سوى المجنون الصغير، الذي بدا مجنوناً بالكامل. أخذته الى شقة الطابق الثالث واستجوبته، فعلمت منه ان الذين نجوا من المجزرة الكبيرة هربوا ولربما لن يعودوا الى هنا بعد اليوم، اما المجنونان الكبير والأكبر فقد قتلا. وبشأن الساحر فإن السفسطائي هو من قتله ثم ولّى هارباً.

كان المجنون الصغير شاحب الوجه يتكلم ببطء وكأنه سيفقد وعيه في أية لحظة. وحين نظرت إليه بالعيون البريئة للرجل العجوز، بدا لي

مجرماً كاملاً. لقد نجا من حفلة الموت لأنه الأكثر قتلاً وإجراماً بين الآخرين .

ــ ستنفد البطارية يا سيدي ومولاي .

ــ نعم . أعرف .

ــ انها اخر بطارية عندنا .. نفدت البطاريات في الكيس .

ــ أعرف... لن احتاج الى بطاريات بعد اليوم .. لقد انتهيت من التسجيل .

ــ هل انتهى التسجيل؟ ماذا ستفعل الآن .

ــ شيء واحد فقط .. هذا ..

ــ لا يا سيدي .. لا يا مولاي .. أنا عبدك وخادمك .. لماذا تفعل هذا .. لا يا سيدي .. أنا عبدك ... عبــ .. دك .

ــ الو الو.. الو الو... نعم .

أفف.. لقد تأخرت كثيراً. تأخرت، أنتم تؤخروني كثيراً. اللعنة!

١٨٠

الفصل الحادي عشر

تحقيق

ـ ١ ـ

كان قد انتهى من سماع تسجيلات «الشِسْمه» للمرة الثانية أو الثالثة. ولم يستطع الخروج بسهولة من الدهشة التي سيطرت عليه بسبب هذه القصة والصوت الرخيم والهادئ الذي كان يرويها. فتح حاسوبه المحمول الذي اهداه اياه رئيس التحرير، وتحسباً لفقدان هذه الحكاية المثيرة بصورة أو بأخرى نقل التسجيلات من مسجلة الديجتال الى الحاسوب ثم نقل نسخة منها الى فلاش ميموري، ووضع الفلاش في جيب بنطلونه المرمي على الكرسي بجواره، وعاود الانطراح على فراشه الوثير في غرفته بالطابق الثاني من فندق دلشاد. يستسلم لصخب ضعيف يأتي من الخارج مع اقتراب ساعات العصر وهمود سطوة الحرارة في آب اللهاب.

كان يغرق في كسله من جديد وربما قارب الإغفاء حين رن جرس الهاتف في الغرفة. رفعه وسمع صوت حمه السمين الذي يعمل بدوام كامل في استعلامات الفندق.

ـ استاد هناك أشخاص يطلبونك. . ضيوف.

ارتدى ملابسه ونزل على سلم الفندق المفروش بكاربت اخضر داكن، وانتبه وهو يخطو على درجات السلم ان معدته تقرقر، فهو

تناول افطاراً متأخراً ولم يخرج لتناول الغداء حتى الآن .

كان الضيوف الذين ينتظرونه هم أربعة رجال بملابس مدنية،
وخيل إليه انه يعرف وجه أحدهم وانه رآه سابقاً؛ شاب بقميص وردي
لافت وشعر قصير لا يمكن القبض عليه بالاصابع . سحبه هذا الشاب
الحليق على جهة وقال له بصوت خافت :

ـ العميد سرور يطلبك الآن .

ـ ليش؟ . . اكو شي؟

ـ ما أعرف . . هو يگول انتم أصدقاء . . . ويريدك هسه ع
السريع .

ـ نعم .

رد محمود ونظر الى البعيد حيث حمه السمين يقف خلف كاونتر
الادارة ويقلب بمنظم التلفزيون القنوات ساهياً وغير معني بما يجري
حوله . فكّر سريعاً بأن يتصل بالسعيدي ليستوضح منه الموضوع،
ولكنه انتبه انه نسي موبايله في غرفته، كذلك هوياته ونقوده .

ـ بس اصعد اجيب هوياتي وفلوسي .

ـ ماكو داعي . . هسه احنه نوديك ونجيبك على السريع .

قال الشاب الحليق ذو القميص الوردي بنبرة ثابتة وحازمة أشعرت
محمود بالقلق، وانه ربما يخلق مشكلة وضوضاء إن لم يذهب معهم
بالحسنى فيجرجرونه ويهينونه . رمى المفتاح بميداليته النحاسية الثقيلة
التي تحوي رقم غرفته على كاونتر الادارة فانتبه حمه السمين ونظر
إليه .

ـ اني رايح .

قال محمود ذلك بحنجرة مرتجة تكشف عن قلقه في محاولة
لتثبيت هذه اللحظة في ذاكرة عامل الفندق، ولم يبد على وجه حمه

اي انفعال، وكأنه غير موجود وربما لن يتذكر أي شيء عما جرى في صالة الاستعلامات إذا حصل مكروه ما لمحمود لاحقاً وتم استجواب حمه عن الموضوع.

مرت سيارة الجي أم سي الحديثة ذات الزجاج المظلل التي ركبها محمود مع الشبان الأربعة في الطرق ذاتها التي مرّ بها سابقاً مع باهر السعيدي أثناء زيارته المشؤومة الى صديق طفولته الضابط الغامض ذو المهمات الغامضة. وكانت أغنية (البرتقالة) تصدح في مسجلة السيارة خالقةً جواً من التناقض والانفعالات المتضاربة لدى محمود الذي كان يزداد قلقاً وخشية. لقد انتبه الى الرقم الحكومي للسيارة، ولكن هذا لا يكفي لبث الهدوء في نفسه، فهو يعرف عن حوادث خطف كثيرة تجري بسيارات حكومية. ظل ينظر الى وجوه الشبان الأربعة لكي يتحسس اصولهم الاجتماعية. هو ليس ساذجاً ويعرف ان هذه الأمور تشتغل الآن بقوة وعليها تتشكل، في كثير من الأحيان، خريطة الحركة والعمل، فضلاً عن مصير إنسان ضعيف مختطف يقاد الى حيث لا يعلم.

ظلت مسجلة السيارة تعيد وتكرر أغنية البرتقالة أكثر من مرة، وتبرع أحد الشبان الأربعة بطرق اصبعتين تجاوباً مع الاغنية، حتى وصلت السيارة الى بناية دائرة المتابعة والتعقيب التي دخلها محمود سابقاً.

في نهاية المطاف دخل الى مكتب العميد سرور، ووجده يضع سيجاراً فاخراً في فمه دون أن يشعله وهو جالس على كرسيه الفخم ويقاطع ساقيه فوق منضدة المكتب الكبيرة. تحسس رائحة عطر التفاح المميزة وهو يرى العميد ينهض من مكانه ويرحب به من دون أن يرفع الجروت السميك من فمه. دعاه للجلوس أمامه، ثم دخل شاب

١٨٣

بذراعين عضليين وضع كاستي شاي فاتح اللون على طاولة صغيرة بين الرجلين وغادر .

قال له العميد سرور إنه ترك التدخين منذ سنوات ولكنه هذه الأيام يشتاق للسيجار . كان يدخن السيجار بافراط حتى منعه الاطباء من ذلك . لكن الحياة لا تسير على ما يرام .

ـ نشم رائحة التبغ أفضل من رائحة الدخان . أليس كذلك؟

سأل العميد فرد عليه محمود بالايجاب وهو يستشعر التعديل الذي حصل في خليط مشاعره منذ خروجه من باب فندق دلشاد قبل أكثر من نصف ساعة تقريباً وصدى صوت (البرتقالة) في رأسه . وها هو وجه العميد سرور الذي يبدو وجه صديق مع رائحة تفاح وطعم شاي فاتح اللون فيه لذعة مرارة خفيفة تتسلل الى احشائه المقرقرة والفارغة .

كل ما جرى من حديث في ذلك المكتب، بعد الانتهاء من شرب الشاي الخفيف، فاجأ محمود وأصابه بالارباك الشديد والقلق . فهذا الرجل، العميد سرور، ليس صديقاً بالمرّة، انه يمثل السلطة . وكونه صديق طفولة لباهر السعيدي هو أمر ليس له أي وزن في حسابات هذا الرجل . لقد عرف محمود لماذا كان السعيدي يسخر من العميد سرور . انه يعرف هذا الرجل وأمثاله جيداً . فهو لا يتورع عن الظلم وعن استخدام القسوة بأشكالها المختلفة خدمةً للسلطة التي يعمل تحت إمرتها . سواءٌ كانت هذه السلطة هي صدام ام الأميركان ام الحكومة الجديدة . والعميد سرور خدم ويخدم هذه الأطراف كلها بالتتابع .

كان من الممكن ان يسأله بشكل مباشر وطبيعي عما يريده من معلومات، فمحمود ليس مجرماً وليس عدواً محتملاً، في أي صورةٍ كانت، للعميد سرور أو للسلطة والنظام الذي يمثله هذا الرجل . ولكنه

أراد إخافته وإرعابه. أراد إضعاف ثقته بنفسه بما يسهّل من عملية تقيؤ المعلومات التي يريدها العميد سرور. ضرب مركز السيطرة في دماغ وروح الشخص حتى تطير المعلومات من نوافذ الكلام بشكل عشوائي لا يتحكم به هذا الشخص بشكل كامل. إنه اسلوب خبيث يناسب المجرمين ولا يناسب شخصاً يعمل لدى صديق طفولتك وجاءك ضيفاً وشرب الشاي معك سابقاً. شاي حقيقي داكن اللون وحلو المذاق وليس مثل هذا الشاي الغامض الذي شربه في هذه الجلسة الرهيبة.

قال له العميد سرور:

ـ إنه ليس شاياً. انه مزيج نباتي من ورق لسان الثور ولسان العصفور ولسان الخنزير وعدة ألسنة أخرى، وأنا اسميه اختصاراً «فاتح اللسان» لانه يدفع من يشربه للانفتاح في الكلام وعدم اخفاء شيء. وها انت ترى انني شربته معك، والسبب انني أشعر بالحرج من الصداقة بيننا، وعلي ان اتجاوز هذا الأمر حتى اقوم بواجبي ووظيفتي و«أنطق» بالأسئلة الضرورية واللازمة.

قال العميد ذلك وظل محمود مبهوتاً، عن ماذا يتحدث الرجل؟ هل يريد ان يقنعه حقاً بأنهما أصدقاء بالفعل؟ اي لسان ثور واي أسرار مخبأة؟ ثم ماذا وضع له في هذا الشاي الخفيف يا ترى؟

‏ـ ٢ ـ

كانت هناك أسرار كشفها العميد سرور بالفعل. لقد اتصل الرجل بوسائله الخاصة وعرف معلومات عن وضع وأحوال محمود السوادي، حتى انه حصل بسهولة على رقم دعوى مسجلة ضد محمود قبل حوالي سنة في مركز شرطة «البلدة» في العِماره كان قد رفعها شخص متنفذ في المحافظة.

١٨٥

تفاجأ محمود من الموضوع، وشعر بأن هذه الزيارة الاجبارية وهذا الاستجواب يزداد غموضاً. غير ان العميد سرور لا يبدو انه يعرف تفاصيل أكثر، تلك التفاصيل التي تؤثث سر محمود المجهول لدى الجميع ما سوى صديقه المصور حازم عبود.

إنها دعوى وشكوى أمام مركز الشرطة تتهم محمود بأنه حرّض آخرين على قتل شخص في المدينة. وموضوع التحريض كان مقالة كتبها محمود في صحيفة «صدى الاهوار» التي كان يعمل فيها. هذا ما يعرفه العميد سرور، ولا يرغب محمود بأن يعرف هذا الضابط الأنيق أي شيء إضافي عن هذه الحكاية، مقاوماً بشدة اي تسهيلات يقوم بها شراب «فاتح اللسان» الذي شربه قبل قليل.

لم يستغرق العميد سرور كثيراً في حكاية هذه الدعوى وما جرى من أمور حصلت قبل سنة ولم يترتب عليها أي إجراء قانوني ضد محمود. استدار بجسده الى الخلف ورفع من على كومة ملفات نسخة من العدد الأخير من مجلة الحقيقة وأشار بها الى محمود وهو يزم شفتيه وكأنه يقول له: هذا هو موضوعنا الحقيقي.. كل الكلام السابق هو خرط مال تحقيقات لنزع الثقة من نفس المتهم.. وانت متهم يا صديقي، وعليك ان تجاوب هسه.

ـ ما هذه القصة الغريبة العجيبة؟

ـ شبيها؟

ـ منو هذا اللي يحكيلك هنا.

ـ هذا واحد يبيع عتيگ بالمنطقة.. سالفة خرافية.. رئيس التحرير انعجب بيها وگال اكتب عنها.

ـ سالفة خرافية؟!... مممم.

هتف العميد، ثم بدأ يتصفح المجلة بحركة عبثية، موجهاً أسئلة

متلاحقة لمحمود، وظل محمود يرد عليها بثقة وهدوء. لم يرغب العميد بكشف أسرار العمل أمام هذا «المتهم». لم يرد اخباره بأن الشِسْمه الذي يتحدث عنه والذي اسماه «فرانكشتاين» في مقالته هو شخص حقيقي وليس خرافياً. وانه يصرف جلّ وقته منذ أشهر مضنية من أجل إلقاء القبض عليه، وان حياته الشخصية ومستقبله المهني متعلق بهذا الرجل الغامض والغريب، وانه يسعى لكشف وتمزيق هالة الغموض التي يحيط بها نفسه، وانه اقسم على ان يمسكه بيديه الاثنتين ليعرضه في التلفزيون ويرى العالم كله انه مجرد شخص تافه حقير ووضيع خلق لنفسه أسطورة من جهل وخوف الناس وفوضى الواقع الذي يعيشونه لا أكثر ولا أقل.

ــ هل هذا العتاگ موجود بالمنطقة؟

ــ نعم.. انه يسكن في زقاق ٧ بالبتاويين.. بيته عبارة عن خرابة مهدمة.. يسمونها «الخرابة اليهودية» يعني ما يتيه.. تعرفه رأساً.

ــ نعم نعم.

ظل محمود يتحدث براحة وهو يرى بؤرة الموضوع تتحول منه باتجاه شخص آخر، ولكي يستعيد صداقة العميد وثقته بنفسه أكثر مد يده الى جيب بنطلونه واخرج مسجلة الديجتال وقدمها الى العميد سرور:

ــ في هذه المسجلة تجد كل تسجيلات الشِسْمه.

صاح العميد على الشاب العضلي الذي يقوم بخدمته، وطلب منه نسخ ما في المسجلة، فغاب لعشر دقائق ثم عاد بالمسجلة وسلمها للعميد، فظل يؤرجحها بيده من خيطها القماشي المضفور وطفا فجأة شيء من الكسل وعدم الاهتمام على ملامحه.

لم يتحدث العميد سرور أكثر ليجيب على الأسئلة التي ظلت

تدور في رأس محمود، فهو هنا من يطرح الأسئلة لا من يتلقاها. وظلت الصورة ضبابية لدى محمود إلا انه لم يكترث كثيراً لمعرفة قصة العميد مع الشِسْمه ولم يكترث أيضاً أو يقلق لمصير العتاگ الذي وشا به قبل قليل. كان يريد الخروج من هذا المكتب الوثير والأنيق والنظيف بأسرع وقت ممكن. حتى ان تحويل العميد للكلام باتجاه قضايا أخرى تخص عمل المجلة والوضع العام في الشارع وما الى ذلك لم يبد نافعاً في استعادة أجواء الصداقة. وكأن العميد يريد ترميم ما حطمه قبل نصف ساعة بشكل نهائي لا رجعة فيه.

انه شخص شرير ومن المستحيل استعادة الثقة به، هكذا كان يفكّر محمود، وتمنى مع نفسه ان يكون هذا اللقاء الذي سبب له مغصاً في معدة خاوية، هو آخر لقاء بينهما على مدى الحياة.

نهض العميد فجأة وحمل قضيب السيجار الداكن من المنفضة من جديد ومسح حافته بأصابعه ثم القمه لفمه. تحرك الى ما وراء منضدة مكتبه الفخمة وفتح أحد الأدراج وأخرج ولاعة فضية اللون وانهمك في إشعال السيجار وسحب الدخان منه بقوة حتى تجمّر طرف السيجار وانطلق دخان كثيف من فم العميد. سار عدة خطوات حتى صار بمحاذاة محمود، فشعر محمود بأنها حركة تدل على انتهاء المقابلة فنهض بدوره وانتبه لأول مرة بأنه أطول من العميد، وان عينيه المتجعدتين الآن بسبب طعم الدخان السيئ لهما لون فاتح يضفي على وجهه وسامة ولمسة برجوازية. سارا باتجاه الباب البعيد ثم قال العميد وهو يطلق حسرة دخانية:

- كنت محظوظاً تماماً عندما كنت مدخناً. كل شيء صار سيئاً حين أقلعت عن التدخين. أستعين الآن ببعض الأنفاس بين حين وآخر لجلب الحظ ليس إلا.

انه كلام حميم بين صديقين مقرّبين، أو هكذا أراد العميد سرور ان يوحي لضيفه المتهم. ربما كان يفكّر بما سيقوله محمود لاحقاً عن هذا اللقاء أمام صديق طفولته السعيدي.

وقفا بالباب وانتهت عملية الأرجحة للمسجلة المسكينة، اعطاها لمحمود ثم قبل أن يخرج قال له:

ـ بالمناسبة.. أنا امزح معك. لا يوجد شيء اسمه «فاتح اللسان». هذا شاي خفيف مع مركب كيمياوي نذيبه فيه يمنع الأزمات القلبية. وهي أزمات تحدث أحياناً للذين يتعرضون للاستجواب. نحن نحميهم بهذا الشراب ونحمي أنفسنا من تهمة قتل المتهمين.

ضحكا مثل صديقين حقيقيين، وخرج محمود ليجد الشبان الأربعة في انتظاره. وأثناء طريق العودة شاهد الطرقات دامسة الظلام، وظل يستعيد دون إرادة كل الكلام الذي دار بينه والعميد، ويتوقف عند التصريح الختامي الذي أقرّ فيه العميد بأنه عامل محمود كمتهم، أما حكاية الشراب المانع للأزمات القلبية فهي، دون شك، مجرد مزحة أخرى ثقيلة وخبيثة.

ـ ٣ ـ

الشيء الذي بقي من هذا اليوم السيئ المليء بالانفعالات هو دوّامة من الغم القديم نهضت في صدره بسبب ذكرى حادثة مركز شرطة «البلدة» في العِماره والدعوى التي أقامها ضده ذلك المجرم الذي يلقبه محمود بـ«الكوربان» بسبب طوله المفرط.

كان للكوربان اخٌ مجرم يقود عصابة صغيرة روّعت الأهالي لفترة من الزمن حتى ألقي القبض عليه وأودع في التوقيف. واستقبل الكثير

من الناس هذا الخبر بسعادة بالغة، ومنهم محمود السوادي الذي سارع الى كتابة مقالة في صحيفة «صدى الاهوار» التي يعمل فيها تحدث فيها عن ضرورة تطبيق العدالة بحق هذا المجرم. وتفلسف قليلاً في المقالة ليقرر وجود ثلاثة انواع من العدالة؛ عدالة القانون، وعدالة السماء، وعدالة الشارع، وان المجرم يجب أن تنفذ بحقه، في نهاية المطاف، ومهما طال الزمن، واحدة من هذه العدالات الثلاث.

كتب هذه المقالة ونشرها في الجريدة وسجّل محمود لنفسه نقطة في خانة الشجاعة والجرأة فهذه هي صفات الصحفي الجيد الذي يسعى لخدمة المصالح العامة وتنوير الناس، رغم أنه لم يتجرأ سابقاً لانتقاد مجرم طليق أو حي، فهو ليس بهذا الغباء ليفعل ذلك ويجد نفسه بمواجهة مسدس في أحد الأزقة وضغطة خفيفة وسهلة على الزناد. لقد اطمأن ان عدالة القانون قد تحققت لذلك أطلق العنان لنفسه. غير انه بعد يومين أو ثلاثة تم إطلاق سراح هذا المجرم الخطير وظل يدور بسيارته البيك آب مع أصدقائه المسلحين في شوارع المدينة احتفالاً ببراءته. فشعر محمود بالصدمة. وبعد يوم واحد مرت دراجة نارية على ظهرها شخصان ملثمان أحدهما وراء المقود والثاني يسدد بندقيته الى الأمام، الى جبهة المجرم الخطير أثناء ما كان يخرج من بيته. تلقى إطلاقة واحدة وسقط من فوره بين أصحابه ولاذ الملثمان على الدراجة النارية بالفرار.

فرح محمود بالخبر، وسارع الى كتابة مقالة جديدة يؤكد فيها فرضيته عن العدالات الثلاث وان عدالة الشارع هذه المرة قد تحققت ودفع المقالة للنشر، غير ان رئيس التحرير، وهو رجل من جذور يسارية وشخصية اجتماعية معروفة، سارع الى تمزيق المقالة ثم استدعى محمود وقال له:

ـ هاي نظرية گابله وبزّه بعينه مالتك ما تفيدني هنا بالجريدة . . .
اني ادور على الإعلانات . . . أريد امشي الجريدة . . وانت تريد تصير
طرزان براسي .

غضب محمود كثيراً من هذا الكلام وتلاسن مع رئيس التحرير
وهدد بترك الجريدة ولكن رئيس التحرير لم يغير موقفه . وبعد بضعة
أيام سمع محمود شيئاً جديداً جعله يترك الجريدة من تلقاء نفسه
ويجلس في البيت لعدة أشهر .

لقد انتقلت قيادة العصابة الى «الكوربان» بعد مقتل اخيه المجرم،
وفي مجلس العزاء تقدم أحد افراد العصابة من الكوربان وقدم له
قصاصة جريدة فيها مقالة محمود السوادي .

كانت عائلة المجرم تبحث يائسة عن اي خيط يوصلها الى قاتل
ولدها، ولا بأس باتهام هذا الصحفي بالتحريض على القتل، فهو يدعو
الناس صراحةً لحمل السلاح وقتل إنسان طيب أسهم في حماية المدينة
من اللصوص أثناء فترة غياب الأمن وتلاشي اجهزة الدولة والشرطة
والجيش .

لم يعرفوا في البداية من هو «السوادي»، ولكنهم لم يتأخروا كثيراً
ليعرفوا لقبه العشائري الأصلي وأين يسكن ومن هم إخوته وأعمامه،
ودخلت القضية مباشرة في مساجلات عشائرية ومطالبات بدية القتيل أو
شيء من التعويض المادي، وأطلق الكوربان عدة تهديدات لتسخين
الأجواء وارعاب الطرف الآخر . لكن القضية العشائرية حسمت لاحقاً
لصالح محمود وعائلته . وأقسم محمود أمام إخوته واعمامه بألا يعمل
في الصحافة نهائياً، على الأقل داخل المحافظة . لكن القضية لم تنته
عند هذا الحد، حيث ظل بعض أصدقائه ينقل له تهديدات الكوربان،
وانه يضع مقالته في جيبه ويجلس في المقاهي ويتحدث عن العدالات

الثلاث . يخرج المقالة التي غدت مهترئة من جيبه ويقتبس منها الكلام عن عدالة السماء والقانون والشارع . وإذ رأى فشل عدالة القانون المتمثلة بالعرف العشائري، فإنه سيطبق عدالة السماء بنفسه .

بعدها بفترة نقل له هؤلاء الأصدقاء اتهامات الكوربان لمحمود بأنه بعثي، وان والده مدرس اللغة العربية كان ملحداً . وظل محمود قابعاً في بيته لا يخرج من الباب خشية مما قد يقوم به هذا المجنون، حتى جاءه تلفون صديقه فريد شوّاف ليخبره بفرصة العمل في جريدة الهدف في بغداد . وحين ناقش محمود الفكرة مع إخوته اقتنعوا بأنها الحل الامثل . فهم متوترون ولا يعرفون ما سيحصل، وربما مغادرة محمود لمحافظة ميسان بأسرها سيقلل من مخاوفهم ويساعدهم على حل المشكلة بهدوء أكثر وكبح جماح تصريحات الكوربان واساءته المتعمدة لعائلة محمود وإخوته .

يستذكر كل هذه التفاصيل الآن دون رغبة حقيقية فهي أشياء تضعف ثقته بنفسه، وتعيد تذكيره بأنه يرتكب حماقات ذات كلفة عالية، بينما هو هنا، على الأقل حتى نهار البارحة حيث جرى معه التحقيق المزعج في مكتب العميد سرور، يشعر بالثقة والأمل وانه يكتسب قوة متزايدة، خصوصاً مع الدعم الذي يقدمه له علي باهر السعيدي والأبواب التي يفتحها أمامه .

خرج الى مطعم قريب وتناول افطاراً فاخراً؛ نصف صحن من قيمر العرب مع صمون حار وشاي ثقيل وحلو . وعبأ هاتفه ببطاقة رصيد جديدة واتصل بأخيه الأكبر عبد الله . كان يتصل بين فترات متباعدة خلال الأشهر الماضية من أجل الاطمئنان على صحة امه، ولم يكن يتطرق نهائياً الى الكوربان، وكأنه ينفذ اتفاقية سرية بينه وإخوته بتجاهل هذا الموضوع . وكان ظن محمود أن العدالات الثلاث ربما

فعلت فعلها في تصفية ملف الكورباني بشكل نهائي، فمن غير المعقول ان يبقى مجرم كهذا طليقاً أو حياً حتى الآن.

سمع صوت أخيه على الطرف الثاني. تحدثا لعدة دقائق، وأخبره بأنه سيحول اليوم جزءاً من مرتبه الى مكتب صيرفة في سوق الِعْماره الكبير. ثرثرا قليلاً، وقبل أن ينهي المكالمة صمت لبرهة ثم تجرأ وسأل أخاه عن الكورباني:

ـ شنو أخباره... وين صفا بيه الوكت؟

ـ هذا حظه گاعد بابا.

ـ شلون يعني؟

ـ هذا ترتب هسه وگام يلبس قاط ورباط... صار موظف جبير بالمحافظة.

ـ يعني شنو؟... يعني لا انكتل ولا انسجن... والجرائم اللي ارتكبها؟

ـ يا جرائم... هسه محد يگدر يفتح حلگه وياه... هذا مصيبة ونزلت من السمه.

ـ بس هو نسه سالفة اخوه المجرم، مو؟

ـ يريد يسويله تمثال بابا. شتحجي انته..

ـ آني مشتاق لأمي... أريد اجي.. خو ماكو شي؟

ـ لا تجي ولا توري وجهك.. ابقه بمكانك الله ايخليك.. لا يطبق عليك العدالات الثلاث.. خو ما ناسيها.. العدالات الثلاث؟.. كلها من جوه راسك... هسه گام يحجي بيها حتى بالاذاعة.. صارت مالته.

ـ ٤ ـ

ظل السعيدي مبتسماً وهو يستمع لمحمود أثناء سرده للاحداث التي جرت له يوم أمس في مكتب العميد سرور، وحين وصل محمود الى فقرة الشاي الخفيف انفجر السعيدي ضاحكاً. كان يتلقى الأمر بمرح كعادته، فليست هناك كارثة قادرة على تغيير مزاجه. ها هو بكامل اناقته، حليق الوجه ويضع عطراً فاخراً، يجلس وراء مكتبه العريض وكأنه يستعد لتصوير حلقة من برنامج تلفزيوني.

دخل فريد شوّاف وهو يحمل نسخة أولية من تصميم صفحات الأخبار السياسية المسؤول عنها في المجلة. وضعها أمام السعيدي فطلب منه ان يريها لمحمود. كان فريد يشعر بالتغير الذي حصل لصديقه القديم ولا يرغب، مع ذلك، ان يتعامل معه كمدير تحرير فعلي. أو يحاول ان يتجاهل اي فرصة لحدوث ذلك. فرد الصفحات أمام محمود صامتاً، وانتظر تعليقاً منه، فقال محمود بأن التصميم جيد. نطق محمود الكلمات بصعوبة، فهو لا يريد أيضاً ان يبدو متعالياً على صديقه. خرج فريد ودخل شباب آخرون، ثم دخل عامل الخدمة العجوز وهو يحمل كوبي نسكافيه. ثم ران شيء من الصمت داخل مكتب السعيدي بعد خروج الجميع. نهض السعيدي وتقدم باتجاه النافذة، ازاح الستائر قليلاً وظل ينظر الى الشارع، ثم التفت الى محمود وقال له:

ـ العميد سرور هو واحد من الأشخاص اللي لازم تتعود على التعامل معهم.

ظل محمود صامتاً بانتظار توضيح أكثر، فهو لا ينوي ان يلتقي بالعميد سرور مجدداً، وسيحاول ما امكن ان يتحاشى حدوث شيء مثل هذا مستقبلاً.

ـ هؤلاء موجودون في عالمنا وعلينا ان نتعلم لياقة التعامل معهم.. التكيف معهم.. قبول وجودهم.

قال السعيدي ثم عاود النظر من وراء الستائر وكأنه ينتظر شخصاً ما. ظل على هذه الحال عدة لحظات ثم عاد ليجلس على الأريكة المواجهة لمحمود. حمل كوب النسكافيه الخاص به وبدأ يشرب، تلذذ بمرارة القهوة المخلوطة بالحليب، ثم نظر الى محمود وأطلق تصريحاً مثيراً:

ـ العميد سرور في الحقيقة لا يلاحق جرائم غريبة ولا هم يحزنون.. انه موظف من قبل سلطة الائتلاف الأميركية المؤقتة لقيادة فريق اغتيالات.

ـ اغتيالات ؟

ـ نعم.. هو ينفذ منذ سنة أو أكثر جانباً من سياسة السفير الأميركي زلماي خليل زاد بشأن خلق توازن عنف في الشارع العراقي ما بين المليشيات السنية والشيعية لكي يكون هناك توازن، فيما بعد، على طاولة المفاوضات لتشكيل الوضع الجديد في العراق. الجيش الأميركي غير قادر أو غير راغب بايقاف العنف، لذا لابد على الأقل من خلق توازن أو تكافؤ في العنف. فبدونه لن تكون هناك عملية سياسية ناجحة.

ـ لماذا لا تخبر أصدقاءك السياسيين بهذا الأمر؟

ـ كلهم يعرفون، ولكن لا أحد يملك دليلاً قاطعاً على الموضوع. أو انهم ينظرون الى دائرة المتابعة والتعقيب التي يرأسها العميد سرور كما ينظرون الى نص، كل جهة تفسّره حسب مصالحها الخاصة، ولا ترى الجوانب الأخرى.

ـ معقول العميد سرور بهذه البشاعة؟ يبدو الرجل لطيفاً.

ـ الان انت تصفه بالقاسي والشرير. . كيف أصبح لطيفاً فجأة؟

ـ لا. . اقصد انه لا يبدو شخصاً مجرماً بالوصف الذي وصفته الان. . قائد فرقة اغتيالات. . هذا أمر صعب التصديق.

ـ على أي حال. . خير وسيلة لاتقاء الشر هو ان تكون قريباً منه، من هذا الشر. أنا أجامله حتى لا يقف في طريق طموحاتي السياسية. لا يضع رصاصة في رأسي من الخلف يطلقها أحد شبانه السمان حليقي الرؤوس. استجابة لأمر من الأمريكان.

ـ يا ساتر. . الموضوع خطير.

ـ ما دام صديقنا فلا توجد خطورة منه. . . الم تقل انه كان يتحدث معك عن مشاكل التدخين وانه كان يضحك معك؟. . لا تخف منه. . انه شخص ظريف.

ـ أنا قلت قبل قليل انه شخص لطيف وزعلت عليَّ.

ـ اي. . ميخالف. . ظريف لطيف خفيف. . . شاي خفيف هها.

ظل السعيدي يضحك وابتسم محمود رغم ازدياد مساحة الخوف والضيق في نفسه، وتضخم صورة العدو المجهول الكامن في العتمة التي يخشاها كثيراً، عدو تركه هناك في العِْماره، وعدو ينمو هنا. ورغم أنه يثق بالسعيدي كثيراً إلا انه غير قادر على التصديق بكل ما يقوله. ربما هو يقصد ارعابه والمزاح معه، أو يدخله في أجواء افتراضية من أجل تنميته وتحفيزه وتنشيطه، خلق نوع من التحدي لاستنهاض طاقات كامنة لديه أو غير ذلك من الهراء المرتب والأنيق.

بعد دقائق طرق أبو جوني عامل الخدمة الباب ونبه رئيس التحرير على حضور ضيف. دخلت فتاة سمراء ممشوقة بشعر مصبوغ، ترتدي الجينز وتضع اكسسوارات كثيرة وغمرت الغرفة برائحة عطر غريب. لم تكن نوال الوزير، كانت أكثر صخباً وحيوية وأصغر عمراً.

صافحت السعيدي وتبادلت معه القبل على الوجنتين. لم يهتم السعيدي بتقديمها لمحمود ولكنها صافحته، على أي حال، بيد صغيرة وطرية، وقبّلته بحماسة على وجنتيه أيضاً. ولم يبد انها تنوي الجلوس. كانا على موعد، لذا حمل السعيدي حقيبته الجلدية وخرجا سوية. نظر الى محمود ونبهه على أمور تخص المجلة، ثم ابتسم وقال وهو يرفع يده مودعاً:

- صير بطل صديقي.. خوش؟!

- ٥ -

بعد اسبوع سافر السعيدي الى بيروت، برفقة السمراء الممشوقة ربما، أو اي «ممشوقة» أخرى، وترك محمود غائصاً في تفاصيل كثيرة لا تخص تحرير صفحات المجلة الخمس والأربعين فقط، وإنما سلسلة لا تنتهي من التفاصيل الادارية الصغيرة والكبيرة، وتوقيع الوصولات وصرف المستحقات المالية للعاملين ولقاء أشخاص يحضرون فجأة في التاسعة صباحاً ويسألون عن السعيدي لعمل أو شأن ما. تلقي اتصالات هاتفية على الموبايل المربوط بشاحن الكهرباء. أرقام واسماء مبتورة مكتوبة بالانكليزي، وفي بعض الأحيان مجرد حرفين أو ثلاث: Ty مثلاً هو طالب يحيى مدير مطبعة الأنسام التي تطبع المجلة والتي فكّر السعيدي في مرة بشرائها. See هي فتاة تلقب السعيدي بـ«الحجّي» ولا يعرف نوع علاقتها به. اما الدكاترة فهم كثر. دكتور عدنان دكتور صابر دكتور فوزي، وكلهم موظفون في البرلمان أو مدراء مكاتب لبرلمانيين أو ناطقين باسم كتل سياسية. اما SM فهو اختصار سهل؛ انه سرور مجيد، وكان يتصل بين حين وآخر، وخمّن محمود ان هناك مستوى اخر من العلاقة بين الرجلين لم يتحدث عنه

السعيدي سابقاً؛ الرجلان لديهما مصالح تجارية أو مالية مشتركة. وكل الكلام السابق عن المنجّمين والمتنبئين ثم حكاية فرق الاغتيالات هي تعمية وتغطية ليس إلا.

ولكن، هذه الأشياء كلها لا تؤثر في مكانة السعيدي عند محمود، انه يجد التبريرات له دائماً، هو معجب به، هذا الرجل سوبرمان حقيقي دون قوى خارقة للطبيعة، وإنما بإمكانياته البشرية المحدودة. انه يجد العذر له في هذه الطبقات الكثيفة من الحقائق الهشة التي يغطي بها نفسه، فهو يفعل ذلك للحماية، ولا أحد يعرف هل هو من يخلق الأوهام حول نفسه ام انه يدخل في دائرة الأوهام دون إرادة أو رغبة منه، فكلنا نفعل ذلك أحياناً.

يتحرك محمود في دائرة الأوهام أو التخيلات أيضاً. لقد اكتسب العديد من صفات ملهمه وأستاذه، لقد ازداد سمنة. يحلق بشكل يومي. يرتدي بدلات بربطات عنق وقمصان ملونة، رغم أنه كان يسخر سابقاً، مع أصدقائه فريد شوّاف وعدنان الأنور من أصحاب البدلات، ويرى أنها أصبحت ترتبط بدرجة كبيرة بالسياسيين والموظفين الحكوميين وكذلك بأفراد المليشيات المسلحة الذين ينزلون من سياراتهم وسط الشارع بكامل الأناقة ليسحبوا شخصاً ما من محله أو سيارته ويبهذلون أحواله أو يقتادونه الى جهة مجهولة. لكن، كل شيء يتغير، ومن لم يرتدِ البدلة سابقاً لا يعرف مزاياها.

ولكن فريد شوّاف كان يسخر من التغيرات التي حصلت لصديقه القديم، ويرى أنه، أي محمود، بدأ يعبر الى الضفة الأخرى، التي من أهم مزاياها موت الشعور وأولوية الحفاظ على المكاسب على الاستجابة لنداء الضمير. وحين كان محمود يضحك ساخراً من هذا الكلام يرد عليه فريد بنبرة حكمية:

ـ أنت تتشبه بهم الآن. تجرّب ان تكون منهم، ومن يرتدي
تاجاً، ولو على سبيل التجربة، سيبحث لاحقاً عن مملكة.

لم يعلّق محمود على هذا الكلام لأنه يشعر فعلاً بأنه يعيش في
«مملكة» من دون الحاجة لأي تاج. كانت الأوضاع العامة تتجه الى
تدهور أكثر. الصراعات على شاشات التلفزيون بين السياسيين تقابلها
حرب فعلية في الشارع أدواتها المفخخات والاغتيالات والعبوات
الناسفة واختطاف السيارات بركابها، وتحوّل الليل الى غابة مجرمين.
وانشغال المثقفين والعاملين في الوسط الاعلامي بقضايا مثل؛ هل
نحن نتجه الى حرب اهلية، ام اننا نعيش مستوى من مستويات الحرب
الأهلية، ام اننا في وسط حرب اهلية غير نمطية. نوع جديد من
الحرب الأهلية؟! ولكن الحياة تستمر، يقول محمود مع نفسه، فهو
يقبض مرتباً جيداً يصرفه كله في الغالب، ولكن من أجل أن يعيش
بشكل جيد ويتمتع بشبابه كما نصحه السعيدي ذات مرة. وبعيداً عن
أصدقائه القدامى المتذمرين والثرثارين بات يلتقي بأصدقاء جدد، منهم
ابن صاحب مطبعة الانسام، الذي يدعوه أحياناً الى جلسات خاصة في
بيوت أو شقق، كذلك هو لم يعد بحاجة الى حازم عبود، صديقه
المصور، من أجل أن يكتسب جرأة وشجاعة أكثر تجاه النساء. لقد
انتبه ان حمه السمين موظف الاستعلامات المزمن، لا يطبق، بشكل
حرفي، التعليمات المكتوبة في لائحة معلقة على الحائط في لوبي
الفندق، وانه يمنح امتيازات للزبائن الذين ينفحونه بالبقشيش لقاء
ادخال مشروبات كحولية الى غرفهم، أو اصطحاب أصدقائهم الى
الأعلى وعدم الاكتفاء بلقائهم في صالة الاستعلامات كما هو مدوّن في
لائحة التعليمات. وما هو أهم، انه في عطلة نهاية الاسبوع حيث يغيب
صاحب الفندق، يسهّل حمه لبعض الزبائن ان يصطحبوا صديقاتهم الى

غرفهم في الأعلى، ولكل شيء ثمن. وبعد ان انتبه محمود لهذا الأمر وتأكد منه، تجرأ وتحدث مع حمه فردّ عليه بذات الملامح البليدة التي لا تعكس انفعالاً معيناً بأنه لا يريد مشاكل. وكان هذا مجرد حاجز دفاعات أولي لإبعاد الهواة. نفحه محمود بورقة ٢٥ الف دينار حمراء فتغير موقفه سريعاً، وانفردت ملامح وجهه الخاملة.

كانت تجارب محمود السابقة مع البيت الذي قاده إليه حازم عبود لا تخلو من التوتر والقلق، والشعور بعدم الأمان، خصوصاً مع حملات المداهمة والتفتيش التي تكبس البيوت المشبوهة في البتاويين، وشعوره بوجود علاقة بين هذه البيوت ورجال الشرطة لابتزاز الزبائن أو توريطهم في قضايا وتهم غريبة، وهو يعرف ان عمليات الاعتقال العشوائية هذه الأيام تخلط المتهمين جميعاً وقد يجد المتهم بقضية شجار بسيط في الشارع نفسه منتمياً الى عصابة خطف ومتاجرة بالنساء أو جماعة مسلحة تذبح الرجال بسكين مطبخ، ومحمود في غنى عن خوض تجارب من هذا النوع.

اعطاه صديقه الجديد، ابن صاحب مطبعة الأنسام، رقم هاتف سمسارة تعمل بشكل سرّي ولزبائن خاصّين ومحددين تسمى «رغائب».

ـ انها تأخذ مبالغ كبيرة ولكن «بضاعتها» ممتازة.

قال له صديقه الجديد، وشعر محمود بزهو، وهو يسمع عبر هاتف غرفته في الفندق، بعد مغيب الشمس في أحد الأيام، أن هناك «ضيفة» في انتظاره، كما أخبره حمه. باتت هذه الضيفة معه في غرفته حتى صباح اليوم التالي، وكان من الممكن حينها ان يقول إن الوضع مثالي جداً، 'وانه لا يمكن أن يكون أفضل من هذا، رغم كل الخراب والانهيار في الخارج وانزلاق البلاد الى حرب اهلية شاملة بعد بضعة

أشهر كما قال العميد سرور في ذلك المساء الذي لا ينتسى، ورغم الإرهاق والمخاطرة في اختراق الشوارع ذاهباً الى أو عائداً من عمله. رغم «كوربان» الِعْماره الذي يمنعه، صدقاً أو مبالغةً، من العودة الى اهله، ورغم كل الغموض الذي يلف المستقبل، فإنه سيتجرأ، ويخبر من يسأله عن أحواله، بأنه يعيش عصره الذهبي. فهو في صحة جيدة، وما زال في عزّ شبابه، يعمل مديراً لتحرير مجلة متواضعة لا تدرّ ارباحاً على الأغلب، ولكنها ممولة بشكل جيد، ويدير فريقاً من ستة صحفيين بعمره أو أكبر منه وثلاثة من الفنيين وعامل خدمة واحد، يكتب أشياء جميلة، ويدون على مسجلته الديجتال يومياته المثيرة التي يعرف أنها ستكون مهمة في المستقبل. يقيم في فندق مكيف ونظيف، يسهر مع شباب متنعمين فكهين يحبون إلقاء النكات وترديد الأغاني، ويشرب معهم من افخر الخمور ويأكل من اطيب المأكولات. ويحتضن في فراشه كل خميس أو جمعة جسد فتاة شابة حتى الصباح.

انه يشابه الآن انموذجه علي باهر السعيدي كثيراً، حتى انه انتبه ذات يوم وهو يجلس وراء مكتب السعيدي ويحادث زملاءه في المجلة أنه يمسك بسيجار بيده وكأنه يمسك بقلم غليظ بالطريقة ذاتها المميزة عند السعيدي. ويرصّع كلامه كثيراً بمفردتيّ «عزيزي» و«صديقي» التي يرددها السعيدي نفسه بطريقة تشعر المقابل بأن كل الناس أصدقاؤه وأعزّاؤه.

لكنه لا يشبه السعيدي، يخبره صوت ما في رأسه، لا يشبهه كثيراً على الأقل. السعيدي يملك ثروة لا يعرف أحد حجمها ومصادر دخل متعددة، وما هذه المجلة إلا واجهة لا يوليها الكثير من العناية وليست على رأس أولوياته. بينما محمود متعلق بمرتبه الذي يقبضه من السعيدي، واذا انقطع هذا المرتب فسينهار كل شيء فوق رأسه.

قبل أن ينتهي نهار عمله في المجلة رنّ هاتف السعيدي المربوط على الشاحن الكهربائي. رفعه وشاهد اسم المتصل على شاشة التلفون (٦٦٦). شعر بأنها تطفو بسرعة من أعماقه المحتشدة بالعديد من الأشياء لتكون أمامه مباشرة:

ـ ألو . .

ـ . .

ـ لا تصير مراهق . . . اني أعرف منو انته . . وباهر مسافر لبيروت . . جاوبني .

الفصل الثاني عشر
في زقاق ٧

ــ ١ ــ

نظر أبو أنمار، وهو يقف على الرصيف، الى الجهة الثانية من الشارع، وبالذات الى مكتب دلالية الرسول الذي يقابل فندقه تماماً وداهمته موجة من الغم. كان فرج الدلال قد وضع لوحة تعريف جديدة مصنوعة من الفليكس أعلى مكتبه، وفهم أبو أنمار ان هذه دلالة على حالة من الازدهار يعيشها فرج الدلال، اما في الضفة الأخرى حيث يقف أبو أنمار بدشداشته بيضاء اللون وهو يحمل كاسة الشاي بيده فإن الصورة كانت معكوسة، ولا يفهم أبو أنمار سر التداعي المتلاحق لوضعه وعمله في الفندق، فهو لم يحظَ بأي زبون فعلي منذ شهر أو أكثر، سوى زبونيه الدائمين؛ وهما رجل عجوز انقطعت به السبل منذ سنوات عديدة وصار يعوّض عدم قدرته على دفع الايجار بالقيام بأعمال خدمة داخل الفندق، ثم ذلك الرجل الجزائري المتعرقن الذي يستمتع بحياة متقشفة شبه صامتة على مدار اليوم، ويعتاش فعلياً على مطبخ الخيرات في الحضرة الگيلانية في منطقة باب الشيخ المجاورة وحضوره الدائم الى حلقات الذكر والأوراد في ضريح الباز الاشهب كل اسبوع. حتى حازم عبود لم يعد يحضر إلا بين وقت وآخر من أجل تصوير الشرفات المنهارة وطبقات

٢٠٣

الاصباغ المتقشرة عن الجدران بفعل الرطوبة، ويتخذ زوايا من الطوابق العليا لتصوير الشارع في الأسفل أو التقاط لحظة خاصة لنساء كلدانيات يتجهن الى كنيسة «العائلة المقدّسة» داخل البتاويين، أو أطفال يلعبون الكرة في أوقات حظر التجوال. قد يجلس ليشرب الشاي مع أبو أنمار ويتحدثان عن الأوضاع العامة وما سيقومان به كلاً على حدة في الأيام القادمة، ولكنه انقطع عملياً، منذ مجيء الصيف، عن المبيت داخل الفندق. وفي آخر زيارة له ابلغه أبو أنمار، بشيء من الحماسة، انه يعمل على تجديد الفندق واعادة تأهيله. لم يسأله حازم عن مصدر الأموال التي سينفقها في سبيل مشروع مثل هذا، كان مشغول الذهن بأشياء كثيرة على ما يبدو ولكنه استبشر بهذا الخبر الذي سيعيد النضارة لحياة صديقه العتيق مثل فندقه.

شاهد حازم عبود فراغ العديد من غرف الفندق من الآثاث، وفهم ان هذه الخطوة الأولى الطبيعية لمن يسعى لتجديد فندق هَرِم ذي جدران متآكلة وآثاث منخّر وقديم. لم يخبره أبو أنمار بالمشقة التي عانى منها أثناء تفاوضه مع هادي العتاگ في سبيل الحصول على مبلغ جيد لقاء قطع الآثاث المتهالكة التي نجح في التخلص منها. هذا العتاگ القبيح ذو الفم المفتوح على ثرثرات لا تنتهي تشبه الهذيان وأكاذيب تصيبه بالصداع، هذا العتاگ اللعين غدا منظم التفكير ذا حجة بليغة وهو يحاول حسم أسعار قطع الآثاث قطعة قطعة. ولو كان لديه بديل لركله خارج باب الفندق ولما رضخ لمساوماته المزعجة والمؤلمة لكرامة شخصٍ بدأ يبيع قطع روحه وكيانه بالتجزئة.

الشيء الذي لم يعرفه حازم عبود أن أبو أنمار ليس بصدد إعادة الحياة لفندقه القديم، انه غير قادر، في واقع الحال، على تجديد الكاربت الذي في صالة الاستعلامات، أو الطاولة الخشبية المتآكلة التي

يجلس وراءها عادة. لا يستطيع تبديل زجاج نافذة واحدة، أو اصلاح الاعطاب المزعجة والمؤلمة في مواسير المياه أو الصرف الصحي. لا يستطيع شراء زجاجة معطر جو واحدة لتغييب رائحة العطن والعفونة وخمة الهواء المشبع برطوبة الجدران، والتي غدت مزيجاً مميزاً لأجواء الفندق من الداخل، خصوصاً مع ارتفاع درجات الحرارة.

انه يتخلص من اثاث فندقه من أجل أن يستمر في العيش. من أجل أن يأكل لا أكثر ولا أقل، وكرامته وذاكرته المشحونة بالصور الزاهية عن فندقه وعلاقاته بزبائن مميزين وكرمه وبذخه على الآخرين في سنوات ماضية، تمنعه من ان يفشي أي شيء عن كارثته الاقتصادية التي يمرّ بها حتى لأقرب أصدقائه. سيحاول فعل شيء ما لانقاذ نفسه. لا يعرف ماذا سيفعل، ولكنه مستعد للقيام بمغامرة أو مجازفة ما ان تطلب الأمر. لا بد ان يظل واقفاً على قدميه، ولا يحوّل نفسه الى هزأة وأضحوكة للآخرين، خصوصاً لهذا اللعين ذي الشاربين واللحية الحمراء الجالس وراء ميزه الصقيل خلف واجهته الزجاجية النظيفة داخل مكتبه المكيّف، ويطلّ عليه صباح مساء عبر الضفّة الأخرى من الشارع.

— ٢ —

استقدم هادي العتاگ شاباً صغيراً يسكن في محلة باب الشيخ ويملك عربة خشبية يجرها حصان الى فندق أبو أنمار وحمل آثاثه المتهالك. كانت الكراسي المصنوعة من الحديد والمبطنة بالاسفنج والجلد الأحمر هي التي درّت عليه مبلغاً جيداً، اما الآثاث الخشبي فباعه بصعوبة وبقيت عشر خزانات للملابس مرصوفة على أرضية حوشه تتآكلها الإرضة وتحتاج الى تنظيف واعادة صبغ وشغل كثير قبل

عرضها من جديد للبيع في سوق الآثاث المستعملة. الأمر ذاته ينطبق بدرجة ما على سيراميك المغاسل والمرايا الشاحبة، فهناك من سخر منها ووصفها بأنها تعود الى العهد الملكي. ولكنه باعها. لا يمكن لك ان تفهم الأسباب التي تدفع بعض الناس لشراء مثل هذه الأشياء. ولو عرف أبو أنمار المبلغ الاجمالي الذي حصل عليه هادي العتاگ من بيع آثاثه لأصيب بأزمة قلبية أو تعارك معه على الأقل.

كان هادي، ومنذ ان انقطع «الشِسْمه» عن زيارته، قد استعاد ذاته القديمة شيئاً فشيئاً حتى وصل الى صورة متطرفة من هذه الذات التي يعرفها الجميع. وهناك من لمس انه يدفع صورته القديمة الى حافات أبعد من ذي قبل، وكأنه يحاول تعويض خموله واختفائه بعيداً عن الناس خلال الأشهر الماضية. لمس صديقه عزيز المصري هذا الأمر، ورغم أنه مازال قادراً أن يضحك على نكات وطرائف هادي «الكلاوچي»، إلا انه لا يفهم لماذا بات يزج شخصيات سياسية واسماء لأناس يظهرون في التلفزيون في هذه الحكايات.

لقد استعاد الحيز الذي كان يحدده برائحته الشخصية. لا يمكن تحمل شخص ما في الصيف اللاهب برائحة جسد يتعرق منذ أيام، بالإضافة الى رائحة خمر قوية خلال النهار، سوى هادي الذي يخلط هذا الحضور القوي بالرائحة مع حضور آخر من فمه المفتوح على ثرثرات لا تنتهي. ومن يجلس على مسافة من حيزه الشخصي والذي يتحدد عادة بالتخت الذي يجلس عليه لوحده متكئاً على الحائط ومجاوراً للواجهة الزجاجية الكبيرة لمقهى عزيز المصري، ويستجيب لاغراء الاحاديث الغنية بالتفاصيل فإنه يتعود على رائحة هادي. يتشبع بها فتغدو اخف وطأة أو كأنها غير موجودة.

يتكئ هادي على ظهر التخت الطويل ويسرد حكاية جديدة عن

لقائه مع رئيس الجمهورية وسط زقاق في الجادرية ليلة أمس. كان الرئيس في سيارة مارسيدس سوداء مصفحة حين مر بجوار هادي. توقفت السيارة ونزل السائق ببدلته الزرقاء الداكنة وهرول الى الجهة الثانية ليفتح الباب للرئيس السمين بشكل مفرط. أنزل الرئيس قدمه اليمنى على الرصيف وبقي جسده محشوراً في المقعد الخلفي للسيارة وصاح على هادي الذي تجاهل وقوف السيارة وظل مستمراً في السير مع كيس جنفاص يحوي «قواطي» مشروبات غازية وكحولية.

ـ هادي.. هادي.

ـ نعم سيادة الرئيس.

ـ ما تجوز من سوالفك.. بطّل تحكي علينه.. ما بينه حيل الناس تسوي ثورة ضدنا.

ـ شسويلك سيادة الرئيس.. اشتغلوا عدل واني ما أحكي عليكم.

ـ هسه ما تجي وياي؟.. تعال خلي نتفاهم. خوش مسويلنه عشه بالمنطقة الخضراء.

ـ لا سيادة الرئيس.. اني مو جوعان.. بس أذا اكو عرگ أجي. انته مو تشرب عرگ سيادة الرئيس؟

ـ عيب.. اني اشرب ماي مقطّر. انته ما تجوز من سوالفك هادي.

أغلق الرئيس وهو يضحك باب السيارة واندفعت بسرعة على إسفلت الزقاق ثم اختفت.

كان البعض يضحك من هذه المشاهد الصغيرة التي يطعّم بها كلامه. ويكتفي البعض الآخر بالصمت استهجاناً أو عدم فهم. ولم يكن كل هذا مهماً، فبالنسبة للصورة النمطية لهادي أنه يرتاح لمجرد

الثرثرة، ولا شأن له ببرود الأفعال. كان يحوّل أي شيء يمر به خلال اليوم الى خميرة لقصة جديدة، وربما كانت حكاية الرئيس نابعة من مجرد سيارة مصفحة سوداء اللون مثيرة للريبة مرقت بجواره.

كان البعض يجلس أمامه أحياناً ويطلب استكان شاي ثم يسأله عن قصة «الشِسْمه»، فلا يتردد عن سردها مرة بعد أخرى ولكن، مع إضافة تفاصيل جديدة تشوّه الحكاية المعروفة التي ظل منذ أواخر الربيع الماضي يعيد رويها على مسامع جلاسه. ولقد وضع أمامه أحد الأشخاص ذات مرة عدداً من مجلة «الحقيقة» على غلافها صورة للممثل الأميركي روبرت دي نيرو مشوّه الوجه، وفي بعض صفحاتها سرداً لحكاية العتاگ مع الشِسْمه مع اضافات لم يروها هادي سابقاً. لم يرد اسم هادي في القصة، ولكن عزيز المصري وبعض رواد المقهى يعرفون محمود السوادي الذي كتب هذه القصة، ويعرفون انه استقاها من هادي نفسه. وها هو الآن يقلّب صفحات المجلة من دون أن تبدو على ملامحه اليابسة والمتغضنة اي ردة فعل أو شعور بالمفاجأة. إنها تفاصيل لفقها هذا الصحفي. قال لهم ذلك في رده على الاضافات الجديدة في قصته.

شعر بشيء من عدم الراحة، وكأن هذا الصحفي استغلّه. كان لقاؤه الأخير معه هو في ذلك اليوم الذي ارجع فيه مسجلة الديجتال إليه، ووعده بأنه سيخدم قضية الشِسْمه وينصفه، وبعدها اختفى من المنطقة تماماً، وبعدها بيومين كان هادي على موعد مع زيارة اخيرة من «الشِسْمه» أيضاً. جاءه الى بيته ليلاً ليخبره بما جرى من حرب اهلية بين اتباعه وان الأميركان عاودوا تطويق المنطقة التي كان يقيم فيها، وحاولوا إلقاء القبض عليه أكثر من مرّة بمساعدة فرقة مهمات خاصة تابعة للاستخبارات العراقية، واضطر بعدها الى التنقل بين أماكن

متعددة ولا يقيم في مكان واحد لأكثر من يوم، أما هذه القصة التي كتبها الصحفي عنه في المجلة فلم تخدمه كثيراً. انها اظهرته كأكذوبة من خيال عتاگ مريض.

انه يبحث عن مؤمنين يسهلون عمله، ولا يسخّرون ايمانهم به لرغباتهم وحاجاتهم، كما فعل المجانين الثلاثة واتباعهم، ولا ان يتحول الى مجرد خرافة كما فصّل الصحفي في مقالته السيئة. وعده هادي بأن ينقل هذا الكلام الى الصحفي حين يراه، ولكن الشِسْمه رد عليه بأن هذا لم يعد مهماً. الأمور أصبحت اعقد من ذي قبل، ولن ينفع معها كلام صحفي مغمور في مجلة بين سيل من المجلات والجرائد والمطبوعات التي تنشر يومياً أشياء تجرّمه وتتهمه بكل ما حصل ويحصل في العراق من كوارث.

ـ لا بأس ان تحذّره لكي لا يكرر اساءته لي. أنا الآن اقتص ممن يسيئون لي بصورتي الإجمالية، وليس لمن يسيء الى مكوناتي فقط.

قال له ذلك وكان هذا اخر عهدٍ لهادي بصنيعته الشِسْمه ولم يره بعد ذلك أبداً. وفي المساء الذي روى فيه هادي حكايته مع رئيس الجمهورية، كانت صورة الشِسْمه قد غدت باهتة في ذهنه، رغم أنه يعرف ان المجرم الكبير الذي يبحث عنه الأميركان والشرطة العراقية والذي تظهر إعلانات دائمة عنه في التلفزيون هو نفسه صاحبه الشِسْمه. ولكن عملية الربط بين الشخصين لا تجري إلا في ذهنه وربما في ذهن الصحفي محمود السوادي، وتجري بشكل مؤكد في ذهن شخص آخر يحمل سيجاراً داكناً ويجول في مكتبه العريض مستغرقاً في تفكير عميق يخص مصيره ومصير مهنته والوسائل التي يجب اتباعها من أجل إلقاء القبض على مجرم خطير مثل الشِسْمه أو «الذي لا اسم له» كما قال ذلك المتنبئ ذو اللحية المدببة.

هذا الشخص القلق والمتوتر هو العميد سرور مجيد، الذي أرسل ضابطيه «الورديين» مع بعض المساعدين الى بيت هادي العتاگ للتحقيق معه وانتزاع الاعترافات منه بالقوة ان تطلب الأمر. فإما ان يدلهم على طريقة لإلقاء القبض على المجرم الخطير، أو يكون هادي نفسه، كما يخمّن العميد سرور، مثل كلارك كينت في سوبرمان، هو صورة التخفي التي يعيش تحتها المجرم الرهيب والخطير.

ـ ٣ ـ

في الوقت الذي كان يتجه فيه «الضابطان الوردیان» بسيارتهما الجي أم سي يوگن السوداء الى بيت هادي العتاگ، كان فرج الدلال جالساً وراء ميزه في مكتب الدلالية يراقب المارة في الشارع أمامه، ويراقب بحذر وانتباه الباب المرتفع عدة درجات عن الشارع لفندق العروبة. لم يكن يرغب بقطع الخطوات العشرين بين مكتبه وهذا الفندق ليدخل على أبي أنمار ويفاجئه بعرضه. لم يكن يحتاج لذلك، لقد حفظ خطوات أبو أنمار كلها، وهو في هذا الوقت من العصر يخرج من الفندق عادةً. يتركه لحاله دون قفل أو حراسة من أحد ويتجه الى بيت ادوارد ليشتري مؤونته الليلية من العرق، ثم يشتري جبناً وزيتوناً وكيساً من الصمون وبعض المقبلات والمأكولات الخفيفة. يعرف فرج الدلال خطوات غريمه وجاره جيداً، وهو يعرف الضائقة المالية التي يمرّ بها. لا يعمل الكثيرون في خدمة فرج الدلال سدى، هناك من ينقل له ما يجري حوله من أمور ومستجدات.

وها هو أبو أنمار يخرج من باب فندقه، يستدير بجسده الضخم ليغلق الباب ثم ينزل بخطوات بطيئة على الدرجات الثلاث التي تفصل بين فندقه والرصيف. يعدل الغترة فوق كتفيه، ويسير محركاً مسبحته

ذات الخرز الكبيرة اللامعة على شكل مروحة حول كفه السمينة. وقبل أن يجتاز «مكوى الاخوين» المجاور لفندقه كانت هناك كفّ تمسّ كتفه. التفت فوجد فرج الدلال بلحيته الحمراء الكثة يبتسم له.

هذه المسافة الضيقة بينه وغريمه اللدود اربكته. شاهد لأول مرة شامتين كبيرتين على وجه فرج الدلال؛ الأولى عند اصل حاجبه الايسر وتبدو منتفخة والثانية فوق شاربه الخفيف تماماً.

ـ خلص شغلاتك ومن ترجع عود تعال اشرب شاي يمي.

قال فرج الدلال بسرعة مختصراً هذا الموقف المفاجئ والغريب.

ـ ان شاء الله.

رد عليه أبو أنمار، وهو يحرك مروحة المسبحة بقوة أكثر، مع هزة من رأسه لتوكيد موقفه. افترق الرجلان. خطا أبو أنمار بخطوات أسرع على الرصيف وكأنه يريد الابتعاد من جديد عن فرج الدلال والمحافظة على المسافة القديمة بينهما، بينما عاد فرج الى مكتبه وهو يحك ذقنه اسفل حنكه ويبدو نشطاً ومرتاحاً. وكيف لا يكون نشيطاً. لقد صفع نهار اليوم شاباً نحيلاً مشعث الرأس ولديه سكسوكة مثل لحية الماعز. صفعه بكفه وجعله يلتف على نفسه لمرتين قبل أن يقع على الأرض. حتى ان بعض الشباب الواقفين رفعوا هواتفهم المحمولة ليصوروا المعركة التي بدأت، ولكنها معركة بدأت وانتهت مع هذه الصفعة الخرافية. كان الشاب هو أحد اعضاء جمعية الدفاع عن البيوت التراثية، وكان يصور في زقاق ٧، ودخل على أم دانيال التي فتحت له الباب ورحبت به واعطته شاياً، حسب رواية أم سليم البيضه. وكان هناك من ركض مسرعاً ليخبر فرج الدلال، الذي نهض من فوره مسرعاً الى الزقاق، ليجد هذا الشاب يطل برأسه من بيت أم دانيال ثم يخرج كاميرته الكانون ليشرع في تصوير شرفات الشناشيل في بيت أم

سليم البيضه. التقط صورتين أو ثلاثاً قبل أن يطل أبو سليم برأسه في مربع النافذة في الطابق الثاني وينظر باستغراب وملامح جامدة الى هذا الشاب ذي لحية الماعز. التقط الشاب صورة إضافية للعجوز وكأن هيأته عززت الملمح التراثي في هذا البيت العتيق. ولم يستطع التقاط صورة خامسة أو سادسة. التفت الى يساره أثناء شعوره باقتراب شخص ما منه، وشاهد وجه فرج الدلال الغاضب وعرفه على الفور، ثم جاءته الصفعة المدوية التي انسته خلال الدقيقة اللاحقة، الشيء الذي جاء من أجله اصلاً.

كان الموضوع قد تجاوز، بالنسبة لفرج الدلال، حدود التهديد بالكلام والتحذير. وكان الشاب النحيل يعرف ذلك أيضاً، وحين أحاطه شباب مجهولون، وهم من مساعدي وأعوان فرج الدلال في الحقيقة، وقاموا بانهاضه والطلب منه مغادرة المكان تجنباً لجنون فرج الدلال، كما أدّعوا أمامه، فإن الأمر كان منتهياً بالنسبة له. ربما تكون الخطوة اللاحقة رصاصة في صدره. دفعه الشباب المجهولون دفعاً لكي يهرب. شجعوه على الركض. خطا مسرعاً وظل يلتفت الى الوراء، وشاهدهم وهم يلوحون له بأن يبتعد، بينما قام بعضهم بتكتيف فرج الدلال لمنعه من الافلات وراء الشاب المسكين الذي شاهد كل هذا فتشجع ليخطو بسرعة أكثر حتى وصل الى الركض فعلاً واختفى في عطفة شارع السعدون بلمح البصر.

أفلت الشباب فرج الدلال فنفض ملابسه وعدل من العرقشين على رأسه والتفت فشاهد أم دانيال تنظر من فتحة الباب الغائرة في الحائط بجواره. كانت شاحبة الوجه ذابلة الملامح واقرب الى هيئة شبح منها الى امرأة عادية. رفع فرج يده وهزها أمام وجه المرأة الشبح:

ـ ما تموتين وتخلصيني؟.. عمر تفگة رب الحلو..

عاد فرج الدلال الى مكتبه وظلت الصفعة التي طبعها على خد
ذلك الشاب الهزيل والمسكين تدوي في الزقاق. شاهدها أبو سليم من
نافذته على شرفة الشناشيل في الطابق الثاني، وشاهدها آخرون كثر،
وانتشر صداها سريعاً في المنطقة خلال ساعات وجيزة. وحين عاد
خبر الصفعة الى صاحبها، كان يشرب الشاي الداكن مع سكر اضافي
ويقلّب بالريمونت قنوات التلفزيون أمامه بحثاً عن الأخبار، ربما على
وقع أخبار السطوة والهيبة التي فرضتها صفعته المدوية بين الأهالي هذا
اليوم، والتي زادته نشاطاً وزهواً.

بعد أقل من ساعة عاد أبو أنمار الى فندقه وهو يحمل اكياس
تسوّق سوداً. ربما نسي موعده مع فرج الدلال أو تجاهله. صاح فرج
على عامل صغير لديه وأرسله الى فندق «العروبة» لكي ينبه الرجل على
ضرورة المجيء الى مكتب الدلال.

كانت تلك هي المرة الأولى وستكون الأخيرة التي يدخل فيها أبو
أنمار الى مكتب فرج الدلال. لم يكن يعرف انه بهذه الفخامة والاتساع
من الداخل حتى دخل إليه. ثلاث لوحات كبيرة مؤطرة باطار خشبي
سميك للمعوذتين وآية الكرسي كتبت بالحفر على النحاس. مع
جداريتين كبيرتين خلف واجهة زجاجية للحرم المكي والمسجد النبوي
تتقابلان على الجدارين العريضين فوق المقاعد والأرائك الوثيرة التي
تشكل مع مكتب الدلال الفخم مربعاً ناقص ضلع. أرضية من
السيراميك الصقيل واكسسوارات كثيرة، مع وسائد ومنفضات زجاجية
ملونة وشجرة نسب خضراء زاهية على الجدار على يمين فرج الدلال
تربطه وإخوته بأحد الاجداد المقاتلين في ثورة العشرين. وفي الخلف،
وراء كرسي الدلال الجلدي، قاصة حديد رصاصية اللون، ومكيف
هواء يضرب نسماته الجليدية بصمت على الوجوه والايادي العارية.

٢١٣

كان أبو أنمار مضطرباً، ومشاعره تتماوج ما بين الأسى لبهرجة وثراء غريمه واستسلامه لهذه المؤثرات الحسية التي نتجت عن دخوله الى مكتب دلالية «الرسول» لأول مرة.

وضع عامل الخدمة الصغير استكان شاي أمام الضيف واخر أمام فرج الدلال، ومع صوت طرق الملاعق تكلم فرج الدلال من دون لف ودوران:

ـ أبو أنمار انته عزيز علي، وابو مصلحة وتعرف الشغل، واني حتى ما أطوّل عليك السالفة أريد نشتغل اني وياك.

ـ خير انشالله..

ـ خير خير.. اني جاي اشوف وضعية الفندق مالتك تعبانة كلش.. وحاله واگف وحرامات..

ـ انشالله راح اصلحه واعيد ترميمه من جديد.

ـ بيش تصلحه يا أبو أنمار... انته منين لك..

ـ الله كريم...

ـ اي الله كريم، آمنتُ بالله.. هسه السالفة مو مال خجل ومستحه ياخويه يا أبو أنمار... اني ادري بيك ما عندك ولا قمري... اني اخوك لا تخجل مني... القصد.. أريد ندخل شركاء اني وياك. اني اتكفل بتصليح الفندق وتأثيثه ونصير شراكة بالنص... شتگول؟!

ـ ٤ ـ

ـ انتو منين؟

ـ احنه من مديرية المرور العامة.

رد «الضابطان الورديان» بأدب على سؤال هادي العتاگ وهو

جالس على سريره وسط الحوش مع انحدار الشمس الى المغيب. كانا، مع ثلاثة منتسبين آخرين، قد اقتحموا بيت هادي بدون استئذان وتركا سيارة الجي ام سي يوگن السوداء مع سائقها في مدخل الشارع التجاري بالبتاويين، قريباً من مقهى عزيز المصري.

ـ اي.. بس اني صارلي سنتين ما عندي مخالفات مرورية... ووو... وبعدين اني اصلاً ما عندي سيارة.

ـ جاي تصنف حضرتك؟

رد أحد الضابطين الورديين مع نظرة حادة جعلته، مع لفافة الضماد السميك حول الرقبة، بهيئة مضحكة وغير مخيفة. ولم يعرف هادي ان هذا الضابط بالتحديد هو من حاول «الشِسْمه» ازهاق روحه في ليلة المطاردة الرهيبة تلك. وهو يحاول الآن على ما يبدو، بنظراته التي يتطاير منها الشرر، ان يتأكد من هوية العتاگ وهل كان بالطول ذاته والبنية الجسمية ذاتها لذلك الوحش الذي كاد ان يجهز عليه. أمسك به من ذراعيه وتحسسهما، ولكن البنية الهزيلة لهادي والملمس العظمي لذراعيه شوشت على الضابط ذي الضمادة السميكة. لا يمكن أن يكون هذا العجوز النحيف بتلك الخفة الكافية للهروب السريع والصراع المتوحش بالايدي. إلا انه غير متأكد تماماً.

ـ صاير بطل وتقاوم الأميركان.

ـ آني عتاگ... شوفو هاي الآثاث..

أشار هادي بيده الى الخزانات الخشبية العشر المرصوفة بشكل متجاور على الجدار والتي أخذها من فندق «العروبة» ولم يقم حتى الآن باصلاحها أو اعادة صبغها.

ـ أي طبعاً.. قابل تفتح محل «الاخوين لخدمات الإرهاب والتفخيخ والاغتيال بالكاتم».

ـ كاتم؟!

ـ أي. . غشّم روحك.

تركاه واندفعا لتفتيش غرفته، وصفعتهما رائحة عفونة قوية منعتهما من الدخول الى عمق الغرفة. كانت الأغراض متراكمة فوق بعضها البعض مع تل صغير من علب بيرة الهنيگن في زاوية الغرفة واحذية ونعل كثيرة واباريق نحاسية وأخرى من الالمنيوم أو البلاستيك وطاولات خشبية مكسورة الارجل وملابس وريش حمام ودجاج واغطية وبطانيات حائلة اللون تفوح منها رائحة حادة مع طباخ وقنينتي غاز وبرميل بلاستيكي مملوء بالنفط وخزانة مليئة بالبصل والثوم وعلب ألبان فارغة وقواطي معلبات اسماك وبقوليات. كانت الغرفة اشبه بقبر لذا سارعا للخروج منها وطوقا سرير هادي العتاگ من جديد واستأنفا الأسئلة حول الجرائم التي يرتكبها في شوارع بغداد واحيائها ويتم نسبتها الى شخص خرافي خيالي مجهول اسمه «الذي لا اسم له».

كان تمثال آيقونة العذراء الجبسية وهي تفرد ذراعيها بحركة سلام مع تشطيبات لونية باهتة على ردائها المسبل الى الأسفل قد اثارت الضابطين.

ـ أنته مسيحي؟

ـ لا. . اني مسلم.

ـ لعد شنو هذا التمثال مال مريم العذراء؟

ـ ما ادري. . جانت صورة مال آية الكرسي فوگاها. . انشگت الصورة وطلع هذا التمثال.

ـ والله انته سالفة. . . وتاليتك راح تروح بيها.

قال الضابط ذو الضمادة الطبية حول الرقبة مهدداً هادي، لكن

هادي احتفظ باسترخائه. كان يشعر بأن هذه اللحظة قادمة لا محالة. وكل ذلك بسببه، بسبب لسانه الطويل الثرثار، وبسبب أكاذيبه المسلية لجلاس مقهى عزيز المصري، وها هم هؤلاء من مديرية المرور يحققون في جرائم لا يعلم شيئاً عنها، ويسألونه عن شخص خيالي في قصة خيالية اختلقها من أجل متعة من يجلس بجواره ومن أجل أن يغدو أكثر شعبية بين الأهالي وحتى يحبوه ويعطفوا عليه.

ـ انته من كل عقلك.

رد بشجاعة مفاجئة، واكمل:

ـ يا جثة يا شسمه؟.. يعني انتو هسه مسوين فلم رعب علي علمود سالفة كذابية.. حكي مقاهي؟

ـ لك.. لا تصير لوتي علينه... لا بالله العظيم هسه اعجنك عجن.

هدد ذو الضمادة الطبية، فأمسك الضابط الوردي الثاني بذراعه ليهدئه، وليتسلم منه دفة التحقيق. استمرا بالدوران حول سرير هادي العتاگ وتوجيه الأسئلة له حتى بعد ان حل الظلام وغطست ملامح الجميع في العتمة. صارت الأصوات أكثر حدة، ودفعته الايادي المجهولة على السرير أكثر من مرة. ثم ضربه أحدهم على وجهه بصفعة حادة فهوى على الأرض وارتطم رأسه ببلاطة سليمة من بلاطات الأرضية المخلعة والمكسرة. ثم شعر بأن التحقيق المهذب الذي كان يجري بالكلام والأسئلة حتى تلك اللحظة قد اتخذ منحى آخر. منحى مألوف يجري في كل مراكز الشرطة العراقية ويسمع هادي كثيراً من قصصه من الآخرين. تم رفعه من ذراعيه من قبل شخصين من المرافقين، وبدأ الضابط الوردي ذو الضمادة حول الرقبة يوجه لكمات مسعورة الى بطن هادي. استمر الأمر لدقيقتين من النزال

أحادي الجانب. ومع شعور هادي بالآلام الحادة في عضلات بطنه كان يشعر بالغثيان والرغبة بالتقيؤ. كان الضابط الوردي الهادئ يحاول إمساك زميله الغاضب، وهو غضب سبّبه، على الأرجح، الهزيمة التي مني بها في تلك الليلة الليلاء على يد المجرم الهارب.

لم تتوقف اللكمات حتى دفع هادي بقيئه من الخضار والفاصولياء التي أكلها ظهراً مع علبتي بيرة هنكن شربها قبل دخول المحققين عليه بساعة، ولوث بهذا المزيج ذي الرائحة الكريهة ملابس الضابط الغاضب. تراجع الضابط الى الخلف قافزاً عدة خطوات وهو يشتم ويلعن. وأفلت الشبحان اللذان كانا يمسكان بثبات بذراعي هادي، وتركاه يسقط على الأرض لإكمال قيئه.

توصل الضابط الهادئ بعد ساعة من ذلك وداخل العتمة اللامعة بجمرات سجائر زملائه ان هذا العتاگ مجرد كذاب عجوز شبه مخبول وعديم الأخلاق، مع احتمال ان يكون يغطي على مجرم فعلي لا يريد الكشف عنه، وشعر بأن اقتياده الى مركز شرطة أو هيئة تحقيق اعتيادية سيضر بملف القضية التي يحققون فيها، فهناك لن يكون من مجال للخرافات والأساطير واحاديث العجائز الخرفين. سيطلقون سراحه بسرعة أو يبعثونه الى الأميركان ليغطس في بحيرة هائلة من المعتقلين متنوعي القضايا والاتهامات ويضيع بعدها ويضيع طرف خيط مهم في قضية المجرم الذي لا اسم له.

كان قراره السريع بأن يترك هذا العجوز السكير في مكانه ولا يكررون هذه الزيارة أبداً، مع ترك بضعة أشخاص يراقبونه عن بعد، لرؤية من يزوره أو يلتقي به. يجب أن يشعر بالطمأنينة وألا يخشى مراقبتهم. يجب أن يطمسوا هويتهم أكثر فأكثر في ذهن هذا الرجل. يضعون عليها غلالة من التشويش.

فتح مرافقو الضابطين مصابيح بطارية قوية وأناروا المكان. كان هادي نائماً على ظهره فوق أرضية الحوش، ولا يبدو انه قادر على النهوض والانتباه لأي شيء بسبب الالم الشديد في بطنه والدوار الذي سببه القيء الشديد الذي قلب أحشاءه منذ قليل.

فتش الضباط المكان من جديد. وجدوا نقوده القليلة، التي ربحها من بيع آثاث أبي أنمار في سوق الهرج، في علبة زجاجية للقهوة داخل ميز الطعام وخلف اكوام البصل. وضعها الضابط الهادئ في جيب بنطلونه، ثم رفع بعض الأشياء لا على التعيين. أخذ طاولة مصنوعة من الحديد والخشب. وحمل آخرون قطع آثاث وأنتيكات متنوعة؛ ثريا زجاجية مهشمة، ساعة جدارية خشبية مستطيلة الشكل ذات نافذة مع رقاص كبير، ووجد أحد المساعدين، بعد ان تجرأ ودخل في عمق الغرفة، طقماً من الصحون في صندوق كارتوني. صحون عليها صور للملك غازي والملك فيصل الثاني وأخرى عليها صورة عبد الكريم قاسم والمحطة العالمية للقطارات وبعض المناظر التاريخية والطبيعية. حمل الصندوق الكارتوني الثقيل وخرج به وفتحه أمام زملائه وهو يشعر بالظفر.

تصرفوا مثل لصوص، وأراد الضابط الهادئ ان يزيد من كثافة التشويش فوجه تحذيراً الى هادي:

ـ هذا التمثال مال العذراء حرام. . . تفتهم. . . انريدك تفلشه هسه بيدك.

سلط ضوء المصباح القوي على وجه هادي وشاهده يحرك شفتيه. اقترب منه واعاد عليه طلبه الحازم، فحرك هادي شفتيه مرة ثانية بصعوبة:

ـ ما أگدر . . . ما أگدر .

ـ ليش ما تگدر؟ . . . ما تريد يعني؟

ـ لك مصاريني اتشلعت . . نعله على ابهاتكم . . ما أگدر أگوم .

وجه الضابط الغاضب ركلة جديدة الى بطن هادي جعلته يقطع النفس تماماً . ذهب أحد المساعدين الى داخل الغرفة ووجه باخمس مسدسه عدة ضربات قوية للتمثال المحفور داخل الحائط فقطع رأس العذراء ولكن التمثال لم يتزحزح من مكانه أكثر . وجه هذا المساعد ضوء مصباحه على التمثال ليرى نتيجة الضربة ، وشعر بالخوف والرهبة وهو يرى المرأة تفرد ذراعيها بسلام ولكن دون رأس . شعر بأنهم يبالغون في تأثيث غطاء التشويش على هذا المتهم .

ولم يبد ان المهمة الرسمية انتهت عند هذا الحد ، فقبل أن يخرجوا أراد الضابط الغاضب ذو الضمادة الطبية حول الرقبة ان يطبق الاختبار الأخير على هادي العتاگ ، وهو ذات الاختبار الذي استخدم مع القبحاء الأحد عشر الذين اعتقلوا من البتاويين في ذلك النهار . كان هادي قبيح الشكل أيضاً بنظرهم ، بلحيته المفرقة على فكيه وحنكه وعينيه الجاحظتين ، وانفه المكسور من المنتصف والمتدلي فوق شفتيه الدقيقتين .

قام المساعدون بتعرية جسد هادي تماماً ، وتم فحصه بالمصابيح لرؤية غرز الخياطة على جسده أو أية آثار لجروح أو عمليات خياطة . ثم أخرج الضابط الغاضب مدية صغيرة بطول الاصبع مصنوعة من النيكل الحاد ، وسارع ، دون أن ينبه زميله الوردي الآخر ، الى غرزها في زندي هادي ثم خاصرتيه ثم فخذيه . صاح هادي جراء الالم الهائل الذي شعر به ، ولكن الضابط أنهى اختباره ، وانتظر ان يرى تدفق الدم من الجروح الصغيرة التي صنعها . تلوى هادي في مكانه وتدفق دمه

الأسود لزجاً على أرضية الحوش . اندفع بدفقات صغيرة ثم توقف وتجلط . كان دماً أسوداً . تحسسه الضابط الغاضب باصابعه ولم يتحرك زميله الذي ظل مأخوذاً بحالة الاشمئزاز التي اعترته . لماذا يفعلون هذا؟ انهم غير معنيين بهذه التفاصيل . انهم جامعو معلومات ، لماذا يطعنون أحداً ما من أجل المعلومات؟

كان صوت ما في ذهن هادي ، وسط موجات الالم المتتابعة التي غاص بها ، يخبره ان الأمر سيجري كما في افلام الاكشن الأميركية ، سيظهر بطله الخارق فجأة من فوق السطح بكتلته الداكنة ، لينزل وبسرعة خاطفة يُسقط أعداءه بضربات قوية من يده وينقذ صديقه وخالقه وصانعه وأباه العجوز . لكن هذا لم يحدث . رفع أحد المساعدين جهاز لاسلكي وخاطب بصوت خافت سائق سيارة اليوگن لكي يتقدم الى داخل الزقاق . وبعد دقيقتين خرج الجميع بما سرقوه من بيت هادي . كان الضابط الغاضب ذو ضمادة الرقبة مضطرباً ويشعر بأن المهمة التي جاؤوا من أجلها لم تكتمل بعد . استدار قبل أن يصل الى الباب وكأنه يريد معاودة ضرب هادي ، لكن زميله سحبه بقوة .

ـ گواد . . . إله اشوفك انجوم الظهر .

هتف بذلك وهو ينظر الى الظلام ، حيث جسد العتاگ المطروح ، دون أن يقصد ما يقول تماماً ، وإنما كنفثة غضب أخيرة .

ـ ٥ ـ

كان أبو أنمار مصاباً بصدمة عقدت لسانه من العرض الذي قدمه له فرج الدلال . لم يكن يتوقع هذا الأمر نهائياً . ولكنه ، مع قطعه للخطوات القليلة بين باب مكتب دلالية الرسول وباب فندقه ، خرج من هذه الصدمة وبدا ان الصورة صارت أوضح في ذهنه ؛ فهذه هي

الطريقة الأكثر ذكاءً ودهاءً التي يمكن أن يتبعها الدلال للقضاء على أبي أنمار بشكل نهائي.

كانت لدى فرج الدلال صورة دقيقة عن الفندق من الداخل، الأمر الذي اثار دهشة أبي أنمار، فمن اين له هذه المعلومات؟ ربما من زبائن سابقين، أو من الأرمنية السمينة فيرونيكا وابنها المراهق اللذين كانا يقومان في وقت سابق بأعمال التنظيف داخل الفندق. لا يمكن أن يتجرأ فرج الدلال للدخول الى الفندق أثناء غياب أبي أنمار للتسوق من المحال القريبة. ولن يكفيه الوقت، حتى لو فعل، لتكوين اي تصور دقيق.

اصابه التفكير بهذا الموضوع بشيء من الدوار، حتى قبل أن يعب أول كأس من العرق في جلسته المعتادة داخل استعلامات الفندق. ثم ان معرفة الدلال بحال الفندق أو عدم معرفته ليست هي القضية الأساسية هنا.

لقد قدم له عرضاً ممتازاً؛ الهيكل العام للفندق لا بأس به. يحتاج الى عمليات ازالة تامة لكل شيء فيه وتقشير الطابوق واعادة اكسائه من جديد، واعادة رصف الأرضيات وانجاز أعمال التوصيلات الكهربائية وتأثيث الحمامات، ثم تأثيث الفندق. سيكونان شريكين؛ أبو أنمار بطابوق الفندق وجدرانه وسقوفه، وفرج الدلال بما سوى ذلك بشكل كامل. وستكون نسبة الدلال اعلى من أبي أنمار، مع تولي أبو أنمار لأعمال الادارة والإشراف داخل الفندق. اما الشيء الأكثر اثارة بالنسبة لأبي أنمار فهو تغيير اسم الفندق من «فندق العروبة» الى «فندق الرسول الأعظم».

استمر جدال الرجلين ساعة كاملة، وانتهى برفض أبي أنمار لهذا العرض وعودته بخطوات ثقيلة الى فندقه، ورغم حرارة الجو إلا انه

أغلق الباب الزجاجي تماماً وكأنه يريد طرد صورة محل الدلالية ودفعها الى مسافة أبعد من ناظريه، أثناء جلوسه على كرسيه وراء ميز الاستعلامات .

استغرق في شراب هادئ وبطيء، وهو يقلب الكتاب السميك الذي يتحدث عن نبوءات نهاية العالم. كان يمر بعينيه على الأسطر من وراء النظارة الطبية ولا يقرأ فعلاً. كان ذهنه يسرح بعيداً، يستعيد صوراً متلاحقة غاطسة في ذاكرته عن أيام شبابه وزهوه. عن شراكته اصلاً، هو التاجر الذي كان يتحرك ما بين «قلعة سكر» النائمة على ضفّة نهر الغرّاف في الجنوب وبغداد، مع صاحب هذا الفندق الأصلي، وكيف انتهى المطاف به، بعد وفاة شريكه، الى استحواذه على كامل الفندق، بعد ان قام الورثة بعرض حصة شريكه للبيع. شعر بأنه يقف على طرفٍ من دورة كاملة هي حياته باسرها، أو حلقة كبرى من حياته. اطبق كتاب النبوءات حين توصل الى أهم نبوءة يمكن أن يعثر عليها، نبوءة لا تخص حياة العالم أو الانسانية على كوكب الأرض. لا علاقة لها بظهور مخلصين أو ارتطام نيازك كونية أو احاديث حضارة المايا، وإنما لها علاقة بجلسته هذه ونظرته الى انعكاس وجهه في الباب المقفل للفندق، لها علاقة بدائرة حياته التي يقترب قوسها من نقطة البداية .

اهتزت صورته المنعكسة على فرضة الباب الزجاجي ثم انفتح الباب. كان صديقه القديم حازم عبود يسحب انفاسه وهو يقف هناك بوجه متعرق وحقيبة قماشية بدت ثقيلة يعلقها على كتفه الأيسر .

تصافح معه وعانقه ثم جلس بجواره وظل يتحدث معه. شعر بأنه يطفو، مع هذه المفاجأة السارة، من الحفرة التي القاه بها فرج الدلال منذ عصر اليوم. وأخذته احاديث حازم بعيداً. فالرجل عانى الأمرين

٢٢٣

للعثور على سيارة تنقله الى هنا، وكان قد تعرض لتهديد في حيه السكني من جماعة مسلحة. هو غير متأكد من جدية هذا التهديد. لذا من الأفضل ان يقضي هذه الليلة خارج البيت، وربما الليالي الأخرى حتى تتضح الصورة لديه.

سأله عن غرفته فقال له أبو أنمار بأنها مازالت على حالها وانتبه حازم ان الفندق بدا شبه خالٍ من الآثاث. فسرد أبو أنمار، أمام صديقه القديم، كل ما قام به خلال الأسابيع الماضية وانتهاء بالعرض الذي تقدم به فرج الدلال عصر اليوم. اطرق حازم قليلاً ثم أخبره بأن هناك امكانية لرهن الفندق أو أخذ سلفة من الدولة بضمانة الفندق نفسه من أجل اعادة ترميمه وتأثيثه من جديد.

ـ انها ديون. . . من الذي يضمن لي ان الفندق سيعمل بشكل جيد لتسديد الديون. ستكون هذه حفرة جديدة اقع فيها، وستأخذ الحكومة مني الفندق في النهاية. الأمور تتدهور أكثر وأكثر.

ـ إذن اقبل بعرض فرج الدلال.

ـ لا. . مستحيل. . لن اكون موظفاً تحت يد هذا اللص والمجرم. لن اتركه يذلني وأنا بهذا العمر. . أنا كنت ملكاً في المنطقة وهو كان يؤجر البيوت للقحاب والگواويد. . . أنا كنت ملكاً.

قال ذلك ثم مال بجسده السمين الى الأسفل ليخرج من الدرج العريض في ميزه الخشبي ألبوم صور ضخم. ظل يقلبه ويعرض الصور أمام حازم. صور بالأبيض والأسود لأبي أنمار بالبدلة وربطة العنق وهو يبدو نحيفاً وصغيراً بالعمر، يقف بجوار فريق كرة السلة من محافظة ميسان، أو جالساً بجوار فتيات بشعر قصير لفرقة انشاد كنسية قادمة من الموصل. صور مشاهير وشخصيات كانت مشهورة ولكن حازم لا يعرفها الآن ولا يبدو ان أحداً يعرفها سوى أبي أنمار. صور وصور

رغم تكسر أطرافها وشحوب بعضها إلا انها تشع حياةً وفرحاً، ويبدو ان ابا أنمار كان يستمد طاقة للاستمرار والعيش بصلابة في هذه الحفرة المعتمة والرطبة من ألبوم الصور هذا بالتحديد.

ـ إذن ما الذي ستفعله... هل سيبقى الوضع هكذا حتى تنفد آخر مدخراتك؟

ـ لا..

قال أبو أنمار وهو يشرب ثمالة كأسه قبل أن يعمّر بهدوء وبطء كأساً جديداً ثم يضعها على الطاولة الخشبية الصغيرة أمام صديقه.

ـ لن اقبل بعرض فرج الگواد.. ولكني سأقدم له عرضاً بديلاً.. سأبيع له الفندق.

الفصل الثالث عشر

الخرابة اليهودية

‑ ١ ‑

كانت أم دانيال جالسة، كعادتها، في صالة الضيوف مع هرّها الذي فقد الكثير من شعره، تحاول تمضية النصف ساعة من التأمل والنظر الى صورة القديس الشاب والوسيم وانوار المصباح النفطي الصفراء تتراقص على تموجات الصورة فتتخيل ان الصورة تتحرك أو صاحبها يتحدث معها. كانت تتأمل من خلف زجاجتي نظارتها السميكة وجه هذا القديس، بينما اذناها تتسمعان لصياح وتأوهات متألمة تأتي من الجيران. كانت تسمع ضربات ولكمات الضابطين الورديين لهادي العتاگ. استمر تأملها واستمر الصوت المتألم والمستنجد لربع ساعة. أغلقت عينيها ثم انتهى الصوت الذي عبر عدة جدران سميكة لكي يصل إليها في عزلتها. تمسد على جسد الهر العجوز الرابض في حجرها ولا تكترث للشعر الذي يعلق بيدها منه. تنظر الى الصورة وتفكّر بالعرض الذي قدمته لها أم سليم البيضه ظهر اليوم بعد حادثة الصفعة المدوية من فرج الدلال على خد ذلك الشاب المسكين الذي يعمل في منظمة اجتماعية لحماية البيوت التراثية داخل بغداد.

كان يفترض بها أن تذهب الى تذكار القديسة شموني وأولادها السبعة الذي يصادف اليوم، ولكنها لم تجد رغبة في نفسها، وفضّلت

البقاء في البيت. جاءتها أم سليم البيضه وقالت لها ان فرج الدلال رجل شرير وقادر على فعل أي شيء. هو قادر على تزوير سند ملكية لهذا البيت وطردها في الشارع ان أراد. ثم ان أحداً لم ير سند الملكية الذي تملكه أم دانيال. ربما هي لا تملك اي وثيقة تؤكد ملكيتها لبيتها الذي تسكن فيه. ربما هو عقار لأحد اليهود العراقيين الذين هجّروا في خمسينيات القرن الماضي وليس لأم دانيال أو ابو دانيال أو اي فرد آخر في هذه العائلة الممزقة.

لماذا قالت لها هذا الكلام؟ هل انقلبت عليها؟ ولكنها قدمت لها عرضاً مغرياً؛ تنتقل أم دانيال الى غرفة في بيت أم سليم البيضه. يقومون بإعدادها لها وتقيم فيها معززة مكرمة. ثم يتولى أحد أولاد أم سليم ترتيب بيت أم دانيال على شكل موتيل وتأجير غرفه، ويعود وارد هذه الايجارات الى أم دانيال لتحيا به حياةً كريمة أكثر رفاهية من حياتها المتقشفة الحالية. كما انها ستحظى برفقة وضوضاء بشر وحياة من حولها. وتقطع الطريق أمام فرج الدلال للقيام بأي خطوة تجاهها، فلا أحد يعرف ما يقوم به رجل منعدم الضمير تجاه امرأة ضعيفة وهرمة تقيم لوحدها في بيت كبير. سيشعر فرج الدلال وغيره ممن يطمعون بالعجوز الهرمة، ان هناك أناساً من حولها وانها محمية.

ولكن، قد تكون هذه طريقة للاستحواذ على بيتها. ربما تحركت الاطماع في نفس العجوز السمينة أم سليم وانضمت الى بقية فصيلة الذئاب البشرية، أو ربما هي تعمل لدى فرج الدلال ليس إلا.

لم ترد على عرض أم سليم بشيء. طريقتها المثلى لتجنب المواقف المحرجة هي التحصن بالصمت. وافترضت أم سليم ان العجوز الخرفة تحتاج وقتاً للتفكير. وها هي تفكّر، أثناء نظرها الى صورة القديس على الحائط وتمسيدها على ظهر «نابو» المتناوم في

حجرها. ولكنها لا تفكّر بعرض أم سليم، وإنما بأشياء أخرى؛ فصديقتها وجارتها القديمة تنظر إليها مثل الآخرين. لماذا تعتقد أنها بحاجة الى التخلص من بيتها؟ لماذا يعتقدون أنها في وضع شاذ ويجب تصحيحه من خلال بيع البيت؟ انها مكتفية بنفسها وعالمها المتقشف. الراتب التقاعدي الذي تقبضه كل ثلاثة أشهر، مع الحوالات المالية التي ترسلها بناتها لها، بالإضافة الى مساعدات سجل «سيتا» في الكنيسة، تجعلها تأكل وتشرب بشكل جيد، وهي لا تحتاج الى شراء ملابس جديدة إلا في أوقات متباعدة، وليس لديها اي متطلبات مكلفة. وبإمكانها ان تضمن انها لن تواجه اي مشكلة للمتبقي من حياتها، على الأقل ما لم تحصل واحدة من المعجزات التي تنتظرها.

حتى ذلك الشاب النحيف الذي يريد شراء بيتها لصالح الدولة هو شخص جاهل أيضاً. لم يفهم، من الزيارة الأولى، انها لن تبيعه البيت. وأنها لن تكون فخورة بالاقامة في بيت غدا ملكاً للدولة بعد ان كان بيتها، وان الأموال التي ستحصل عليها ستكون فائضة عن حاجتها.

اغمضت عينيها قليلاً وثقل رأسها، وغفا نابو في حجرها، وربما كانت تشارف على النوم في جلستها على الأريكة حين سمعت حركة ما في الحوش ووقع أقدام ثقيلة. التفتت باتجاه الباب وشاهدت شبح ولدها دانيال واقفاً هناك.

— ٢ —

كان يشعر بأنها النهاية، وانه يحتضر الآن، حين رفعته ذراعان قويتان من البلاط المخلع المغطى بدمائه اللزجة. فتح عينيه فلم ير شيئاً. كانت العتمة تامة. هبطت الذراعان به الى الأسفل بهدوء.

ارتخى جسده على اسفنج سريره الموضوع وسط الحوش. ثم بدأ يسمع قرقعة أواني وضوضاء حركة من حوله. مرت خرقة رطبة على جسده، ونظفت جروحه، ثم قامت يدان معتمتان بإلباسه قميصه وبنطلونه المرميان على الأرض.

ـ اطمئن لن تموت.. ولكنك تستحق هذه «البسطة».

قال له ذلك قبل أن يختفي، ليسمع بعد دقائق ضوضاء قادمة من جهة الباب. كان يشعر بهمود في اعضائه وبدا وكأنه سيدخل في غيبوبة أو يأخذ قسطاً من النوم حين سطع ضوء مصابيح يدوية على وجهه، وشاهد عدة أشخاص يتحلقون حول سريره.

ـ شتردون مني.. شتردون مني؟

صاح بعفوية، وهو يعتقد ان المحققين عادوا من جديد، ربما للاجهاز عليه هذه المرة.

ـ هذا شمسوين بيه؟

قال أحد الأشخاص وبدأوا يقلبون جسده ويرون بعض الجروح. بينما تحرك آخرون بسرعة لإشعال المصباح النفطي وانارة المكان.

كان أبو سليم الذي يجلس على شرفة الشناشيل في بيته قد انتبه مبكراً إلى أولئك الداخلين على هادي العتاگ، ولكنه لم يستطع معرفة ما حصل داخل البيت. ظل يراقب من شرفته حتى شاهد سيارة اليوگن وهي تقف بجوار البيت ثم خروج المحققين مع بعض الأغراض بايديهم. نهض من مكانه وشاهدهم يركبون في السيارة ثم يغادرون بسرعة، ثم لوّح أحدهم من النافذة بمصباح منضدي ذي مظلة من قطع زجاجية ملونة وضربه على الحائط. كان الأمر مقلقاً، لهذا تحرك بسرعة ونادى على بعض أولاده وصاح على بعض الجيران من الشباب، واقتحموا بيت هادي العتاگ الذي لم يكن بابه مغلقاً،

وشاهدوه على هذه الحالة. عرفوا سريعاً، بعد ان أفاق هادي من هذيانه، انه تعرض لبسطة قوية. ركض الابن الأصغر لأبي سليم الى البيت لجلب ضمادات ومواد تعقيم وشاش طبي وادوية فهو يبيعها على «بسطية» في الشورجة، ولديه معرفة لا بأس بها بالإسعافات الأولية. قال له إن الجرح الذي في فخذيه بحاجة الى خياطة وهو لا يجيد هذا، ولكنه يستطيع تضميده بشكل مؤقت حتى الصباح، وعليه أن يتوجه غداً الى مضمد صحي أو مستوصف من أجل خياطته، وعليه أن لا يتحرك كثيراً هذه الليلة حتى لا يسوء وضعه. أنزلوا اسفنج فراشه على الأرض ورصفوه على حائط غرفته الوحيدة، حملوه إليه وجلبوا له الماء ليشرب واطمأنوا انه غدا بخير. تصرفوا معه بلياقة وتعاطف كبيرين، ولكنهم حاولوا استجوابه أيضاً لمعرفة اسباب هذه «البسطة»، فرفض، وحين ألحوا عليه بالأسئلة ظهر معدن هادي الأصلي وبدأ يتلفظ بكلام بذيء، لم يكن مستعداً للتعرض لاستجوابين في مساء واحد. طلب منهم ان يسكتوا. فانتهى فاصل التعاطف والعلاقة الطيبة مع الجيران سريعاً. حملوا مصابيحهم اليدوية وغادروا وتركوه وسط العتمة التي لا ينيرها سوى مصباحه النفطي كثير السخام.

انطرح على فراشه وحاول استعادة ما جرى بعد سقوطه على الأرض. اختلطت لديه الأشياء، وشعر بأنه وجه غضبه الى ذلك الشخص الذي تشفى من منظره. شخص قال له انه يستحق هذه «البسطة». ولكن، هل كان بينهم ام هو يتخيل الأمر؟ ومن حمله من الأرض الى السرير، وهل دخل عليه الجيران ليرونه عاري الجسد؟

تدفقت أسئلة أخرى في رأسه، وهبت نسمة فاترة هبطت من الاعالي الى التجويف الذي يسكن فيه بين بيوت من طابقين عالية الجدران. شعر بخدر أكثر في جسده، وخفوت للآلام في جروحه.

لقد نفعت الادوية التي اعطاها له ابن أبي سليم. لقد اعطاه حبتي فاليوم وكبسولة مضادة للالتهابات. وسقاه شيئاً ما بالإضافة الى هذه اللفائف البيضاء حول ذراعيه وخصره وفخذيه. لقد قاموا جميعاً بعمل جيد. شعر بالندم من ملافظه وغضبه في وجوههم. لكن الأسئلة ظلت تتدفق؛ فهل سيعود هؤلاء المحققون مرة ثانية؟ لماذا توقفوا فجأة قبل أن يأخذوا الأجوبة التي يريدونها، ولماذا طعنوه هكذا، ولماذا أخذوا بعض الأغراض منه؟ ومن الذي قادمهم إليه؟ هل هو الصحفي؟ ام أحد الزبائن في مقهى عزيز المصري؟

لم يعرف بعد بأمر اختفاء مدخراته التي جمعها من عمله المضني خلال الاسبوع الماضي، وان تمثال العذراء المرصوف بمربع من الجبس داخل الحائط قد تم تحطيم وجهه، وان الصحون الثمينة بالإضافة الى اغلى مقتنياته قد تم أخذها. سيصاب بنوبة غضب شديدة، ولكنه لن يستطيع القيام بشيء آخر.

كل ذلك سيجري ظهر الغد، اما الآن فهو يشعر بأن الغيبوبة التي مر بها ثم حالة الخدر التي تعتريه وهو ينظر الى نجوم الصيف الباهتة على صفحة السماء الداكنة في هذه اللحظة، وهمود الطاقة في جسده وفراغ معدته التي القت كل ما فيها أثناء عملية التحقيق القاسية معه قبل ساعات. كل هذا التراخي والتراجع في فعاليات الذهن والجسد تخلّف في نفسه شعوراً مضاداً، شعوراً بالصحو واليقظة. وكأن كل ما جرى له في الساعات القليلة الماضية تراكم ليصنع مفعول صفعة قوية من يد سماوية ربما. يد تريد أن تهز بدنه وروحه بعنف لكي يفتح عينيه على حياته ووضعه ويرى ما يجري له وينتبه إلى الطريق الذي يسرق خطواته والهوة التي ينزلق إليها.

سيصنع بداية جديدة لنفسه. يصبر حتى تشفى جروحه بشكل تام

ويتوجه بعدها الى حمام الصابونجي في الشيخ عمر. يصلب نفسه مثل تمثال تحت بخار المياه الساخنة لثلاث ساعات ثم يحلق شعر رأسه ووجهه ويشتري ملابس جديدة وانيقة. حذاءً ونعلاً جلدياً جديداً، ويترك هذه الخرابة اليهودية المنحوسة ويستأجر غرفة كبيرة جيدة التهوية في موتيل فرج الدلال الجديد، ثم يفكّر باستئجار محل لبيع وشراء المواد المستعملة أو تصليحها، فهو بارع في هذا العمل. يجد زوجة مناسبة تقبل به، ويجعل شرب الخمر مناسبة اسبوعية. سيفعل كل هذه الأشياء ويصر على فعلها ان استطاع النوم بهدوء في هذه الليلة وقدر على النهوض حياً سليماً معافى في الصباح.

ـ ٣ ـ

كان يراقب من الأعلى كل شيء. كيف بدأ الضابطان الورديان يحومان حوله وهو جالس على سريره، ثم ارتفاع النبرة في الكلام، والصفعات الأولى ثم الصفعة القوية التي طرحته الى الأرض. شاهد عملية التعذيب بمراحلها كلها وظل جامداً في مكانه. ولم ينزل من الأعلى حتى مغادرة هذه المجموعة التي ادعى افرادها انهم من مديرية المرور العامة، وحطموا تمثال القديسة مريم وسرقوا نقود وأغراض العتاگ الثمينة.

كان يخمن ان هذا الضرب القاسي واستخدام المدية في صناعة جروح صغيرة في أرجاء جسد العتاگ لن تكون مميتة، وإن كان هؤلاء المحققين يقصدون اخافته ومحاولة اجباره على الاعتراف بالمعلومات التي يريدونها، فإن الأمر يبدو، من جانب أخرى، نوعاً من العقوبة التي يستحقها لقاء آثامه واخطائه العديدة. هكذا فكّر «الشِسْمه» وهو يهبط الى الحوش ليحمل صانعه ويضعه على السرير ويلبسه ملابسه.

وحين سمع ضوضاء اقتراب الجيران من الباب الخارجي ارتقى الاحجار سريعاً باتجاه بيت أم دانيال.

وجدها جالسة في صالة الضيوف كالعادة، تلقي بنظرات بلهاء الى صورة ماركوركيس الشهيد. شاهدته أمام فتحة الباب ولم يتغير التعبير على وجهها. لم ترجف فيها عضلة واحدة. وهذا ما قد يؤكد جنونها. ظلت تنظر إليه وكأنه كان طوال الفترة السابقة مقيماً معها ولم يفعل شيئاً سوى انه ذهب الى التواليت لدقائق وعاد إليها.

كان يشعر بالوحدة. لم يتحدث منذ أسابيع مع أي أحد. ولم يتبق من معارفه سوى هذين؛ عتاك مسجى على سريره وعجوز مجنونة تخاطب ارواح الموتى وصور القديسين. كان بإمكانه أن ينزل الى الضابطين الورديين ومساعديهما الثلاثة ويبطش بالجميع دون أن يرف له جفن، ولكنه كان سيخلق مشكلة أكبر للعتاك. هناك سائق في سيارة هذه المجموعة الأمنية. سيشعر بتأخرهم ويأتي ليرى الجثث في بيت العتاك. لو حمل الشِسْمه الجثث واخفاها في مكان ما فلن تنتهي المشكلة. سيتم اتهام العتاك بأنه اخفاهم أو قتلهم. سيغرق هذا الرجل العجوز الضامر في المشكلة أكثر فأكثر. لذا فمن الأفضل تحمل زيارتهم الثقيلة بأي صورة كانت، والأمل بأنهم سيظلون في شكوكهم حول هوية المجرم الذي يبحثون عنه، وأن لا يزدادوا يقيناً بوجوده، وبما ان هادي استطاع تحمل وخزات السكاكين الجارحة ولم يدلِ بأي معلومات مفيدة، فانه قادر على تجاوز اي تحقيق يجرى معه في المستقبل.

من المؤكد انها لن تكون الزيارة الأخيرة، وسيجرون معه استجواباً آخر، ولكي يساعد هادي في استعادة حياته الطبيعية فمن الأفضل ان لا يظهر له مجدداً. من الأفضل ان يبتعد أكثر عن حياة هادي. في الحقيقة لا يوجد ما يستدعي ان يظهر أمامه. حتى زيارته

الظلية هذه لا تستجيب لأي خطة منطقية. انه تائه الآن. يعرف ان مهمته تتحدد بالقتل، يقتل أشخاصاً جداً كل يوم، ولكنه لم يعد يعرف بوضوح هوية من يجب أن يقتلوا أو الهدف من قتلهم. لقد تبدل لحم الابرياء الذي كونه في البداية بلحم جديد. لحم ضحاياه هو، ولحم مجرمين، منذ ذلك اليوم الأخير الذي قضاه في عمارة الهيكل في حي الدورة. بعدها تمت محاصرة المكان من قبل قوة أميركية مدرعة تساندها قوة قتالية صغيرة من المجندين العراقيين. استطاع الفرار منهم بصعوبة. دخلوا الى مقر الثكنة التي صنعها اتباع المجانين الثلاثة، ووجدوا متعلقات كثيرة ترتبط به. لكنهم لم يقبضوا عليه.

ظل دائم الارتحال والتخفي ويقيم في أماكن متفرقة، وقرر مع نفسه التوقف عن القتل، ما دام لا يعرف المغزى من ذلك بوضوح. وفكّر بأن تأخره في الأخذ بثأر الضحايا الذين يتحرك باسمهم كفيل بانتهاء صلاحية الأجزاء المتعلقة بهم في جسده. سيتعفن في مكانه ويذوب وينتهي أمره ويخلص من هذه الدنيا التي دخلها بطريقة استثنائية وغريبة.

لكنه لم يكن متأكداً من قيمة هذا الخيار أيضاً. من الذي يقول إن مهمته الاستثنائية تنتهي بهذه الطريقة؟! عليه أن يستمر بالوجود ريثما يفك لغز الخطوات القادمة. ولأنه قاتل استثنائي لا يموت بالوسائل التقليدية، فعليه أن يستثمر هذه الإمكانية المميزة خدمة للأبرياء وخدمة للحق والحقيقة والعدالة. وريثما يأتيه اليقين بالخطوات التي يجب اتباعها، سيشغل نفسه باجتهادات تحفظ بقاءه على قيد الحياة. سينتقي قطع الغيار التي يحتاجها من أجساد من يستحقون القتل. ليس هذا خياراً مثالياً، ولكنه الأفضل حالياً.

أراد أن يخبر هادي العتاگ بكل هذه الأشياء، غير ان هادي تلقى

خاتمة عنيفة مناسبة لإنهاء هذه الحكاية من جهته على الأقل. ولن يكون مستعداً لا الليلة ولا في الأيام القليلة القادمة للانصات له والتعاطف معه ومن ثم منحه نصيحة أو تفسيراً مقنعاً لما يجب أن يقوم به.

وها هو يسرد على مسامع العجوز شيئاً من هواجسه. كانت تنصت إليه وتمسد برفق على ظهر قطها العجوز النائم. ولم يبد أنها مؤهلة لسماع كلام معقد كهذا، ولكنها شخص ينصت، وهذا ما يحتاجه «الشِسْمه» الآن.

أخبرها بأنه يصادف أحياناً بعضاً من اتباعه الهاربين من الذين نجوا من الحرب الأهلية الصغيرة التي قاموا بها في ثكنة هيكل عمارة الدورة. كانوا يستجيبون له تبعاً للمجنون الذي كانوا ينصتون له. ولم يبد انهم غيروا قناعتهم بصدده كثيراً.

في احدى الليالي شاهد المواطن ٣٤١ يسير في أحد ازقة حي الوزيرية. هو من أخبره بأنه المواطن ٣٤١. انحنى أمامه وقبل يده. قال له إنه يعرف رقمه فحسب ولا يستطيع معرفة ما حل بالأرقام الأخرى، من قتل أو نجا بحياته من حفلة الرصاص الرهيبة في تلك الليلة. كما انه، رغم ايمانه ورغبته العميقة باعادة التنظيم من جديد، إلا انه لن يعرف أبداً من هو المواطن ٣٤٢ أو المواطن ٣٤٠ وكيف يستأنفون العد لكسب مؤيدين ومؤمنين جدد. وما هي الأرقام التي أصبحت شاغرة، وكم هو عدد المواطنين الفعلي الآن.

في ليلة أخرى كان يعاني من تعفنات خطيرة في جسده، والتقى بالصدفة أيضاً بأحد الاتباع المؤمنين بأنه المخلص. قاده الى بيته في حي الفضل ونجح في تجنب الجيران والأعين الفضولية، وحين صارا داخل فناء البيت دخل هذا المؤمن الى المطبخ وجاء بسكين كبيرة واعطاها للشسمه. قال له إنه فداءٌ له. فليقتله ويأخذ منه الأجزاء التي

يحتاجها كقطع غيار. فاجأه هذا العرض، وبعد تردد وتفكير لعدة دقائق وجدها فكرة مناسبة، خصوصاً وان الطرق البديلة المتاحة أمامه ستكون أكثر صخباً وربما يجهز على ارواح أشخاص كثيرين قبل أن ينجح في عملية تبديل الأجزاء التالفة بأخرى طازجة وجديدة، فالعملية تأخذ وقتاً ليس بالقصير.

قطع أوردة الرسغين في ذراعي المؤمن كي يموت ببطء ويدخل في الغيبوبة بسبب النزيف قبل أن تفيض روحه. لم يرغب بطعنه في بطنه أو قطع بلعومه، سيبدو وكأنه عدو، كما ان هذا المؤمن، واي إنسان يكون في مكانه، لن يتمكن من السيطرة على نفسه وغرائز بدنه الحيواني، سيصرخ ولربما تأخذه حلاوة الروح ليهرب من الموت الذي يسري في جسده. ويدخل في اطوار صاخبة لن يحتاجها الشِسْمه أبداً.

ظلت العجوز تنصت الى الشِسْمه أو ما تراه شبحاً لابنها المختفي منذ عقدين، من دون أي إشارة على انها فهمت الكلام الذي نطق به ضيفها المخيف.

تأخر الوقت بالعجوز، وتجاوزت موعد نومها المعتاد، وشعرت بأن ضيفها يمكن أن يستمر بالكلام حتى الصباح. لديه حكايات كثيرة ويريد من ينصت له، ولكنها لا تفهم الهدف الذي يسعى إليه. فان كان فيه شيء من ابنها فعليه أن يفهم أنها تقاوم الموت. الكل يريدها ان تموت بطريقة أو بأخرى وهي تتشبث بحياتها، ولن تقدم نصيحة ما لزيادة أي نوع من انواع الموت.

ـ لماذا لا ترتاح يا ولدي.. هل اضع لك فراشاً في الحوش؟

قالت له ذلك لتنهي حواريته الطويلة والمتشعبة. وشعر مع نفسه بأنها تعيده الى ذلك الجزء الذي يخصها. شعر بأنه يرغب حقاً، في ظروف أخرى، بالاستجابة لعرضها. يستلقي على فراش قطني واطئ،

وينظر الى مربع السماء. يحصي النجوم حتى يغفو. ولكن هذه حياة لا تخصه.

نزعت نظارتها الطبية وفركت عينيها وسحبت نفساً مديداً والقت بحسرة مع صوت آه طويلة. فتحت عينيها فلم تجد ضيفها الثرثار. نظرت الى صورة القديس المعلقة أمامها. فشاهدته يرفع رمحه الطويل استعداداً لغرزه في حلق التنين النابت من الأرض وتساءلت مع نفسها لماذا لم يقتل هذا التنين منذ سنوات طويلة؟ لماذا حشر نفسه في وضع التأهب؟ انه وضع مرهق. كان عليه أن يقتله ويرتاح. أو يقف في فضاء خالٍ من الوحوش والتنانين المرعبة. وكأن هذه الصورة كانت عاملاً في زيادة توترها. انها صورة تغذي الإحساس بأن كل شيء يبقى في المنتصف. تماماً كما هي الآن. لا هي بالكائن الحي تماماً ولا الميت.

ـ انت تعذبني.

قالت له ذلك، وهي ترفع القط النائم وتضعه بجانبها على الأريكة، الأمر الذي نبهه ففتح عينيه ثم فتح فمه بتثاؤب طويل وظل يمط جسده.

ـ انت لم تقتل هذا التنين. أليس كذلك ايها الحربي؟

سألت مجدداً وانتظرت رده بصبر. نهضت وظلت تحد النظر الى الوجه الوسيم للقديس الصامت.

ـ سينتهي كل شيء يا إيليشوا.. لما العجلة؟

قال لها ذلك، دون أن يحرك شفتيه حتى. لم يتحرك أي شيء في الصورة وملأ صوته، مع ذلك مسامعها بوضوح.

ـ ٤ ـ

كان صاحياً ينظر الى رقعة السماء الزرقاء في الأعلى ويرى الطيور والعصافير تخطف بسرعة ويسمع أصواتاً ضعيفة لراديو وثرثرات

ومنبهات سيارات. يغلق عينيه قليلاً ثم يفتحهما فيلمح شبح طائرة هليكوبتر أميركية تمر بصوت مرعد صاخب، ويرغب بالنهوض ولا يرى في نفسه القوة لذلك. كان يشعر بأن رأسه غدا من رصاص ثقيل، حتى انه لم يلتفت ولم يحرك رقبته يميناً أو شمالاً. ظل خامداً ينصت للصخب الضعيف المتنامي مع تقدم ساعات الصباح، حتى فز كل عرق في بدنه حين سمع صوت ضربة عنيفة استشعر ارتجاجها في الأرض.

كان انفجاراً لسيارة مفخخة في حي الصدرية الذي يبعد عن البتاويين عدة كيلومترات داخل قلب العاصمة القديم. ولكنه لم يعرف شيئاً عن هذا الانفجار حتى وقت متأخر من النهار. استدار بجسده واستشعر وخزة مؤلمة في فخذه الأيمن، تنفس قليلاً ثم توكأ على يديه وصلب جسده على السرير وبدأ يتحسس نبض الآلام المتفرقة تأتي من كل مكان في جسده؛ آلام الجروح التي صنعها المحققون، وآلام في رأسه ومعدته. رغب بالعودة الى النوم ولكنه كان جائعاً جداً.

ظل جالساً على سريره يشعر بوطأة الشيخوخة التي ظن أنها لن تصل إليه أبداً، وسمع حركة ما في الباب الخشبي للبيت. شاهد عزيز المصري مع شابين من الجيران وهم يدخلون. أغلق عزيز المصري الباب خلفه بصعوبة، دفعه وهو يشتم، ثم استدار ليفرد على وجهه ابتسامة عريضة، وتقدم مع الشابين وهو يحمل ماعون قيمر وصموناً وترمز شاي.

ـ حمدلله على السلامة.

قال ذلك وهو يربت على كتف صاحبه من دون أن يتوقف عن الابتسام. وفعل الشابان ذلك أيضاً، ثم بعد أقل من ساعة حضر الشاب الصغير الذي يعمل مع هادي العتاگ وكان لديه موعد من أجل التصرف ببقية أغراض الفندق القديم، وتفاجأ من الحالة التي شاهد بها

«أستاذه»، وفغر فمه وهو يراه مكتفاً بالأربطة والشاش الأبيض، ولم يبد عزيز المصري متفاجئاً مما حل بصديقه لأنه سمع ما حدث له من بعض زبائن المقهى صباح اليوم وتأكد منهم انه بخير، لذا ترك المقهى بعهدة مساعده الشاب وجاء لعيادة صاحبه ولمعرفة من اعتدى عليه .

كانت الإجابات التي تفوه بها هادي غامضة وزادت الجميع ارباكاً وتشويشاً، فعن أي دائرة مرور وعن أي مجرم يتحدث، وما علاقة كل ذلك بالضرب الذي أكله هادي والجروح التي صنعوها في جسده .

وبعد الإفطار نهض هادي بتشجيع من صديقه المصري ليتفقد «بيته» . اكتشف مع شعور بالصدمة فقدانه لمدخراته وحاجياته الثمينة، وشك في البداية بزواره في الليلة السابقة، ولكنه تذكر أصوات القرقعة، أثناء مغالبته للإغماء، وزاد يقينه بأن المحققين هم من سرقوه . ثم شاهد تمثال العذراء المحطم فزادت حيرة الجميع . تقدم عزيز المصري من التمثال وهو يبدي شعوره بالأسف :

ـ هذي ام المسيح .. ليه كده؟

طرح سؤاله الاستنكاري وهو يتلمس الكسر الجبسية للتمثال التي ظلت عالقة . تساقطت في يده فزادت الثغرة في بدن ورقبة الآيقونة، وبدا ان التمثال واللوح الجبسي المربع الذي تغطس فيه الآيقونة بشكل مستعرض على طول جسدها، يمكن أن يسقط مع تحريكة بسيطة . نفض عزيز يده وكأنه لا يريد ان يورط نفسه بأي عملية تخريب غير مقصودة ونظر الى صاحبه الذي كان غاطساً في كومة من الأغراض يقلبها مشدوهاً شارد الذهن .

شعر هادي بالإعياء وهو يتذكر المبلغ الذي ربحه من بيع آثاث فندق العروبة والذي اختفى الآن، وود لو أنه يصرخ أو يستسلم لنحيب طويل، ولكنه تمالك نفسه، ونصحه عزيز بأن يستريح على فراشه من

جديد وينسى الموضوع، أو يأخذه الى المستوصف من أجل علاج جروحه، لكن هادي رفض.

بعد ساعة استعاد هادي رشده، وابتلع ازمته ونكبته الصغيرة، أعطى أوامره الى الشاب الصغير بأن يشتري سائل تلميع ومسامير وكاغد سمبادة لتنعيم الأخشاب ومعجون تصليح وأشياء أخرى لها علاقة بإدامة وصيانة الآثاث المستعمل، وطلب منه أن يعود فوراً من أجل إعداد الخزانات الخشبية المتآكلة والتي تعاني من التلف في بعض اجزائها، من أجل إنزالها الى السوق وبيعها بأسرع وقت.

بعد مغادرة الجميع انتبه هادي الى الآيقونة الجبسية للعذراء، وشعر بأنها خسارة أخرى. كان يفكّر أحياناً بإمكانية ان ينزعها من مكانها بشكل سليم ليبيعها الى احدى الكنائس أو من يرغب بشراء أنتيكات دينية مماثلة. وضع يده في الثغرة الموجودة بين الوجه والرقبة وسحب أجزاء الآيقونة المهشمة فأتت بيده. سحب الأجزاء الأخرى ثم انخلع الإطار الجبسي. ظل يسحب به حتى انتزعه بالكامل وحين حاول وضعه على الأرض انهار جزؤه السفلي. ظلت اليدان المفرودتان على حالهما مع طيات وثنيات الثوب والقدمين في الأسفل. ولكن كقطعتين منفصلتين.

نظر الى الثغرة المربعة في الحائط المتخلفة عن زوال التمثال فرأى كومة من التراب تغطي شيئاً. نفط التراب بيده فاتضحت المعالم أكثر فأكثر. كان هناك لوح خشبي داكن اللون بارتفاع سبعين سنتمتراً وعرض ثلاثين. مسحه بيده أكثر فاتضح نقش على شكل شجرة. نوع من الحفر بالازميل لنقشة غريبة مثل شجرة. مثل شمعدان كبير مع كتابة في الأعلى والأسفل بلغة غريبة. لم يكن هادي ساذجاً وعرف سريعاً ان هذه آيقونة يهودية. لقد شاهد، خلال سنوات حياته

الماضية، أشياء مماثلة مرسومة على حيطان بعض البيوت في البتاويين. فكّر هادي سريعاً أن هذا شيء يمكن بيعه أيضاً. يمكن انتزاعه من هنا وبيعه. لقد سمع كلاماً عن أشخاص يشترون متعلقات يهودية ويهربونها خارج العراق. وحين وصل بذهنه الى هذا التفصيل شعر بشيء من الخوف وتذكر سريعاً أولئك المحققين المجرمين الذين آذوه مساء البارحة. ما الذي سيقولونه لو أنهم يراقبونه الآن أو يعملون مداهمة مفاجئة كالتي حصلت يوم أمس. انه غير قادر على مواجهات من هذا النوع. يمكن أن يموت لو أنهم ضربوه مجدداً. هو ليس شخصاً قوياً وكل حوادث سقوطه من الجبال أكاذيب لفقها بتشجيع من جلاس مقهى عزيز المصري، حتى حادثة ارتفاعه في الهواء وسقوطه الحاد على الأرض عقب انفجار فندق السدير فلم تكن بالصورة التي رواها، وهو لم يفهم تماماً لماذا لم يتأذ من سقوطه في ذلك المساء. إنه هش الآن ويشعر بالشيخوخة، و«بوكس» واحد على معدته يمكن أن يودي بحياته، وهو لا يستحق هذا المصير، فلم يرتكب جرماً في حياته سوى إطلاق الأكاذيب. أكاذيب غير مضرة، ما سوى كذبته الكبرى عن «الشِسْمه». نعم انها كذبة. من الأفضل له ان ينظر إليها هكذا الآن، فكلما صدّق أنها تجربة حقيقية مر بها ازدادت مشاكله ومتاعبه. إنها كذبة رهيبة ومخيفة صنعها خياله المشوش في لحظة ما غامضة من حياته، وعليه أن ينساها الآن تماماً. تذكر قراراته ليلة أمس فتشجع أكثر وعقد العزم على تغيير كل شيء.

سمع حركة ما من جهة الباب، لابد أنه مساعده الشاب وقد عاد من السوق. سحب سجادة مطوية موضوعة بشكل عمودي في زاوية الغرفة وركنها على الحائط أمام ثغرة الآيقونة ولوحها الخشبي الداكن واخفاهما تماماً.

ـ ٥ ـ

وصل نادر شموني الشماس الى بيت أم دانيال بصعوبة. كان الأميركان قد قطعوا الطريق أمام ساحة الطيران ومن جهة مدخل شارع السعدون، بسبب انفجار سيارة مفخخة قرب محطة الگيلاني لتعبئة الوقود قرب الخط السريع، وانفجار آخر حصل في سوق الصدرية أودى بارواح العشرات من الباعة والمتبضعين، ثم اكتشف الأميركان سيارة مفخخة أخرى تهم بالاستدارة من أمام نصب الحرية في طريقها الى المنطقة الخضراء وراء الجسر، ولم يعرف أي من الناس كيف تصرف الأميركان مع السيارة وراكبها الانتحاري. كان هناك هرج كبير، وأناس يركضون لاسباب مجهولة، ربما هرباً من انفجار محتمل لا يعرف أحد اين سيقع أو يقودهم الفضول لمعرفة ما يجري. أناس من الصعب السيطرة عليهم لا يفهمون الكلام الواضح ويصدقون بالأكاذيب والأساطير في الوقت نفسه، هكذا كان يفكّر نادر شموني وهو يرى دخول وحدات من «الحرس الوطني» العراقية الجديدة الى حي البتاويين لملاحقة بعض المطلوبين حسب الشائعات التي سمعها نادر وهو يرصف سيارته بجوار كنيسة الأرمن. أراد النزول منها ولكن أحد الشرطة نبهه على ضرورة المغادرة. أراد الاتصال هاتفياً بالأب يوشيّا ليبلغه بأنه مضطر لتأجيل هذا المشوار والعودة الى گراج الأمانة حيث الكنيسة وبيته القريب منها، ولكن طيفاً من الحكمة مر بخاطره ابلغه بأن الأمر يمكن أن يكون على هذا الحال في كل الأيام. اذا رجع الآن فلربما يكون يوم غد أسوأ. عليه أن ينهي مهمته بأي طريقة، خصوصاً وانه لن يرى هذه المناظر المزعجة كثيراً في القادم من الأيام. لقد قرر مغادرة بغداد هو وعائلته. ابلغ الأب يوشيّا بذلك منذ مدة طويلة، ولكنه يؤجل الأمر دائماً. يشعر بالانقباض حين يلمس جدية القرار في

نفسه، وانه سيترك بيته وجيرانه وحياته هنا ليسافر الى عينكاوا، بناءً على رغبة بناته وأقاربه المقيمين هناك منذ بضع سنوات. ظل قرار السفر معلقاً، ولم يحسم بشأنه حتى اكتشف صباح أحد الأيام ان ثقب مفتاح الباب الخارجي للبيت مرقوم بمادة لاصقة من تلك المواد المستعملة في لصق الحديد والزجاج. تحير كثيراً، ولم يفهم الرسالة سريعاً، وحاول علاج القفل وإخراج المادة اللاصقة ولكنه فشل في ذلك، واضطر الى تغييره بعد بضعة أيام، ولم ينقض اسبوع على الحادثة حتى وجد ان القفل الجديد مرقوم بالمادة اللاصقة نفسها. أقنع العائلة بترك امر القفل. هناك من يشاكسهم. ربما طفل أو مراهق. وقرر عدم اصلاح القفل والاعتماد في غلق الباب خلال الليل على رتاج الباب من الداخل.

قبل يومين اكتشف ان الباب الخارجي للمطبخ المُطلّ على الحديقة مرقوم بهذه المادة الصمغية شديدة الالتصاق، فشعر بالغضب والتوتر وعمل اجتماعاً عائلياً سريعاً لكي يعرف من الذي يقوم بهذه الأعمال القبيحة. شك لأول وهلة ببناته وزوجته. ما الهدف من القيام بهذا العمل يا ترى، ولكنه طرد هذا الهاجس سريعاً، وحل محله شعور بالخوف والقلق؛ هناك من تسوّر سياج البيت ودخل إليهم وهم نيام لكي يغلق فتحات الأقفال بالصمغ اللاصق. ان الأمر خطير حقاً.

يعرف أن هذه الحوادث والازعاجات ستتكرر، فهناك من وضع هذا البيت في ذهنه وسيعمد الى تهجيرهم منه، فقد حصلت حوادث مشابهة كثيرة خلال السنوات الثلاث الماضية، ولا أحد هنا يستطيع الدفاع عنه. لا توجد جهة يمكن الوثوق بها في الأوضاع المضطربة التي تمر بها العاصمة. كما ان بناته يتعرضن للمضايقات، والوضع الأمني يتدهور أكثر في بغداد. وقد تعرضت عائلة من رعية الكنيسة

قبل فترة الى حادث مؤسف، حيث تم اختطاف الاب ولم يخلصوه من ايدي الخاطفين إلا بفدية مالية كبيرة.

ونادر شموني لا يملك الكثير من الأموال، ويخاف على بناته وعائلته، ويشعر بأن رأسه لم يعد يتحمل هذه الضغوطات الكثيرة. أتصل بإخوته واقربائه في عينكاوا وابلغهم بقراره:

ـ قضية مؤقتة.. نسافر حتى تهدأ الأوضاع في العاصمة.

قال لهم ذلك كي يعطي لنفسه مبرراً ودافعاً للسفر، ولم يكن يقدّر امكانية ان لا يعود أبداً، وانها ستغدو، مع مضي الأيام وتدهور الأوضاع، خياراً واقعياً جداً.

وصل الى بيت أم دانيال بعد ان رصف سيارته الفولگا الصغيرة في مدخل الزقاق. لم يكن ينوي ان يخبرها بقراراته الأخيرة وهواجسه حول سفره المؤكد خلال الأيام القادمة، وعلى هامش المهمة التي كلفه بها الأب يوشيّا، تعامل الشماس نادر بعاطفة أكثر مع هذه العجوز الخرفة. سوف لن يراها ثانيةً، هكذا قدّر مع نفسه، وهذا سبب كافٍ لأن يجعل لقاءه الأخير معها أكثر حميمية. أنه يعرفها ويعرف زوجها وأولادها منذ عقود طويلة، وما كان يتصور ان النهايات ستغدو حزينة بهذا الشكل. انتبه الى تعب العجوز. رأى خطوطاً جديدة على وجهها وحول عينيها المسوّرتين بالنظارة الزجاجية الكبيرة، أو هو ينتبه إلى ذلك لأنه لم يجلس مع العجوز على هذه المسافة القريبة منذ زمن بعيد. كما انها لم تحضر الى الكنيسة منذ شهر تقريباً.

بنتاها هيلدا وماتليدا تستمران بالاتصال بالأب يوشيّا وهو يستمر في تطمينهما على صحة وسلامة العجوز، لكنهما تطلبان سماع صوتها، وتعلمان ان امهما غاضبة وتريدان مصالحتها. ابلغها الشماس نادر بمضمون هذا الكلام، وقال لها إن الأب يطلب ان تزوره الأحد

القادم وتحضر القداس في الكنيسة. نظرت إليه بعبوس ولم تعلق بشيء.

ــ ماتيلدا ستحضر الى البلد من أجلك. . قالت انها ستأتي اليك. ستحملك معها.

ــ لن تفعل. . هي جبانة.

ــ ستفعل. . كانت تبكي خلال الاتصال بالأب يوشيّا. .

ــ لن اذهب الى اي مكان. لن اترك بيتي.

ــ وما نفع هذا البيت يا أم دانيال. . ما نفعه وانت وحيدة مثل من يجلس في خيمة بالصحراء.

ــ ناسي هنا وجيراني. حياتي بهذا البيت.

ــ أعرف. . ولكن ما تشتاقين لبناتك؟

ــ هن بخير. . لماذا يطلبن مني ترك بيتي؟

ــ والله الحياة صارت صعبة. . ما نفع البيت اذا كانت الحياة صعبة. . خوف وموت وقلق. . المجرمين بالشوارع. . الناس عيونها تاكل الواحد وهو يمشي. . حتى بالنوم كوابيس وكلساع نفز. . البلد صاير يا ام دنيه مثل هاي الخرابة اليهودية اللي بصفك.

ــ «لا تخافوا من الذين يقتلون الجسد».

ــ أي.

رد الشماس نادر ولم يجد جواباً على المقتبس الديني الذي لم يعرف كيف استحضرته هذه العجوز. لم يكن يرغب بالسجال معها حول اسباب ومبررات البقاء أو السفر. لقد انسحب بالكلام، دون تخطيط، الى مشاغله وهواجسه الشخصية، بينما كان المطلوب إبلاغ العجوز بمضمون رسالة الأب يوشيّا فحسب.

ـ عليك ان تحضري الأحد القادم. . لخاطري يا أم دانيال. . اذا تحبين آني آجي بالسيارة أخذك. . ميخالف؟

ـ نعم.

كانت هناك ثلاثة أيام حتى الأحد. وخلال هذه الأيام انشغل نادر الشماس كثيراً بالبطاقات المدرسية لبناته، خصوصاً مع العطلة الصيفية وتعطيل الدوام في المدارس، ووضع بيته عند دلال لبيعه أو تأجيره. وكان قد باع الكثير من الآثاث وابقى بعضها في غرفة المخزن بالطابق الثاني. انشغل بتفاصيل كثيرة، حتى انه لم يحضر قداس الأحد اصلاً، وسافر صباح الأثنين مع عائلته بسيارته الفولگا الصغيرة، وضع مفاتيح البيت التي لم تعد صالحة لفتح أي باب لدى صديق وطلب منه شحن الأغراض المتبقية في المخزن بسيارات النقل الى اربيل في الأيام القادمة.

كان نادر الشماس يرى ان كل شيء مؤقت. ستنتهي هذه الفوضى وستستقر أمور البلاد ويعود قريباً. ربما خلال سنة أو أكثر قليلاً. هو لا يخشى من الموت، لكنه لا يتحمل فكرة اختطاف واحدة من بناته، أو اصابتهن بأذى.

غادر ونسي امر العجوز أم دانيال أو تناساها، وظن أنه لن يراها أبداً، فهيأتها كانت تدل، خلال لقائه الأخير بها، على وضع امرأة تزحف بثبات باتجاه الموت. لن تصمد سنة أخرى ربما. ومن جانبها لم تكن العجوز تفكّر أنها سترى هذا الشماس ذا الشاربين التركيين ثانيةً، وكلاهما كان مخطئاً.

الفصل الرابع عشر

متابعة وتعقيب

ـ ١ ـ

كان العميد سرور في مكتبه يتابع حديث فريد شوّاف على شاشة التلفزيون حول المجرم أكس. هكذا بات هؤلاء الصحفيين يسمون المجرم الخطير. حوّلوا الموضوع الى عرض تلفزيوني، إنه أمر مزعج، والعميد سرور غير قادر على ترك هذه العادة، فهذه المتابعة اليومية لبرامج التلفزيون السياسية والأمنية تؤلمه. يعرف جيداً ان القنوات تتحدث عن هذا المجرم كل يوم تقريباً. على الأقل من خلال الرسم الفارغ والمعتم لوجه المجرم الذي تعرضه كل القنوات العراقية تقريباً وتحته مبلغ الجائزة لمن يقدم معلومات تقود الى إلقاء القبض عليه. يشعر بغضب أكثر وهو يرى فشل مهمته حتى الآن. لو أنه أمسك بهذا المجرم الذي لا اسم له فسيكون ذلك تتويجاً إعلامياً مدهشاً لجهوده على مدى السنوات الماضية. إنه يمسك نجماً تلفزيونياً يقبع، رغم مجهوليته، تحت أضواء ساطعة، وحين يمسك به سيدخل هو فوراً دائرة الأضواء هذه.

ـ يقدمون مالاً يعرفون جيداً أنهم لن يدفعوه أبداً.

قال العميد سرور لأحد الضباط من مساعديه. وشعر على الفور بأنها جملة تشبه كلام هذا الرجل الأنيق في التلفزيون، والذي يرتدي

دائماً بدلات يرغب العميد سرور بشرائها رغم معرفته جيداً انه لن يرتدي مثلها أبداً، ما دام قابعاً ها هنا في غرفته داخل بناية دائرة المتابعة والتعقيب.

يتملى وجهه على مرآة صغيرة يخرجها من درج المكتب. يراقب الهالات السود تحت عينيه، وارتخاء وتهدّل ملامحه، بسبب شعوره بالتعب. يمسح على وجهه براحة يده. يفعل ذلك بهوس، ولكن، كلما كان لوحده في المكتب. كان عمله خلال السنوات الثلاث الماضية يجري دون مفاجآت كبيرة. يرسم مع مساعديه غريبي الأطوار توقعات عن التفجيرات التي ستحصل في شوارع بغداد. يلتقطون الشائعات ويحللونها. يقدمون نصائح سرّية للصفقات التي يعقدها الساسة حول التحالفات الانتخابية القادمة، أو الدخول في شراكة تجارية. شراء أرض تابعة للدولة، أو مصانع حكومية متوقفة عن العمل، تحت عنوان الخصخصة وفتح الاستثمار. وكان ينزعج أحياناً حين يتم تجاهل رتبته وسيرته العسكرية ليتصلوا به بعد منتصف الليل من مكاتب القادة المتنفذين ليسألوه عن تفسير حلمٍ ما. كان يصرف الكثير من وقته على هذه الترّهات. يقوم بها بصمت وهو يكظ على أسنانه مدارياً غضبه وشعوره بالمهانة، وقد يلقي كاسة الشاي التي يأتي بها العامل ذو البنية العضلية، يضرب بها الحائط أو يدلقها على السجادة الأنيقة التي تتوسط مكتبه. ثم يشعر بعدها بالندم.

وفي فترة الاسترخاء الذهبية، التي سبقت ظهور المجرم الذي لا اسم له، كان يفاجأ أحياناً بزيارة من سياسي مرموق. وبسبب استغراقه في عمله لا يستطيع، في العادة، تمييز مستوى السياسي الذي يزوره إلا من خلال الحمايات الذين يرافقونه وغلاء البدلة التي يرتديها، أما الأسماء فهي تتشابه لديه وتتداخل. ما عدا الأسماء العشرة البارزة

لأكثر السياسيين تأثيراً التي يرسّخها في الذهن تداولها كل يوم على وسائل الإعلام .

كان يتفاجأ في البداية بطبيعة الأسئلة ، ولكنه تعوّد عليها لاحقاً . كانوا يطرحون أسئلة عديدة ويريدون جواباً عليها من العميد سرور ، وكأنه هو الذي يفتح الفال أو يقرأ المستقبل . وبسبب خبرته في منصبه ، كان يعرف أن الكثير من هذه الأسئلة وهمية ولا يريد هذا السياسي جواباً فعلياً عليها ، وان هناك سؤالاً واحداً هو الذي دفع هذا السياسي للمجيء حتى مكتب العميد سرور .

ـ متى وكيف سأموت؟

هذا هو السؤال ، ويأتي غالباً في نهاية قائمة مرهقة من الأسئلة ، لإعطاء صورة انه مجرد سؤال بين أسئلة .

ـ هل أطلب سيارة مصفحة ، أم انني لا احتاجها؟

سأله أحد السياسيين ذات مرة عبر الهاتف ، وأوضح له أن كتلته النيابية حصلت على ثلاث سيارات مصفّحة فقط ، فهل يقاتل من أجل الحصول على واحدة؟

لو كان هناك شخصٌ آخر في مكانه لاستثمر هؤلاء السياسيين للترويج لنفسه ، ومحاولة الارتقاء والصعود والفرار من محبس دائرة المتابعة والتعقيب ، ولكن العميد سرور لا يرغب بإذلال نفسه ، كما انه يريد فرض أهميته على الآخرين بجهده الفعلي ، ليس في كشف الطالع لمستقبل السياسيين ، وإنما في إلقاء القبض على المجرمين .

غير أن كل شيء تغيّر منذ ظهور هذا المجرم الخطير ، الذي بدأ مع ربيع هذه السنة بعملية اغتيالات واسعة غامضة وغير مفهومة ، وأشاع رعباً كبيراً بين الأهالي ، وتضخمت أسطورته بأنه شخص لا يقهر حتى بات من الصعب تكذيبها أو تسخيفها .

صار لا يتلقى أي اتصالات بشأن كشف الطالع أو تفسير الأحلام. كان ينبه سكرتيره الخاص على عدم تحويل مكالمات من هذا النوع. ثم اعترف أمام ضابط الارتباط الأميركي بهذه المضايقات التي يسببها له السياسيون.

كان فريد شوّاف قد اختفى من شاشة التلفزيون وظهرت نشرة الأخبار حين سمع العميد سرور أحد ضباطه الجالسين في مكتبه وهو يفاجئه بتساؤل مرعب لا يدري لماذا لم يفكّر به سابقاً:

ـ إذا كان الرصاص لا يقتله فعلاً، ويعرف بأننا نلاحقه، ماذا لو أنه تتبعنا حتى عرف مقرّنا هذا ودخل هنا ليقضي علينا جميعاً؟

ـ ٢ ـ

هذا السؤال كان يدور في ذهن كبير المنجّمين أيضاً، وهو يقلب بطاقات اللعب على طاولته في غرفته المشتركة مع المنجّم الصغير. يفردها ثم يجمعها. يعيد خلطها بيديه مثل لاعب بوكر ماهر، ثم يستل ورقة واحدة، يضعها أمام عينيه مباشرة، ويجمد في هذه الحركة لبضعة ثوانٍ، حتى أنه لا يحركُ رموش عينيه ويبقى يحدق في الأمام بحدة وكأنه يرى هوة سحيقة داخل ورقة اللعب أو باباً مفتوحاً على عالم فسيح لا يراه أحد غيره.

كان يعرف أنه سيواجه هذا المجرم ذات يوم، وسيتعرف على ملامح وجهه التي بدت محيّرة وغير قابلة للتجسد. هو يريد معرفة وجهه فحسب، لأن هذا الوجه سيحدد له كل شيء.

يمسح على لحيته البيضاء الطويلة المسبلة ذات النهاية المدببة ثم يغمض عينيه ويفشل كما في كل مرة في تمييز شيء داخل عتمة الوجه الذي يستحضره. إنه يركض الآن على أسطح بنايات في حي شعبي

داخل بغداد. لن ينفع في شيء إخبار العميد سرور بذلك. فهذا المجرم لا يستقر على حال. لا يتوقف في مكان ما ولا ينام، ويتحرك بطاقة عجيبة لا يملكها أي بشر.

كان المنجّم الصغير يراقب حركات أستاذه المدروسة بعناية. يفعل ذلك دائماً. يراقبه وهو يفرد الأوراق ويخلطها ويستل الورقة المطلوبة لرؤية حركة المجرم أكس، أو «الذي لا اسم له» كما يسميه المنجّم الكبير. ويشعر، من دون حاجة لاعترافات أستاذه المنجّم الكبير، بأنه ما من جدوى في ملاحقة هذا الكائن الغريب.

كان المنجّم الكبير يشعر بالضيق من الاسترخاء الذي يبدو عليه تلميذه الصغير. إنه مستسلم تماماً ولا يريد القيام بأي محاولة.

ـ ممكن جداً أن يدخل علينا الأن ويقتلنا جميعاً.

قال المنجّم الكبير وهو ينظر الى تلميذه الكسول.

ـ إن كان هذا سيحدث في النهاية، فما الداعي لأي عمل؟ ما الذي نستطيع فعله لردعه؟ هل نحن آلهة؟

ـ إن كنت قادراً على رؤية ما سيحصل، فهذه هدية من الله يخبرك من خلالها بأنك قادر على إصلاح هذا القدر. أنا الإله أريك ما سيحدث لأن ما سيحدث متعلق بما تقوم به. إن لم تقم بشيء، فإن ما رأيته سيتحقق. وإذا تحركت فأنت تستثمر رخصة الله في تغيير ما يحدث.

ـ نعم.. أنت تقول هذا دائماً.

يردّ المنجّم الصغير بذلك في إشارة لقطع هذا الحوار وأنه لا يريد سماع المزيد من المحاضرات من أستاذه الذي يبدو أنه لم يعد قادراً على تعليمه أي شيء جديد.

نهض من كرسيه وتمطى، ثم رفع كيس الرمل الخاص به من على

الطاولة ودسّه في جيبه، وغادر الى سريره لكي ينام. وهذا الأمر صار يتكرر كثيراً في الآونة الأخيرة. المسافة بين الأستاذ وتلميذه تتسع، رغم حرص الأستاذ على تجسيرها. ولكن الأسئلة تزداد عند الأستاذ والتلميذ لا يجيب عليها، أو يبرطم بأجوبة غير واضحة، وهذا ما يعكس العلاقة. فالطالب النجيب على ما يبدو ليس لديه فضول للتواصل مع أستاذه. أو انه يريد إشعاره، بطريقة غير مباشرة، أنه غدا أستاذاً مثله ولم يعد مجرد منجّم صغير تحت يده.

ــ ٣ ــ

ظلت حبات رمل دقيقة حمراء اللون على حافة الطاولة الخشبية التي يجلس إليها كبير المنجّمين. قام ومسح بيده على الطاولة فعلقت حبات الرمل الناعمة بأصابعه. ألقى نظرة أخيرة الى تلميذه الذي يتناوم مولياً وجهه الى الحائط حتى لا يتعرّض لعيني أستاذه. وشعر بأن هناك رائحة عدائية في أجواء الغرفة. هل يتجه إليه ويسحله من فراشه ويضرب به الأرض كي يحترمه كما يجب، أم يزجره بصوتٍ عالٍ أم ماذا يفعل؟

مسح أصابعه بثوبه الفضفاض وفضّل الخروج من الغرفة والتمشّي في الممرات من أجل التدخين أو الخروج الى الحديقة ذات الأشجار العالية رغم برودة الجو في الخارج. هو يحتاج الى هواء يتنفسه.

بمجرد خروج الأستاذ وصفق الباب خلفه، استدار المنجّم الصغير ثم استعدل في جلسته على سريره. كانت هناك مهمة يريد القيام بها هذه الليلة.

عاد وجلس الى الطاولة، مستبعداً احتمالات ان يغيّر أستاذه من خططه فجأة ليعود ويدخل عليه الغرفة. أخرج كيس الرمل الأحمر من

٢٥٢

جيبه ثم سكبه كله على الطاولة أمامه . ظل يلعب بهذا الرمل، يفرده،
يصنع منه قرصاً واسعاً، ثم يعود ويكشطه بيديه حتى آخر حبة ليصنع
تلاً صغيراً . ثم يثقبه من المنتصف، ويرفع قبضة من الرمال بكفّه ويبقى
يسكب منها بهدوء خيطاً رملياً دقيقاً داخل التجويف . إنها ألعاب
صبيانية حمقاء . هكذا قال العميد سرور مع نفسه في مرة، حين شاهد
المنجّم التلميذ يلعب بأكياس رمله الصغيرة . وكان تقديره خاطئاً
لخطورة عمل هذا الشاب .

إنها رمال من مكان خاص يقع في الربع الخالي في الجزيرة
العربية . رملٌ له طاقة سحرية كبيرة لا يقدّرها إلا من يعرف كيف
يستخرج هذه الطاقة . أما بالنسبة للآخرين فهي ليست سوى رمال
حمراء ناعمة لا أكثر منها في صحراء العرب .

كان مخزونه من الرمال يتناقص بشكل بسيط مع تقدم الأيام،
بسبب الذرات التي تتساقط هنا وهناك . كان فراشه الذي ينام عليه
يحوي ذرات رمل حمراء دائماً . حتى حين يدخل أحد ما الى
الحمامات المشتركة، فإنه من الممكن معرفة على أي مقعد تواليت
جلس المنجّم الصغير من خلال ذرات الرمل الصغيرة المنثورة هنا
وهناك . وكأنه أحد الحيوانات الضارية التي تترك أثراً من أنفاسها
ولعابها أو بولها على المناطق التي تمر بها كنوع من تحديد منطقة
النفوذ والسلطة .

صباح هذا اليوم وجد المنجّم الكبير ذرات رمل صغيرة على
وسادته وسريره حين استيقظ من النوم . لم يكن الأمر مصادفة، أو
عملاً غير مقصود . إنه يفكّر بطرده من الغرفة ربما، كي يتفرغ بشكل
كامل لألاعيبه السحرية الغامضة التي لا يشارك بها أحد .

كان المنجّم الكبير يستشعر برد الليل وهو يتسلل الى عظامه . رمى

عقب سيجارته وقرر العودة الى غرفته للنوم، وفي ذات الوقت كان تلميذه الصغير يشارف على الانتهاء من مهمته السرّية. كان يجرّب عمل اتصال مع روح المجرم الذي لا اسم له. ففي الوقت الذي ينشغل فيه أستاذه بمعرفة وجهه، كان هو منشغلاً بروح هذا المجرم. وتمكن خلال الأسابيع الماضية من التوصل الى عائلة حسيب محمد جعفر، حارس فندق السدير، الذي قتل وراحت روحه لتحل في الجثة المجمّعة في باحة بيت هادي العتاگ.

الليلة نجح في خلق اتصال مع روح هذا الوحش المخيف. نوع من ذبذبات هاتف خلوي بينه والوحش. أبلغه من خلالها، أو زرع في ذهنه شيئاً ما، جعل هذا الوحش يتوقف لدقيقة عن الحركة. ولو كان المنجّم الكبير موجوداً الآن لرأى عبر أوراق اللعب كيف أنه توقف فعلاً. ها هو يتكئ على جدار عمارة شاهقة في شارع معتم يضم ورشاً لتصليح السيارات، وينظر الى سياج مدرسة ثانوية خالية وموحشة في مكان ما من أحد احياء جنوبي العاصمة.

شعر المنجّم الصغير أنه الآن أكثر قوة وتأثيراً من أستاذه. وهو يملك قدرة خارقة لا يشعر بضرورة مشاركتها مع الآخرين.

دخل المنجّم الكبير الى الغرفة وأغلق الباب خلفه. نظر مباشرة الى سرير تلميذه فوجد أنه ما زال نائماً ووجهه الى الحائط مثلما تركه. مرَّ بجوار الطاولة الخشبية، وانتبه إلى آثار رمل ناعم عليها، كان متأكداً أنه مسحه باصابعه قبل ساعة.

ـ ٤ ـ

توقّف وسط شارع فرعي فجأة، واستدار لينظر الى الجهة التي دخل منها. كانت السيارات قليلة تلك التي تمرق على الشارع العام.

ومثل من يصحو من شرود ذهن طويل، نظر الى المكان الذي وقف فيه، وشعر بأنه لا يتذكر كيف قادته قدماه الى هذا المكان. كما أنه لا يعرف الى أين يتجه، وفي أي مكان سيبيت. كان الأفراد القلائل الذي يواجهونه في حركته خلال الليل إما يفرّون من أمامه، أو يتعرف في وجوههم على تلاميذ وأتباع قدامى، يهبّون الى مساعدته فوراً.

مازالت اللائحة في ذهنه طويلة، هذه التي تحوي أسماء من يفترض ان يقتلهم، وكلما تقلصت عادت لتمتلئ بأسماء جديدة، وربما تضاعفت دون أن يدري، الأمر الذي يجعل مهمة الانتقام والثأر مهمة أبدية بالنسبة له، ولربما صحا ذات نهار لكي يكتشف أنه لم يعد هناك من بشر ليقتله في هذا البلد. لان الجرائم والضحايا تتداخل مع بعض بصورة أعقد من السابق، ولم يعد يكترث لمن يعود هذا الجزء أو ذاك في جسده، وهل يرمّم نفسه ببقايا أجساد ضحايا أم مجرمين. لأنه صار الآن يلمس بعمق الجانب النسبي في الموضوع.

ــ ليس هناك أبرياء أنقياء بشكل كامل، ولا مجرمين كاملين.

حضرت هذه الجملة في ذهنه، ولم يعرف من الذي وضعها في ذهنه. وكأنها ثقبت رأسه فجأة مثل رصاصة نزلت من الأعلى. وشعر بأن هذه الجملة كافية لإنهاء مهمته الصعبة والشائكة. توقف وسط الشارع، ونظر الى السماء هذه المرة، وانتظر ان تحلّ لحظة النهاية ويتحلل عائداً الى مكوناته الأولى. مجرد أجزاء بشرية متفرقة مضمومة الى بعض. هذه هي الخلاصة التي تنهي مهمته من الأساس، فكل مجرم قتله كان ضحيةً بنسبة ما، ولربما كان منسوب الضحية فيه أعلى من المجرم. ولربما جازف، في بعض الأحيان، تحت وطأة هذا الإحساس، لاستلاف اعضاء من المجرم المقتول، بدعوى انها الأجزاء الأكثر براءة لدى هذا المجرم.

ـ ليس هناك أبرياء أنقياء بشكل كامل، ولا مجرمين كاملين.

ثقبت هذه الجملة رأسه من جديد، فتوقف ثانيةً، معرّضاً نفسه لأضوية المصابيح الأمامية لسيارة دخلت الى الشارع الفرعي. توقفت السيارة لثوانٍ كانت كافية لسائقها حتى يعرف ما هذا الذي يراه وسط الشارع، ثم استدار ببطء عائداً من حيث دخل.

ـ ٥ ـ

دخل كبير المنجّمين مع عدد من زملائه، لم يكن بينهم تلميذه الصغير، الى مكتب العميد سرور، أثناء ما كان العميد يتناول إفطاره على أريكة مقابلة لمكتبه الفخم. سلّمه على الفور مظروفاً وردياً، كما هي الاجراءات المتّبعة. لم يكن العميد يكترث لهذا الدخول المفاجئ لكبير المنجّمين عليه في أي وقت، لأنه يعرف أن عملهم يتعلق بالدقائق والثواني ربما، وأن أي تأخير في إيصال المعلومة، بسبب انشغال العميد بالأكل أو النوم أو الاتصال الهاتفي مع زوجته، يمكن أن يقرّب وقوع كارثة ما.

ـ سيحدث في الساعة الحادية عشرة صباحاً اليوم انفجار بسيارة مفخخة أمام وزارة المالية. ستأتي السيارة على الخط السريع وتتوقف فجأة أمام الوزارة وتنفجر.

قال كبير المنجّمين مستبقاً فتح العميد للمظروف الذي يحوي ذات المعلومة. وضع العميد سرور لقمة الصمون المدافة بقيمر العرب في فمه ونهض على الفور، اتصل بهاتفه المحمول، وانتظر للحظات حتى جاءه الرد، فطلب من محدّثه تحويله الى ضابط أعلى. ابلغهم على الفور بمضمون النبوءة. ثم عاد وجلس الى مائدته وأكمل افطاره.

قبل سنتين كان ضغط العميد يرتفع حين يدخل عليه كبير

المنجّمين بمعلومة كهذه، كان يدخل في إنذار، ويبقى يتصل بالقيادات الأمنية كلها للتأكد أنهم استثمروا المعلومة التي اعطاها لهم، ثم يشعر بانهيار كبير حين يسمع على نشرات الأخبار بحدوث التفجير الذي حذّر من وقوعه.

ـ أغبياء. . حين يعرفون بالسيارة المفخخة يفضلون الهرب من أمامها بدل محاولة تفكيكها.

كان يردد هذه الجملة دائماً في فورات غضبه، ولكنه الآن صار أهدأ. خصوصاً وهو يرى أن هناك جرائم وحوادث أمنية أخرى تقع من دون أن ينجح فريق عمله الخاص في كشفها قبل حدوثها.

ـ نحن نخفف من الآثار ولا نمنعها كلها. . دعهم يسلمونا قيادة البلد إذن إذا أرادوا استتباب الأمن بشكل كامل.

يردد ذلك أحياناً بثقة مفرطة بالنفس. وثقة بكفاءة فريق السحرة والمنجّمين الذين يعملون بإمرته. ولكنه كان واهماً.

غادر المنجّمون جميعاً بإشارة من يد كبير المنجّمين. وحين أغلقوا الباب خلفهم، جلس المنجّم العجوز أمام العميد أثناء ما كان الأخير يحسو من كاسة شايه بهدوء وارتياح.

كان القلق بادياً على كبير المنجّمين وهو يحاول جذب انتباه العميد إلى ما يريد الإفصاح عنه:

ـ هل تتذكر سيادة العميد متى بدأنا نرى شبح «الذي لا اسم له»؟

ـ يعني. . في بداية هذه السنة. . في الربيع تقريباً. . أواخر شهر نيسان.

ـ هل فكّرت يوماً كيف تمت صناعة هذا المجرم الوحش؟

ـ لماذا تسأل؟. . أنا لا أعرف. ولولا الشائعات التي أسمعها،

وثقتي بكلامك لما صدقت بوجود كائن مثل هذا. أين نعيش نحن، في أي عصر.. طناطل وسعلوات.. لا أعرف.. هذه كلها مخاوف يخلقها الناس، وانت تريد أن تصدقها.

قال العميد ذلك بنبرة انزعاج، منتظراً ان يكشف منجّمه الكبير عما يخفي في صدره.

ـ لا يا سيدي.. هو موجود. من حقك ان لا تعترف به، ولكن حين نمسكه إن شاء الله مسك اليد ستصدق بكلامي.

ـ هل جئت لإخباري بهذا الكلام فقط أم لديك شيئاً آخر تخفيه؟

ـ نعم.. أنا أعتقد بأننا تدخّلنا بصناعة هذا المجرم بطريقة أو بأخرى. كانت الأمور تمشي بشكل اعتيادي، قبل ظهوره. أنا اعتقد ان بعض مساعدينا أسهم في تكوين هذا الكائن.

قال المنجّم ذلك، ونجح في جذب انتباه العميد، فظلت كاسة الشاي معلقة في يده دون أن يضعها على الطاولة أو يرشف منها مجدداً.

ـ ما الذي تقوله؟

ـ هناك من أوحى بصناعة هذا الكائن للقضاء على الجريمة قبل حدوثها. ما النفع من التنبؤ بموقع حدوث الجريمة، من الأفضل القضاء على المجرم قبل أن يغدو مجرماً.

ـ ما الذي تقوله؟

أعاد العميد السؤال ذاته، وظلت كاسة الشاي معلقة في يده. شاعراً بانزعاج وتشوش، فهو لا يملك قدرة على التصديق السريع بكلّ ما يسمعه، وبذل جهداً حتى صار يثق بكلام المنجّمين، ويعيد تصحيح قناعاته القديمة التي اكتسبها في شبابه عن الخرافات التي يؤمن بها الناس ويضحك هو عليها.

لن يصدّق كلام منجّمه المفضّل، فهو لا يقدّم أي اثباتات قاطعة،
وإن كان يبيع للحكومة والأميركان كلاماً مستخرجاً من اللعب بالأوراق
والرمل والمرايا والمسابح المصنوعة من حب اللوبياء وغيرها، فهو غير
قادر على شراء كلام مثل هذا بسهولة.

الفصل الخامس عشر

روح تائهة

ـ ١ ـ

رأى محمود أنه يمسك بيدها، يشبك أصابعه مع أصابعها. كانت
يدها في حجم يده تماماً. وكانت بشرتها افتح من بشرته. كانت اليدان
متطابقتان، وشعر بأنها تضغط على اصابعه كما يفعل هو. اليدان
تلتحمان وتغدوان شيئاً آخر أكثر من يدين اثنتين، نوعاً من التوصيل
الكهربائي ما بين روحين. الأمر لا يتعلق بالجسد هنا. الجسد لا يكفي
لوحده. كان يسير معها على مهل. خطوات قصيرة وكسولة، وهما
يمران بجوار فندق الشيراتون باتجاه شارع أبي نواس. كان الوقت
عصراً، ولم يكونا بحاجة الى كلام كثير. كانت اليدان تنوبان عن أي
كلام، تمرران مثل سلك كهربائي الرسائل والشفرات ما بين روحيهما
من دون الحاجة لتحريك الشفتين. لربما مال بنظره نحوها، وانتظر ان
تبادله النظرة أيضاً. أو يترك نفسه تتهادى بخطوات وئيدة على
الإسفلت، ناظراً الى الأمام، وشاعراً بأن كل ما يراه هو شيء جميل،
مهما بدا قديماً أو شاحباً، فهو تفصيل لوني على فضاء أوسع وأكثر
لمعاناً.

لم يكن هناك أي صوت في الخلفية. لا منبهات سيارات، ولا
أصوات سيارات شرطة أو همرات أميركية. كان العالم من حولهما

أخف وزناً، وأقل شحوباً وكآبة، ولم تبد النهايات مجهولة تماماً. كان هناك يقين بشيء ما حسن، حتى وان لم يكن واضحاً، ولكن هذا اليقين الصغير والأليف يجعل الأشياء أخف وطأة، أو يحوّلها مثل عصا ميداس السحرية الى أشياء ذهبية.

ـ هل رأيت قطعة خراء ذهبية؟ هل تكون برأيك ذهباً جميلاً ام مجرد قطعة خراء أخرى؟

لا يعرف لماذا سألها هذا السؤال. ولكنه حين نظر إليها وجدها مجرد شجرة بلحاء متشقق. شجرة يوكالبتوس أخرى من أشجار شارع أبي نواس، وانتبه الى مرارة في حلقه، وشمّ رائحة الإطارات في السيارات المارة بسرعة على الشارع. وجد أن ما في يده هو منديل مبلل بتعرقه. كان يعصر عليه بشدة دون سبب مفهوم.

استيقظ وهو يتعرق. وشعر بغمّ شديد. كان قد نام لوقت طويل. لم يرغب بالقيام من الفراش للذهاب الى المجلة أو فعل أي شيء. عاود النوم مجدداً، مستعيداً الصور الحميمة التي عايشها في حلمه. لم يعرف لاحقاً هل غفا من جديد أم انه ظل متناوماً. كان الوقت ظهراً. حين وقف تحت الدوش البارد. أجرى اتصالاً برغائب السمسارة، وظل ينتظر داخل الغرفة. يتابع التلفزيون، أو يراقب وهو يدخّن حركة السيارات والسابلة في شارع السعدون من نافذته في الفندق. ظل هكذا حتى مغيب الشمس حيث حضرت «زينة».

كان الجو ساخناً ورطباً في الخارج. ورغم غياب الشمس إلا ان الأرض مازالت تنفث بهدوء حرارةً شديدة كسبتها خلال النهار، لذا فإن أول ما قامت به «زينة» حال دخولها الى غرفة محمود في فندق «دلشاد» هو الوقوف تحت دوش الحمام عارية الجسد لربع ساعة. تبلل شعرها الذي كانت تجمعه بقارصة شعر وردية اللون. ذهب

ماكياجها الصارخ الذي بدا، حين فتح لها محمود الباب، مثل قناع بالغ الحسية والإثارة، ولم تكترث لرأيه حين خرجت نظيفة ومنزوعةً من كل شيء، ببشرة باردة ورطبة، لا يعلوها سوى شعور غامر بالراحة.

كرّرت أمامه كما في المرة السابقة أن اسمها «زينة»، ولكنه لم يكترث. قال ان اسمها هو «نوال الوزير». ضحكت وقالت ان اسم نوال قديم، اقدم من «السلام عليكم»، ثم ضحكت مرة ثانية وهي تستلقي على السرير، فاردةً ساقيها على طول الفراش ومتيحةً له النظر الى عضوها الانثوي الحليق. قال في نفسه ان التشبيه بـ«السلام عليكم» للدلالة على القدم هو تشبيه قديم أيضاً، ولكنه بدا جميلاً وهي تنطق به، وصارت جميلة أكثر وهي تثرثر باسترخاء ومرح. لم يرغب بشيء سوى معانقتها وتمرير يده على طول جسدها العاري النظيف. وقال في نفسه؛ ان هذه هي اللحظة التي كنت تنتظرها يا ولد. لقد ارتقيت الى مرحلة اعلى كما في ألعاب الكومبيوتر. انتهيت من مرحلة وها انت تدخل في مرحلة جديدة. لن يكون ما بعد هذه الليلة مشابهاً لما سبقها.

سمع زينة التي غدت نوال الآن وهي تطلب منه أن يطفئ الضوء. نزع ملابسه وانطرح بجوارها على السرير. بقي ضوء شاشة التلفزيون يرسم ضربات ضوئية متحركة على موجودات الغرفة. طلبت ان يطفئه أيضاً، ولكنه أراد منها، كما في المرة السابقة، ان ترقص على انغام الاغنية الخليجية. قالت انها متعبة. ولكنها مستعدة ان ترقص على عضوه.

ـ ارقصي يا نوال.

قال لها، فضحكت وقالت وهي تجذبه إليها:

ـ هم نوال؟!

أمسك بزنديها السمينتين وسحبها إليه أكثر ونسي طلبه بأن
ترقص. كان متوتراً وقلبه يضرب مثل طبل. وحين طوقها بذراعيه
وأطلق آهات تعبّر عن راحةٍ عميقة حركت يدها الطليقة لتمسك
الريمونت المرمي على الوسادة. رفعته وأطفأت التلفزيون، فساد
الظلام في الغرفة. ثم اتضح انه لم يكن ظلاماً دامساً فهناك اضواء
خافتة تأتي من نافذة البلكون، ولكنه حين نظر إليها مستفيقاً من غيبوبة
التماس الجسدي الأول معها، لم ير شيئاً. مجرد خطوط ضوئية
شاحبة تحدد ملامح عامة لامرأة يمكن أن تكون أيَّ امرأة في العالم،
وكان يرى، رغم ذلك، انها ما زالت امرأة واحدة؛ نوال الوزير التي
احبها ولا يرغب بشيء سوى ان يضمها بين ذراعيه، وهذا ما حصل
عليه. ها هي بين ذراعيه رغم أنها تقول أن اسمها زينة.

مشّط جسدها المعتم بالقبلات، وكانت تضحك. ولم يعجبه
ذلك. كان يطمح بتخفيف توتره الذي تصاعد منذ ساعات الصباح
الأولى بسبب حضور طيف نوال الوزير في ذهنه بشكل ملحّ.

غطس فيها عميقاً. وغزته اللذة بسرعة متصاعدة، غير انها بدأت
تتأوه بطريقة غير مريحة. كانت تمثل تأوهات اللذة. الايقاع الطبيعي
يفترض ان هذه التأوهات مبكرة وستأتي لاحقاً. شعر بأنها تريد الانتهاء
من هذا الأمر سريعاً. لم تكن معه. كانت تفكّر بوصوله السريع الى
الذروة والانتهاء منه وإلقائه جانباً. طلب منها ان تتوقف.

ـ اسكتي.

نهرها فصمتت. ثم كبس بيده على فمها وهو يلتحم بها من
الخلف. كاد يخنقها، ولم يعجبها هذا التصرف، وحين انتهى غادرت
السرير وهي تتأفف. جلست عارية على الكرسي بجوار نافذة البلكون

المغلقة وبدأت تدخن، ورأى محمود بروفيل وجهها على سفار الضوء الخفيف. كانت حانقة وغاضبة، وظلت جميلةً رغم ذلك. بعد دقيقة صاح عليها فردت بغضب وصلافة:

ـ يا نوال هاي؟ أگلك اني اسمي زينة.. اصخام.. تگللي نوال.

كانت تشبه نوال كثيراً، وبالذات داخل الأنوار الواهنة التي تضرب أجواء الغرفة بلطف. وكان محمود معها يحقق اقترابه الأعمق من نوال.

ـ ٢ ـ

استل سيجارة من علبته وبدأ يدخن أثناء ما كانت زينة جالسة بجوار نافذة البلكون. واستحضر ما جرى له خلال اليوم الماضي.

كان الفضول قد دفعه للتوجه صباحاً الى مقهى عزيز المصري. أراد استرجاع شيء من الأجواء القديمة، ونسيان رتابة عمله في المجلة. دخل الى المقهى الذي كان شبه فارغ، وحيا عزيز بمودة. كان يتوقع رؤية هادي العتاگ هناك فهذا مقره الدائم، لكنه لم يكن موجوداً. وردَّ عزيز المصري على اسئلته باقتضاب ووضع الشاي أمامه بوجه خالٍ من التعابير.

ـ هل هو في بيته الآن؟

ـ ما تروحلوش يا استاز.. سيبو بحالو الله يخليك.

رد عزيز بلكنة جادة لم يعهدها فيه سابقاً. فهو دائم المرح. وحين فرغ المقهى قليلاً جاء ووقف بجواره وكأنه غيّر رأيه فبات مستعداً لكلام أكثر. سأله محمود عن صاحبه «الشِسْمه» وما جرى معه، وهل هو حقاً هذا المجرم الذي يتحدث عنه الناس. فقال له بأنها «سالفة

جذابية». وبدأ عزيز المصري يسرد تفاصيل لم يكن محمود يعرفها سابقاً تتعلق بـ«ناهم عبدكي» الصديق الحميم والمقرب لهادي العتاگ، شريكه ورفيقه الذي فقده خلال حادث مروّع مطلع هذه السنة. لقد عايش هادي مصائب كثيرة، ولكنه يحوّل كل شيء، بعد فترة، الى حكايات مضحكة.

ـ الشِسْمه اللي يحكي عنو هادي هو نفسو ناهم عبدكي الله يرحمو.

ـ شلون هو نفسه؟

تساءل محمود فرد عليه عزيز بأن ناهم قتل في تفجير بحيّ الكرادة مطلع هذه السنة، ولأن ناهم ليس له صلات أو عائلة كبيرة سوى إمرأته وبنتيه الصغيرتين فقد ذهب هادي الى المشرحة لتسلم جثّته. وهناك أصيب بصدمة كبيرة، حين شاهد كيف اختلطت جثث ضحايا التفجير مع بعض. قال الموظف في المشرحة لهادي؛ اجمع لك واحداً وتسلّمه، خذ هذه الرجل وتلك اليد وهكذا. الأمر الذي تسبب بصدمة كبيرة لهادي.

تسلم هادي ما ظنّ أنها جثّة ناهم، وذهب مع أرملة ناهم وبعض الجيران الى مقبرة محمد سكران ودفنوه هناك ورجعوا، لكن هادي تغيّر وغدا اشبه بالمجنون. لا يتحدث أو يحكي، ومر اسبوعان وهو على هذا الحال، ثم عاد بعدها للضحك وسرد الحكايات، وحين تحدّث بحكاية «الشِسْمه» أمام زبائن مقهى عزيز المصري، عرف عزيز وبعض الجالسين من أين جاءت هذه الحكاية. لقد محا ناهم ووضع الشِسْمه في مكانه.

ـ زين والتسجيلات؟.. اني انطيته مسجل وجابلي تسجيلات هواي ويه الشِسْمه.

ـ هادي كلاوشي كبير. يمكن طلب من واحد يسجل معاه. عندو صحاب كتير ما نعرفهمش.

ـ لا... الحچي اللي بيها قوي.. يعني مال واحد ذكي. سوالف چبيرة وبيها عمق.

ـ ما أعرفش والله. بس هادي إبن جنّية ويمكن يطلع منو أي شي.

صدق محمود كلام عزيز المصري، رغم وجود ثغرات في كلامه لأسئلة لا أجوبة عليها. وفي طريق عودته توقف أمام مدخل زقاق ٧ ونظر من البعيد الى الحائط المبني كيفما اتفق لواجهة «الخرابة اليهودية» حيث يقيم هادي. فكّر محمود بأن يخالف رغبة عزيز المصري ويذهب ليطرق الباب ويلتقي بهادي ويسأله عن هذه التفاصيل المثيرة بشكل مباشر. ولكنه خشي ان يكون هادي اذكى منه بالفعل، كما هو يقين عزيز المصري، فيقنعه بزيف كلام عزيز، ويعيده الى دوامة قصته العجائبية، ومحمود الآن لا يملك طاقة لتجربة من هذا النوع، فهو في دوامة هائلة اصلاً ويحاول الخروج منها.

ـ ٣ ـ

كان قد مضى على سفر علي باهر السعيدي بضعة أيام حين حضر أشخاص بشوارب رمادية سميكة وكروش بارزة الى بناية مجلة الحقيقة يسألون عنه. استقبلهم محمود بقلق، ولم يستطع تخمين مدى صلتهم بباهر السعيدي، وهل نواياهم طيبة ام لا. طلبوا رقم هاتفه في بيروت، فاعتذر محمود بأنه لا يعرف رقمه. أجروا معه ما يشبه تحقيقاً صغيراً وسألوه عن بيت السعيدي وأقاربه وشركائه وما الى ذلك وظل محمود ينكر اي معرفة بهذه التفاصيل. كان وجودهم ثقيلاً حتى انهم

لم يشربوا من كاسات الشاي التي وضعها عامل الخدمة أبو جوني أمامهم. وحين يئسوا تماماً من الحصول على اي معلومة مفيدة غادروا على مضض.

اتصل محمود بعد الظهر بباهر السعيدي والقلق يأكله، رن هاتفه طويلاً ولم يرفعه. عاود الاتصال به ثانية وثالثةً إلى ان رفع الهاتف وكلمه. كان مسترخياً وهادئاً كعادته. أخبره محمود بامر الضيوف المثيرين للقلق وكيف رد عليهم، فاشاد بطريقته في التعامل معهم. وطلب منه التصرف بحزم مع أمثالهم، ولكنه لم يوضح له من هم (أمثالهم)، ولماذا كان هؤلاء يسألون عنه، ولماذا يبدو الموضوع مقلقاً ومريباً. طلب منه ان يتصل بسكرتيرته الخاصة لكي تداوم في المجلة وتكون هي الحاجز بيني وهؤلاء الضيوف.

ـ هي تعرف كيف ترد عليهم، ومالك شغل انته. التهي بالمجلة ومعليك بهذولي.

قال له ذلك وتركه في حيرة وأنهى الاتصال سريعاً. خجل محمود من معاودة الاتصال به لاستجوابه من جديد.

كان إطلاق الكلام سهلاً، اما الوقائع على الأرض فتسير باتجاه آخر. اتصل محمود بالسكرتيرة في اليوم التالي فأخبرته بأنها مستقيلة. خطيبها يقول ان الوضع في الشارع خطر كما انه يرفض ان تعمل في مكان مليء بالرجال. لم يعرف بماذا يرد عليها، وفضّل عدم مجادلتها.

كان في المرمى تماماً وهو وضع لم يتعود عليه بعد. يصحو في الثامنة صباحاً. يغتسل ويحلق ويرتدي ملابسه الأنيقة والنظيفة كما هي ضرورات «بانثيون الأناقة» السعيدي. يخرج دفتراً صغيراً للملاحظات وينظر الى أولوياته لهذا النهار. يتصل بسلطان السائق الشخصي

٢٦٧

للسعيدي وقريبه لكي يأخذه الى مشاوير صحفية، ويبدأ مع هذا الاتصال الرنين المتواصل لهاتفه الذي يضعه دائماً على الشاحن الكهربائي في سيارة سلطان أو في المجلة. ويتلقى على الهاتف الآخر الذي تركه السعيدي في مكتبه اتصالات من أشخاص مختلفين، ثم يتفرغ للكتابة أو تحرير بعض المواد أو الحديث مع العاملين في المجلة الذين كانوا ينظرون له، على خلاف فريد شوّاف، على انه «البگ بوس» وصورة طبق الأصل عن السعيدي نفسه. ولربما نظروا له على انه شخص مرتاح وسعيد كما هي هيئة السعيدي الدائمة، ولكنه في الحقيقة كان متوتراً وقلقاً وخائفاً من المفاجآت، وخائفاً أكثر من الفشل أمام السعيدي، وينتظر عودته بفارغ الصبر لكي يتوارى عن الواجهة ويرجع الى موقعه كرجل ثانٍ يتلقى الأوامر من رب العمل.

كان مشغولاً كثيراً حين اتصلت نوال الوزير بهاتف السعيدي مرة أخرى. رأى الرقم (٦٦٦) وعرف انها هي من تتصل. رد عليها ولكن أحداً لم يجب. سمع صوت حسرة على الطرف الثاني من الخط أو توهم ذلك قبل أن يغلق الخط بوجهه.

بعدها بيومين دخل عليه عامل الخدمة العجوز أبو جوني وألقى عليه خبراً مثل قنبلة؛ فنوال الوزير جاءت الى المجلة. كانت تقود سيارة سوزوكي بيضاء صغيرة كانها لعبة. ركنتها بجوار حائط المجلة ودخلت. خلعت نظارتها الشمسية العريضة وجلست على الأريكة الجلدية الحمراء كما في زياراتها السابقة. ابتسمت بوجهه فضرب قلبه بشدة. كانت هيأتها تشع حيويةً ونضارة. بدت اجمل باضعاف من منظرها قبل شهرين تقريباً. قالت له فجأة:

ـ هذا صاحبك الكلاوچي عايفك هنا مختبص ورايح يلعب بذيله مو؟

ـ راح لمؤتمر عن الاعلام وحقوق الانسان في بيروت .

ـ أي گلت لي . . أي . . هسه يدگ الناقصة بيك وما يرجع .

أطفأت سيجارتها في المنفضة ولم تكملها ثم قالت :

ـ راح يلعب بذيله . . لا مؤتمر ولا هم يحزنون .

ـ والله ما ادري .

ـ انت كلش طيب محمود . من أول ما شفتك گلت شجاب
الشامي على المغربي . بس هذا صاحبك أكبر كلاوچي .

ـ هو صاحبي لو صاحبچ؟

تجرأ وقال ذلك فرآها تبتسم ثم تضحك ضحكة خفيفة :

ـ أي صاحبي . . بس لا يروح ذهنك لبعيد . هو چان يقدملي
مساعدة علمود الفلم اللي جاي اشتغل عليه . هو انطاني قصة الفلم
اصلاً .

نظرت الى ساعتها اليدوية ثم فتحت حقيبتها البيضوية غريبة
الشكل واخرجت مفتاحاً صغيراً . نظرت الى محمود واستأذنت لتقوم
بعمل ما . اقتربت من ميز السعيدي الفخم ، وبخفة انحنت الى الدرج
الأسفل ، ذلك الدرج الذي ظل مقفلاً ولم يعرف محمود ما به ولم
يملك مفتاحاً لفتحه . ها هي تفتحه الآن . اخرجت ملفات وعلبة
صغيرة بدت كأنها لساعة وقلم حبر بلون فضي ، ثم كيساً ورقياً من
ذلك الذي تستخدمه محال تحميض وطبع الصور في الباب الشرقي .
جمعت كل ذلك في كيس بلاستيكي سميك عليه دعاية سجائر جيتانز .
ورفعته وحركته بيدها للتأكد من وزنه . نظرت الى محمود وعرفت انه
مرتاب مما قامت به فقالت :

ـ لا تخاف . . هو يدري . . هو انطاني المفتاح . هاي الأغراض
مالتي . سيناريو الفلم وبعض الشغلات .

ـ وليش تاخذينها؟ يعني شنو اللي صار؟

ـ انتهى كلشي. واني انصحك تدير بالك. انت تذكرني بأخويه اللي هاجر للسويد من عشر سنوات. وبزوجي الشهيد الله يرحمه.

ـ يعني شأسوي؟ ليش ادير بالي؟

التفتت الى الباب المغلق، ثم عادت لتنظر إليه. رمت حسرة مديدة ثم قالت:

ـ ما ينفع الحچي هنا.

شعر بأنها تقدم له عرضاً للخروج من المجلة والجلوس في مكان ما من أجل الحديث، ولكنه لم يعرف لماذا سارع للاعتذار بأنه اليوم مشغول بالمجلة، ووعدها ان يتصل بها لتحديد موعد للقاء والحديث.

كان في الحقيقة مرتاباً ويريد وقتاً ليعيد هضم كلامها على مهل حتى يفهم ما قصدته بالضبط. أوصلها الى الباب الخارجي، وأبهره لون سيارتها السوزوكي الجديدة. لم يبد عليها أنها شحاذة أو عاهرة. كانت امرأة محترمة. ربما أخطأ محمود باعتذاره المتسرّع. ربما كان عليه أن يترك ويؤجل كل شيء الى الغد ويخرج معها الى حيث ترغب. ألم يكن يحلم برؤيتها ويستحضر وجهها وهيأتها في خيالاته الجنسية المضنية؟ حتى إنه بات ينام مع امرأة محددة لأنها تشبهها.

قبل أن تتحرك السيارة، اعترض طريقها مثل أبله. كان من الممكن أن تصدمه. توقفت فجأة، رفع يده في الهواء بإشارة أن تنتظره لثوانٍ معدودة. دخل الى المجلة مسرعاً، حمل حقيبته الجلدية التي تحوي أغراضه الصحفية، وتحدث مع عامل الخدمة أبو جوني ثم خرج راكضاً. فتح الباب وجلس بجوارها. تحركت السيارة بهما، وشعر بانتصاب خفيف يداهم عضوه، على وقع اهتزاز السيارة على الاسفلت المخلع للشارع الفرعي، وعلى رائحة عطر نوال الوزير

٢٧٠

النفاذة، ثم على أغنية لأصالة نصري كانت تصدح من مسجلة السيارة.

لم يكن يرغب بالالتفات إليها ورؤيتها. كان منفعلاً ويرسم، مع ذلك، ملامح هادئة على وجهه، اكتفى، في تلك اللحظة، بهذا التجاور معها في مكان واحد. وكأن حلمه الذي صحا عليه كئيباً في ذلك اليوم بدأ يتحقق.

قبل أن تخرج الى الشارع العام، جابهتما سيارة سلطان ذات الدفع الرباعي وهي تروم الدخول في الزقاق. توقفت نوال وأفسحت له الطريق. مرّ بجوارهما وعيونه تحاول قراءة الوجوه خلف زجاج سيارة السوزوكي. لمح محمود. كان قانطاً ولم يبد أي ترحيب ما سوى ضربه على منبه السيارة لمرّتين، كما هي طريقة سائقي الشاحنات وباصات النقل الكبيرة في تحية زملائهم على الطريق.

ـ ٤ ـ

قالت؛ ان السعيدي رجل شرير، وهو الأكثر شراً بين كل الرجال الذين عرفتهم. تعرفت عليه من خلال أصدقاء مشتركين، وكانت قد قرأت له كتاباً صدر في لندن اسمه «شروط الديمقراطية في البلدان الريعية» واعجبت بالكتاب، وأقنعها بأنه قادر على تمويل أول فلم سينمائي طويل لها من خلال تعريفها على منظمات لها صلة بالسفارة الأميركية في بغداد، وهذه المنظمات مستعدة لدعم التجارب السينمائية في العالم الإسلامي التي تنتجها نساء. وكذلك اتفقا سوية على فكرة الفلم ثم باشر هو بكتابة السيناريو. وقال لها بهذا الصدد كلاماً فيه مسحة نبوئية فلسفية كما هي عادته. قال لها إن فكرة الفلم وقصته ستكون حول الشر الذي نشترك جميعاً في امتلاكه في الوقت الذي ندعي اننا نحاربه، وكيف انه قائم هنا بين جوانحنا ونحن نريد الاجهاز

عليه في الشارع. واننا جميعاً مجرمون بنسبة أو بأخرى وان الظلام الداخلي هو الأكثر عتمة بين كل انواع الظلام المعروفة. اننا نكوّن جميعاً هذا الكائن الشرير الذي يجهز على حياتنا الآن.

قالت ان السعيدي استغل انفتاحها وروحها المتحررة وحاول التقرب منها أكثر من مرة. كان يريد منها ما يريده الرجل من المرأة! ظلت تصدّه وشعرت بأنها تورطت معه بقضية التمويل، خصوصاً بعد ان فاتحت المؤسسة التي تعمل بها بشأن الفلم.

وبعد ان وصلت الى طريق مسدود مع السعيدي أوقفت المشروع وتوارت بعيداً، حتى لحظة زيارتها للمجلة بنيّة استرجاع أغراضها من دُرج السعيدي قبل عودته. في تلك اللحظة، وهي تنظر الى محمود ملياً شعرت بأن هناك أملاً ما وان الفلم يمكن أن ينجز بمساعدة شاب كفوء وطموح، في حال وافق على ذلك.

ـ انا أقرأ لك ما تكتبه في المجلة. تصلني أعداد المجلة بانتظام لمكتبي هنا في الدائرة. أشياء رائعة. ستكون كاتباً كبيراً يا محمود.

قالت ذلك فلمعت عينا محمود، وأحسَّ بالزهو وكأنه يستمع الى عرّافة مجرّبة نطقت بحقيقة تخص مستقبله. ولكنه أراد أن يتلبس دوراً أذكى من الدور الذي تريد نوال الوزير أن تضعه فيه. لقد تعلّم من السعيدي بعض الحركات المؤثرة. إن التهمة التي تلاحقه من قبل أصدقائه بأنه يستنسخ السعيدي ويغدو مثله لا تزعجه أبداً. ولكن حتى تحصل المطابقة التامة بينهما، على محمود ان يجتاز باباً صغيراً واحداً بقي أمامه. عليه أن يحظى بنوال الوزير كما حظي بها السعيدي. ربما لم يحظ بها السعيدي فعلاً كما تؤكد هي، وحينها سيكون محمود قد تجاوز السعيدي وجعله خلف ظهره.

ـ أنا موافق. سأكمل لك السيناريو، ولكن من أجلك أنت فقط.

قال محمود ذلك، فابتسمت، وكأنها شعرت بالإطراء. ظلت ترشف من العصير من خلال القصبة البلاستيكية، وتنظر الى الأمام، الى ضوء النهار خلف الواجهة الزجاجية العريضة لكافتريا تقع في الطابق السادس من فندق أنيق في شارع العرصات. لا يعرف محمود من أين جاءته الشجاعة لكي يمد يده ويضعها على يدها المسترخية على الطاولة. ربما يظن أنه ما زال في حلم ليلة أمس، أو أراد التأكد من المشاعر التي اختبرها مع نوال داخل الحلم. ربما هو في جزء لاحق من الحلم ذاته ولم يستيقظ بعد. أياً كان الأمر فإنه يحرره من الخوف قليلاً الآن، ويجعله يستبعد حصوله على صفعة مدوية على خده مثلاً.

صدق حدسهُ ولم تقم نوال بأي ردة فعل. ظلت تنظر الى الأمام، الى الضوء القادم من الواجهة الزجاجية العريضة، وترشف من كأس عصير المانجو بهدوء. ثم التفتت إليه وقالت:

ــ أمورك تعبانة محمود.. خلينه نحكي عن سيناريو الفلم وبس الله يخليك.

لم يرفع يده عن يدها، بل ضغط عليها قليلاً فاضطرت الى سحبها بهدوء.

ــ شنو القصة محمود؟ أنا أحكيلك صارلي ساعة عن السعيدي وعن عمايله. يبدو انته ما فهمت.

ــ لا فهمت.. آني أسف.. بس أني افكّر بيك.

ــ ليش تفكّر بيه.. اكو شابات عندك بالمجلة.. شابات بعمرك.. فكّر بيهن.

كان صوت ما في دماغه يخبره بأن هناك شيئاً غير مفهوم. كان بإمكان نوال الوزير أن تحكي كل كلامها هذا في المجلة. ما الذي سيحصل لو أن أحد العاملين سمع شتائمها للسعيدي؟ يسمع محمود

٢٧٣

أحياناً سخرية زملائه في المجلة من السعيدي وأناقته المفرطة. كما ان فكرة كتابة سيناريو الفلم لم تبد قوية جداً. لا يبدو على نوال أنها امرأة بصدد إخراج فلم سينمائي طويل. انها لم تتحدث بالسينما حتى الآن، ولا يبدو شكلها عملياً كما هي مخرجات السينما. كانت تبدو مثل سيدة أعمال، أو زوجة رجل أعمال، يغلب عليها الكسل. وتعتني بمظهرها الخارجي بشكل مبالغ فيه، الأمر الذي يعني انها تخصص وقتاً طويلاً للجلوس أمام المرآة وليس لمشاهدة الافلام وإخراجها.

إنها تبحث عمن يضاجعها، وحين تأخر السعيدي كثيراً، رمت الشبكة لمحمود، تريد أن تتذوق هذا الشاب الأسمر ذا الجسد المشدود. هكذا قال محمود لنفسه وهو يعود للاتكاء على كرسيه محافظاً على مسافة غير حميمة بينه ونوال. مسافة يتمنى في أعماق نفسه ان تختفي نهائياً ويلتحم بهذه المرأة المغرية ولو لمرة واحدة.

ـ ٥ ـ

ظل جالساً في حانة بمنطقة الزوية لوقت غير محدد. اظلمت السماء في الخارج، وهو يشرب حتى وصل الى حالة من عدم التميز. كان يستعيد تفاصيل لقائه مع نوال وكيف انتهى نهاية بائسة. تحدثا معاً حول الفيلم والسيناريو بشكل جاد، وظل محافظاً على هدوئه خلال ذلك. تغديا سوية، وضحكا حول مواقف ونكات، وشعر بأنها يمكن أن تكون صديقته، بغض النظر عن نظرتها الى المسافة التي يحددها العمر بينهما. شعر بأنها ترغب فيه كما يرغب هو فيها. أو أن هناك أملاً ما في حدوث ذلك، شرط ان لا يعود السعيدي مطلقاً الى بغداد. كان يتمنى ذلك بشدة. استمرت الأمور بشكل طبيعي، واتفقا على لقاء ثانٍ لكي يعطيها خلاصة أولية عن قصة الفيلم، ثم نزلا من الكافتريا

مستخدمين المصعد. وما ان دخلا وحدهما وانغلق باب المصعد حتى استدار محمود الى نوال واحتضنها بذراعيه وطبع قبلة على شفتيها الحمراوين. لم تقم بردة فعل عنيفة. استسلمت للقبلة، وظل يدور بشفتيه على شفتيها الناعمتين ويكبس بذراعيه على جسدها اللدن. أخيراً تحسس هذا الجسد المثير. شعر بأنه يفقد الإحساس بكل شيء؛ الزمن والمكان الذي هما فيه، لكنها كانت أكثر حذراً وأقل رغبة بهذه القبلة غير المتقنة. انتظرت ربما حتى يصل المصعد الى الطابق الأرضي ويضرب الجرس معلناً ذلك لتدفع محمود بيديها بعيداً. وخرجت حالما انفتح الباب. ظل محمود يحاول اللحاق بخطواتها العريضة. وعند باب سيارتها نظرت إليه بشيء من عدم الرضا وقالت:

ــ هاي الحركة مو لطيفة. لو كنت أحبك لكنت اعطيتك أشياء أكثر. حاول تحترمني.

أراد أن يعتذر منها، لكنها أغلقت الباب في وجهه. وغادرت سريعاً.

ظل يحرك كلماتها الأخيرة في رأسه المخمور مراراً محاولاً الوصول الى غورها العميق. لماذا تبدو كلمات غامضة؟ كان من الممكن ان تكون أكثر شدة وقسوة في كلامها. لماذا بدت مستمتعة جزئياً بما جرى، وكأنها كانت تتوقع الفعل الذي قام به محمود. أو ربما كانت الحركة الجريئة التي قام بها أمراً عادياً جربت مثله لعشرات المرات سابقاً. لقد أشعلت النيران فيه وتركته.

خرج من الحانة ووجد ان خطواته كانت تنتظم على الأرض بصعوبة. علم قبل وصوله الى الشارع أنه تأخر كثيراً، وأن حظر التجوال سيبدأ بعد أقل من ساعة. شعر بخوف يخترق طبقات سكره ويستقر عميقاً. فمن الذي سيأخذه في هذا الوقت الى البتاويين؟

وصل الى رصيف الشارع العام وكانت السيارات قليلة بالفعل.
ولم يتأخر كثيراً باللجوء الى خيار الطوارئ. أخرج هاتفه المحمول
واتصل بسلطان السائق.

بعد نصف ساعة مشحونة بالخوف مرقت سيارة سلطان بجوار
محمود، ثم توقفت على مسافة عدة خطوات منه. وبعد ان ركب
محمود بجواره اكتشف أن سلطان كان سكراناً أيضاً، وأحسَّ بالحرج
لأنه ناداه في هذا الوقت. أمطره بكلمات الاعتذار والأسف وبقي يثرثر
من دون أن يسيطر على مشاعره. كان محموداً مرتاحاً لوجود سلطان
ذي الملامح العابسة، بصورة لم يتخيلها من قبل. مرت سيارة همر
أميركية في الشارع وأطلقت منبهها الغريب. انتظر سلطان للحظات
حتى تبتعد قبل أن يستدير في الشارع وينطلق مسرعاً.

حل التعب على محمود فجأة وهو يسمع تحريك سلطان لمؤشر
القنوات في راديو السيارة، ولا يستقر على قناة محددة، ثم يغلقه.
ومن دون مقدمات بدأ سلطان يتحدث، بنبرة لم يعهدها محمود منه
سابقاً. كان يتحدث وكأنه أخوه الكبير وليس سائقاً يعمل تحت إمرته.

ـ إعذرني استاد.. بس اني شفتك اليوم وي هاي نوال.

وقبل أن يرد عليه محمود بشيء، أكمل سلطان كلامه:

ـ إعذرني ولو بيها تدخل، بس اني أگدر أحچي وياك هسه
ويجوز باچر أو غير يوم ما نگدر نحچي.

ـ ليش؟

ـ آني باچر مسافر.

ـ مسافر؟

ـ أي.. بس ردت أگلك استاد. هاي تره ست نوال مو راحة.
أتمنى ما تسمع منها أي شيء. هاي جانت صديقة استاد علي. چان

٢٧٦

يتونس وياها، يعني هي لزگتله فرد لزگة. بعدين رادته يتزوجها، واستاد علي ما متفرغ لهاي الشغلات، يعني .. تعرف انته .

ـ أي .

ـ المهم .. هاي صارت من وراها قضية چبيرة، وگامت تركض وره استاد علي، وبعدين گامت تهدده اذا ما يتزوجها. هي فد وحدة أدبسز ساقطة وعدها علاقات بالمنطقة الخضراء ويه سياسيين، عدها گرايب بمجلس النواب، وهذولي سوو مشكلة للاستاد. أنته عبالك استاد علي رايح لبيروت علمود مؤتمر؟ لا .. هو شارد من نوال الگحبة .

ـ زين وهو يمته يرجع؟ .. يعني احتمال ما يرجع مو؟

ـ لا .. يرجع .. هو محرك أصدقاءه هسه علمود يسدون القضية، وهمّ نصحوه يعوف بغداد شوية .

ـ زين وانته ليش راح تسافر باچر .

ـ لازم آخذ أخوات الاستاد ووالدته لعمان. أمه مريضة كلش ولازم تتعالج. واستاد علي هسه بعمان ينتظرنا .

ـ يعني مو ببيروت؟!

نزل محمود أمام باب فندق دلشاد، وشكر سلطان كثيراً، لقد قدم له خدمة هائلة، ودعه بصداقة ومحبة .

وقبل أن يدخل الى الفندق فتح هاتفه استجابة لهاجس مفاجئ . كانت ساعته الروليكس الفاخرة تشير الى الثانية عشرة مساءً، لم يكن الوقت متأخراً إلا بالنسبة لمدينة تسيطر عليها أشباح الموت مبكراً .

ضرب محمود على رقم السعيدي في بيروت، وانتظر لثوانٍ بطيئة قبل أن يأتيه الصوت الانثوي في المجيب الآلي ليعلن له أن الرقم الذي طلبه خارج الخدمة .

ظلت شفتا نوال الوزير تطارده أينما نظر. حتى مع اغلاق عينيه ومحاولته العودة الى النوم، كانت القبلة الساخنة، أو التي افترض أنها ساخنة، تغزوه وتسيطر على حواسّه. ثم غزته خلال النوم بحلم طويل وغريب.

خرج ليتغدى في مطعم مجاور للفندق. ثم في الثانية بعد الظهر اتصل برغائب السمسارة، وطلب منها أن ترسل له زينة. تمنى ألا تقول له أنها مسافرة أو مشغولة كما في المرة السابقة.

حين حضرت قبيل الغروب بدت بالنسبة لمحمود أكثر جمالاً من نوال الوزير وأصغر عمراً. كانت زينة لطيفة ومرحة. جلب عشاءً الى غرفته. أكلا وشربا سوية، ثم ظلا يثرثران. مارسا الجنس عدة مرات، وظلت نائمة في حضنه حتى الصباح.

كان محمود يفكّر أن زينة ستساعده على نسيان هوسه بنوال الوزير، ونسيان حماقة القبلة الرعناء في مصعد الفندق. لكن زيارة زينة كانت هي الأخيرة. فبعد مغادرتها للفندق صباح اليوم التالي تغير كل شيء تماماً. إنهار العالم الذي بناه محمود بارهاق طوال الأشهر السبعة الماضية.

قالت له زينة وهي تودعه بأنها غفرت له محاولته خنقها في الليلة الماضية. ثم طبعت على شفتيه قبلة وداعية، بدت ألذ طعماً من أي قبلة اختبرها سابقاً.

كان ذلك آخر لقاء لمحمود مع زينة، وآخر لقاء، من خلالها، مع نوال أيضاً.

الفصل السادس عشر

دانيال

ـ ١ ـ

فجر اليوم الذي غادرت فيه زينة غرفة محمود السوادي في فندق «دلشاد» كان سلطان، سائق علي باهر السعيدي الشخصي، يقود سيارته التيوتا ذات الدفع الرباعي على الطريق البري الطويل من بغداد باتجاه عمان حاملاً ام السعيدي واختيه العانستين، ولكن هذه السيارة لم تصل الى عمان أبداً. تحدث سائقون على الطريق ذاته ان عصابات مسلحة كانت تختطف السيارات بركابها وتقوم بجزرهم في بساتين قريبة تبعاً لخلفياتهم الطائفية. انتظر السعيدي النهار بطوله واتصل أكثر من مرة بسلطان على هاتفه المحمول وكان الهاتف يرن ولا أحد يرد.

قبلها بيوم كان هناك مغادر آخر، ولكن باتجاه الجنوب. شخص يترك بغداد دون رجعة، انه أبو أنمار صاحب فندق العروبة. حمل حقيبتين كبيرتين معه ووضعهما في سيارته الجي أم سي التي اشتراها بالنقود التي حصل عليها من صفقته مع فرج الدلال. أدار محرك السيارة الجديدة وعدل من غترته وعقاله. نظر الى وجهه في مرآة السيارة وأحسَّ بأنه في أفضل حال. لقد حوّل النقود المتبقية الى أبناء اخته الساكنين في «قلعة سكر» جنوب العراق. وها هو يتجه الى هناك. لقد غسل يديه من بغداد وما فيها، فها هي تتحول الى مدينة

للقتل والموت المجاني . وآخر مشاهداته كانت إصابة العامل المراهق آندرو ابن الخادمة الأرمنية فيرونيكا بجروح بليغة في أحد انفجارات الباب الشرقي . زاره في المستشفى ووضع مبلغاً كبيراً من المال بيد أمه السمينة . ولم يفوّت الجيران هذه المناسبة دون القول إنه يزور الولد المراهق لإيمانه بأنه ابنه ومن صلبه . في كل الأحوال ها هو يترك المدينة التي لم يعد يعرفها ، وباتت تتغرب وتتنكر له . أصبح غريباً فيها بعد ثلاثة وعشرين عاماً قضاها هنا . ها هو يتجه الى «قلعة سكر» الوادعة والفقيرة والتي ولد فيها ولم يرها منذ زمن بعيد .

رفع فرج الدلال رقعة «فندق العروبة» بعد مغادرة أبي أنمار بعشر دقائق . رمى الرقعة على الأرض وداس عليها ، ثم صاح على أحد صبيته لكي يأخذها الى الخطاط فيمحو العروبة ، ويكتب رقعة جديدة باسم «فندق الرسول الأعظم» . كان واثقاً من أنه سينجح في ما فشل فيه أبو أنمار .

أنه موسم العمل الأكبر بالنسبة له ، لقد عقد صفقتين كبيرتين خلال هذا الشهر ، أحداهما صفقة فندق أبي أنمار ، ويشعر بأنه مقبل على صفقات أخرى جيدة ، فالأوضاع العامة المتردية لا تترك فرصة إلا للجريء والمجازف ، وفرج الدلال لا يفتقر الى الجرأة وروح المجازفة . الكثيرون يتركون بيوتهم أو محالهم التجارية خشية من الاختطاف أو القتل لأسباب شتى ، فالعصابات منتشرة في أحياء وشوارع بغداد ، وفرج الدلال ينتهز هذه الفرص . هو غير مسؤول عن ترك فلان من الناس لبيته وهربه الى محافظة أخرى أو الى خارج العراق ، وليس من الخطأ ان يعرض على هذا الفلان المذعور ان يشتري بيته منه . نعم هو يحصل على هذا البيت بسعر أقل من سعره الفعلي في الظروف الطبيعية ، ولكن هذه هي التجارة . ما الخطأ في

ذلك؟ وما بين ليلة وضحاها غدا فرج الدلال من أكبر الملاكين، وتكاثر أعوانه، واتهمه البعض بقيادة عصابة إجرامية، غير أنه في الحقيقة باستثناء بعض الصفعات والركلات التي لم يبخل بها على من قاده حظه السيئ للوقوف في وجهه، فهو لم يرتكب عملاً إجرامياً بالمعنى الدقيق للإجرام. لم يقتل أو يسرق أحداً بشكل علني على الأقل. يسمع عن مجرمين يسكنون في المنطقة، يعرف بعضهم، ولا يجعل نفسه في موضع عداء لهم إلا حين يعرف، مع نفسه، انه قادر على التخلص منهم الى الأبد. يشي بهم الى أصدقائه من ضباط الشرطة، أو يعاونهم بطريقة غير مباشرة. يعرف ان الناس تكره الأميركان الذين يتجولون في الشوارع وربما يدخلون الى محل حلاقة أو يشترون الخبز الحار من فرن في المنطقة. ولا يرى مشكلة في هذا الأمر، غير انه يتجنب الاحتكاك بهم، لأنه لا يريد زيادة الشبهة حوله بين الناس.

جاء أربعة شباب صغار يعملون لدى فرج الدلال وفتحوا باب الفندق على مصراعيه. شرعوا سريعاً بالعمل الذي كلّفهم به منذ وقت مبكر، سيكملون ما بدأه أبو أنمار من افراغ الفندق من محتوياته القديمة. أخرجوا الميز الخشبي الكبير الذي كان يجلس أبو أنمار خلفه لسنوات طويلة. جرجروا هذا الميز ذي الزخارف المحفورة على جانبيه، وشتموا صاحب الميز بسبب ثقله. نجحوا في وضعه على الرصيف أمام الفندق أخيراً.

دعك فرج الدلال مسبحته السوداء براحتيه وهو ينظر الى حركة عماله ونشاطهم، وأطلق زفرة مديدة تعبيراً عن شعوره بالراحة والرضا عن النفس، غير انه لم يستمتع كثيراً بهذه اللحظة، فبعد يوم واحد من سفر أبي أنمار، وقف فرج في السادسة والنصف صباحاً أمام الفندق

وهو يمسك بصحن من الخزف الصيني. كان يريد الذهاب الى الفرن لشراء الصمون وقيمر العرب لإفطار عائلته حين رغب بتأمل هذا الفندق العدائي عدة لحظات، فها هو يغدو تحت ملكيته أخيراً. لن يرى بعد اليوم شيئاً من وراء مكتب العقارات العائد له غير انعكاس لصورته على واجهة هذا الفندق. تأمل مربّع اللون الفاتح أعلى الحائط الذي خلفته رقعة «فندق العروبة الحديث» المنزوعة. ثم انفلت الصحن الخزفي من يده بسرعة، واكتسحه صوت انفجار مدوٍ صمَّ أذنيه. انفجار مهول، اضخم انفجار حصل داخل حي البتاويين.

ـ ٢ ـ

لم يمت فرج الدلال في هذا الانفجار المهول، لم يكن مقدّراً له أن يموت الآن. كان عليه، قبل ذلك، ان يعيش لوقتٍ كافٍ يتيح له إعادة النظر بعقيدته التجارية، ويصحح فهمه لأشياء كثيرة جرت وتجري من حوله. لقد أذعن وآمن فيما بعد، ببركة العجوز إيليشوا، تلك التي يحلف البعض برأسها. إنها امرأة مباركة حقاً وليست مجنونة تماماً كما كان يعتقد سابقاً، وقد انتصرت عليه، مثلما انتصر عليه أبو أنمار وآخرون كثر شعروا بالتشفي والراحة الكبيرة لمصابه.

كان قد أبرم، قبل اسبوع من هذا الانفجار، صفقة ناجحة ثانية. مع العجوز إيليشوا. لقد رضخت أخيراً واستجابت لطلبه بشراء بيتها العتيق. ولم يكن ذلك من دون مبررات قوية، فقد عاد دانيال أخيراً، هذا الذي انتظرته العجوز طوال ربع قرن. حدث ذلك مع اعتدال الطقس وحلول الذكرى التاسعة والعشرين لجلوس قداسة مار دنخا الرابع على الكرسي البطريركي لكنيسة المشرق. كانت إيليشوا قد ذهبت للاحتفال بهذه المناسبة في كنيسة مار قرداغ في كمب الگيلاني.

وعادت الى بيتها هادئة الروح. تشعر بالشبع الروحي، وتحسد نفسها أنها عبرت ساحة الطيران واخترقت السوق الارتجالي للخضراوات والفواكه وموقف السيارات الصاخب عند مدخل شارع الشيخ عمر، وعادت في الطريق ذاتها دون أن تشعر بالتعب أو أية آلام معتادة في ساقيها. لم تكن تفكّر بالقطيعة مع الأب يوشيّا وكنسيته البعيدة، ولكنها لا تريد مواجهته وسماع كلامه بصدد بناتها خلال هذه الفترة، على الأقل حتى العيد القادم في روزنامة الأعياد الكنسية. كانت تفكّر بشطف باحة البيت بالماء ومسحها ما دامت تشعر بطاقة ما في جسدها حين سمعت طرقات خفيفة على الباب الخارجي.

عاد دانيال، ومثّل الأمر صدمةً لدى الكثيرين. وبالذات لدى سكان زقاق ٧. فهؤلاء، وعلى رأسهم أم سليم البيضه وزوجها الصموت وأولادها، وبعض الجيران من الشباب الفضوليين، كانوا يتابعون خلال الأشهر الماضية أم دانيال ويسعون لرؤية ابنها الذي كانت تثرثر حول عودته وما جرى له معها، ولكنهم لم يصلوا الى اي نتيجة. لم يروا هذا الابن الاسطوري العائد من موت الثمانينيات ولم يعثروا على أثر يدل عليه، وانتهوا الى اتهام بعض اللصوص الذين يعرفون بخرف العجوز إيليشوا فاستغلوا ذلك لتصفية ممتلكاتها الثمينة. ولكن، وعلى غير توقع من الجميع، وحين بدا ان تخاريف العجوز إيليشوا قد غدت منسية بعضَ الشيء، ظهر لهم ابن العجوز فعلاً في بداية الزقاق؛ بشعر أسود مفروق من المنتصف ومسبل على الجانبين مثل صورة لأيقونة مسيح تقليدية. بشرة بيضاء شاحبة وهزال في جسد عشريني مع قميص أبيض بياقة كبيرة مرفوعة وخصر ضيق وبنطلون جينز ممزق وحذاء رياضي أبيض مع حقيبة جلد حمراء من تلك التي كان يقتنيها الشباب المجندون في بداية الثمانينيات. كانت هيئته حزينة

وورومانتيكية وكأنه عاشق مخذول، يسير بخطوات بطيئة مترددة متلفتاً في أرجاء المكان وكأنه غريب أو مغترب من وقت طويل وعاد تواً وبدأ يتلمس آثار ذكرياته البعيدة في مكانه الأول، ومن خلفه كان الشماس العجوز نادر شموني يتباطأ في خطواته ليتيح للشاب المغترب فرصة أن يرى المكان ويتصل به دون مقاطعة.

هل كانت العجوز صادقة الى هذا الحد؟ هل نجا ابنها من موت الثمانينيات حقاً؟ هناك حكايات كثيرة في الواقع، لا تقل غرابة عن عودة ابن مقتول من الموت، سمعها الأهالي خلال السنوات الثلاث الماضية. هناك موتى خرجوا من سراديب الأمن العامة، ومعدومون انبثقوا فجأة أمام الأبواب العتيقة لبيوت اهاليهم الفقيرة. هناك أشخاص عادوا من سفر بعيد بأسماء وهويات جديدة، ونساء عشن طفولتهن في اقبية السجون وتعلمن، قبل أي شيء آخر في الحياة، قواعد وآداب التعامل مع السجّان، هناك من نجوا من ميتات عديدة في زمن الديكتاتورية ليجدوا موتاً تافهاً حاضراً أمامهم في زمن «الديمقراطية» الجديد كأن تصدمهم دراجة نارية في وسط الشارع مثلاً. مؤمنون تحولوا الى ملحدين بعد ان خانهم أصحاب العقيدة والكفاح وخانوا مبادئهم، وملحدون تحولوا الى مؤمنين بعد ان رأوا «فوائد» الإيمان ومنافعه. لا يمكن احصاء كل الغرائب التي كُشف الغطاء عنها خلال السنوات الثلاث الماضية، وعودة دانيال تيداروس موشه عازف الگيتار الهزيل الى بيت أمه العجوز ليس بأمر يصعب تصديقه.

كانت أم سليم البيضه تراقب بذهول مع زوجها المطل برأسه الأصلع بشعر فودين أبيضين منفوشين من نافذة البلكون في الأعلى، وكذلك بقية العجائز الجالسات أمام دكات بيوتهن وزوجات ابنائهن من الكسبة وأصحاب الحرف البسيطة. ووصل «دانيال» الى منتصف الزقاق

تقريباً قبل أن ينتبهوا للعجوز ممتلئ الجسد بشاربين كبيرين أبيضين والذي ظل متأخراً خلف «دانيال» بعدة خطوات ويحمل حقيبة صغيرة في يده أيضاً. إنه «نادر شموني» الشماس ولا ريب، الذي سافر قبل بضعة أشهر مع عائلته الى عينكاوا باربيل. ولكن كيف التقى بدانيال، وأين عثر عليه؟

وصل الرجلان الى الباب الخشبي العتيق لبيت أم دانيال وبدأ الشاب الصغير الناحل يطرق على الباب متلفتاً حوله بين طرقة وأخرى، وهو يستشعر لسع النظرات الفضولية المتكاثرة. انفتح الباب وخرجت أم دانيال بهيأتها الضئيلة، تلف عصابة كونيكتا سوداء وتضع نظارتها الطبية السميكة على عينيها. كان النهار ساطعاً، وبدا وكأنها كانت مستغرقة بالعتمة الداخلية للبيت. رفعت رأسها ورأت شكلاً ظلياً لشاب عشريني، ولم تستطع التعرف على ملامحه. اندفعت بخطوات ثقيلة لتخرج من باب البيت، وهو أمر لا تفعله في العادة، فهي تواجه من يطرق بابها باطلالة شحيحة من خلف فرجة الباب، ولا تترك الفرضة الخشبية للباب إلا بعد أن تغلقه. وقفت على إسفلت الزقاق أمام الشاب الغريب وتأملته على ضوء النهار الفيضي. كان هو بكل تأكيد. لا يمكن أن تخطئ بملامحه، انه ذاته ذلك الشاب ذو الابتسامة الرمادية الخفيفة في صورة الصالة القديمة. إنها ذات الهيئة والملابس والوجه والابتسامة أيضاً، وها هي الابتسامة ترتسم على وجهه لحظة التقاء عينيه السوداوين بعيني العجوز من خلف زجاج النظارة السميك. لقد انجز القديس ماركوركيس الشهيد وعده للعجوز إذن، وها هو يعيد إليها ابنها بعد طول فراق. يعيده إليها كما بدا في آخر صورةٍ له في ذلك الفجر الذي خرج به من البيت متردداً وحزيناً، يطرق ببسطاله الثقيل على إسفلت الزقاق حتى اختفى في انعطافة الشارع العام.

نظرت أم دانيال حولها وشاهدت أم سليم البيضه تقف بباب بيتها، شاهدت النساء الأخريات والأطفال وبعض الشباب عند الطرف الثاني من الزقاق المؤدي الى الشارع التجاري للبتاويين. انتبهت إلى بعض النظّارة في النوافذ العليا للبلكونات. أرادت أن تتأكد ان الجميع يشهد على معجزتها، وكأنها تريد أن تقول لهم إنهم اخطأوا جميعاً بحقها حين اتهموها بالكذب أو سخروا من كلامها، فها هو الولد الذي يريدون رؤيته يقف أمامهم، ها هو ابنها دانيال تيداروس يقف أمامهم جميعاً، من لحم ودم، بإمكانهم لمسه والتحدث إليه. ها هو ولدها الحبيب يعود الى احضانها.

اندفعت إليه وبهدوء وضعف هبط عليها فجأة واحاطته بذراعيها، ضغطت عليه بمحبة وحزن شديد، من دون أن تنطق بأي كلمة. أشبعت عيون النظّارة جميعاً من مشهدها المسرحي المؤثر، ولربما دمعت عيون بعض النساء وهن يتابعن حركتها الواهنة لضم ابنها الى احضانها بقوة لا تملكها.

ـ هذا دانيال.. يا إيليشوا.

قال الشمّاس العجوز نادر شموني موضحاً ما هو أكثر وضوحاً من النهار بالنسبة للعجوز. ظلت ممسكة بالشاب، تحتجزه في حضنها ولا تفلته لدقيقتين أو أكثر، ثم انتبهت لتقدم أم سليم البيضه وبعض النسوة من الجيران إليها، احاط بهم الجيران وتكاثروا، وأمسكت أم سليم بذراع دانيال فعلاً لتتأكد من انه شخص حقيقي وليس خيالاً. افلت دانيال من يدي العجوز المنفعلة ونظر الى وجهها مبتسماً وأحسَّ بأنه بحاجة الى ان يخاطبها، عليه أن يتأكد من كونها ما زالت بوعيها وانها تدرك ما يجري حولها:

ـ داخي إيوَت؟

قال لها واتسعت ابتسامته على وجهه أكثر. حركت بصرها في ملامحه ومررت كفيها المعروقتين على ذراعيه، ثم سحبته برفق الى داخل البيت وهي تقول:

ـ سباي إيْوَن باسيما.

داخل البيت وفي صالة الضيوف تحدث نادر الشمّاس بوضوح، محاولاً اعادة العجوز الى أرض الواقع، قاطعاً عليها خيالاتها. أخبرها بأنه لا يملك وقتاً كثيراً. وعليه أن يعود الى عائلته في عينكاوا باقرب وقت ممكن، وعليها ان تحسم أمرها، وان الأب يوشيّا ينتظر رداً منه. وبنتاها ماتيلدا وهيلدا في عينكاوا الآن. لقد جاءتا من استراليا مع بعض ابنائهما لهدف واحد؛ هو حمل العجوز معهما الى استراليا.

ـ هذا دانيال حفيدك يا إيليشوا.. ابن هيلدا الكبير. كانت ترسل لك صوره بالبريد؟ الم تعرفيه؟

قال الشماس محدقاً في وجه العجوز التي اختلط عليها كل شيء، وشعر بأنها تحتاج الى بعض الوقت لكي تدرك هوية الشاب الجالس بجوارها، والذي تمسك بيده الآن وتحدق بوجهه دون أن ترتوي عينيها منه. ويبدو ان ابنتيها قد فهمتا أخيراً كيف يمكن أن تتعاملا مع المرأة العجوز. كانتا تتحدثان معها بمنطق وعقلانية، من دون أن تحاولا فهم المنطق الخاص الذي تتحرك العجوز بوحي منه. اثمرت الاتصالات الهاتفية بين ماتليدا والأب يوشيّا في تقريب الصورة؛ العجوز إيليشوا مصرّة على فكرة ابنها العائد من الموت أو الغياب ذات يوم. انها مستعدة ان تموت وتغمض عينيها للمرة الأخيرة مع حلم أن ابنها سيعود، حتى بعد موتها، وانها انتظرته قدر ما أعطاها الله من عمر وصحة. لم تكن قادرة على تحمل ذنب تخليها عن ابنها. وإن ماتت فهذه مشيئة الرب وليست مشيئتها. لا يمكن تكتيف المرأة

العجوز وسحلها بالقوة بعيداً عن بيتها. وأثمرت الفكرة التي طرحها الأب يوشيّا اخيراً، فالشبه كبير بين دانيال الحفيد وخاله المتوفي، كبير الى درجة كافية لتشويش استجابة العجوز. يملك هذا الشاب بيده قوة هائلة لا تتوفر لأحد غيره، وباستطاعته أن يؤثر في العجوز. سافرت ماتليدا مع هيلدا وابنها الكبير دانيال الى العراق. أقام الثلاثة في بيت نادر الشمّاس في عينكاوا، وفي اليوم الثاني سافر الشمّاس مع الشاب الصغير الى بغداد. كان الشاب الصغير الذي لا يجيد العربية بطلاقة، ويتحدث السريانية والانكليزية، قلقاً ومتوتراً مدفوعاً في هذه المهمة الاستثنائية بحس الواجب العائلي أكثر مما هو حنين شخصي أو عاطفة قوية تجاه جدته التي لم يعد يتذكر الكثير عنها، فهو قد غادر مع عائلته في سن مبكرة جداً، اتجه الى بغداد مع نادر شموني خائفاً ومجللاً بطيف ذكريات شاحبة وملامح الصور التي كانت والدته وخالته تعلقانها داخل البيت في ميلبورن.

كانت الخطة بمجملها تعتمد على عنصر واحد؛ تأثر العجوز برؤية حفيدها واستجابتها لمقترحاته. ولم يخل هذا الأمر من خدش اخلاقي، فالعجوز تتعرض هنا لفخ أو خدعة من نوعٍ ما. وكان على دانيال الحفيد والشماس نادر شموني ان يستثمرا الوقت سريعاً قبل أن تفيق العجوز من المفاجأة وتستعيد مواقفها المتصلبة المعتادة.

قال دانيال لجدته أن عليها ان تسافر معه، عليها ان تبيع هذا البيت وتصفي أغراضها. يجب أن تعيش معه. قال لها الجملة الأخيرة بنبرة صادقة. وشعر أثناء حديثه معها بتأثير المكان يتغلغل الى نفسه ببطء وثبات. داهمه حزن غامض وهو يرفع بصره الى الصور الرمادية المعلقة على الجدران. شعر أنه يعرف هذا البيت، واستعاد جزئياً بعض ذكرياته الشاحبة أثناء ما كان يأتي مع امه لزيارة الجدة والجد قبل

أكثر من عقد مضى، وتيقن ان بقاءه مع جدته لوقت أكثر سينشط ذكريات أخرى، كانت تبدو، فيما سبق، وكأنها غير موجودة أو مجرد احلام وكوابيس غير واضحة.

تركهم نادر شموني الشماس ليقلبا هذه الذكريات سوية وغادر الى حي گراج الأمانة. كانت لديه بضعة مشاغل، منها النظر في تأجير بيته المتروك منذ بضعة أشهر، وزيارة بعض الأقارب والأصدقاء، وحسم بعض القضايا المتعلقة بسجل «سيتا» الخاص بالعجوز إيليشوا داخل الكنيسة. كان متيقناً ان العجوز ستغادر مع حفيدها لذا لم ينتظر ان يعرف رأيها.

استمر الحوار بين الجدة وحفيدها حتى الليل، وكلما تكاثر الكلام بينهما تراكمت الخيالات في ذهن الحفيد بوجود ذاكرة مشتركة فعلاً بينه وهذه العجوز الضئيلة، وغرقت الجدة أكثر في وهم المطابقة بين الحفيد والابن الراحل، حتى مع وقوفها داخل المطبخ وعلى ضوء الفانوس النفطي لإعداد طعام العشاء وبطء حركتها، ثم رؤيتها لجانب من وجهها الشاحب المتغضن الذي فاجأها على زجاج الشباك، ما يؤكد لها انها عبرت طويلاً خلال الزمن، وانها لم تعد أماً للشاب العشريني الخائف من الحرب، فإنها ظلت خاضعة ومستسلمة لعواطف لم تختبرها منذ زمن طويل؛ أن تشم وتلمس وتقلب أطراف ولدها وتمسد على شعره، وتجبره على وضع رأسه في حجرها. إنها أشياء ثمينة، وما دامت تشعر بثقلها على أرض حياتها وليست مجرد أشباح تطوف في رأسها، فإنها مستعدة لفعل أي شيء في سبيل الاحتفاظ بها.

غسلت إناءً عريضاً من الصيني رغم أنه نظيف، ووضعته في صينية من الالمنيوم، لكي تنزل عليه مخلمة الطماطم والبيض من المقلاة. شاهدت قطها «نابو» يدخل الى باب المطبخ الصغير على أثر

رائحة الطعام، حينها قررت أن تستجيب لمطالب ولدها «حفيدها». ستفعل أي شيء في سبيل ان تبقى يدها قريبة من بشرته وشعره ورائحته الطفولية التي لم تنسها يوماً ما أبداً.

ـ ٣ ـ

فتح دانيال هاتفه المحمول واتصل بامه التي فضّلت الانتظار في عينكاوا، وحين ظهرت على الخط قال لها بلغة انگليزية صافية: الآن هو وقت العمل وليس وقت الحقيقة. تحدثي مع العجوز ولكن سايريها. وافقي على ما تقول.

قال ذلك ثم أعطى الهاتف للعجوز، وظلت المرأتان تتحدثان براحة ودون مشاكل لربع ساعة. كانت العجوز سعيدة وترى العالم بعينين جديدتين. اجبرت دانيال على الجثو معها أمام صورة القديس مارگورگيس وتقديم الشكر له لأنه أوفى بوعوده لها، وانتظرت بينما تعقف كفَيها بصمت أمام صورة القديس أن يتحدث ويسمع صوته لابنها الجالس بجوارها، ولكن القديس ظل صامتاً وساكناً ينظر بملامحه الوادعة اللطيفة الى الأمام، بصورة لا تتناسب مع منظر الوحش الخارج من الأسفل. لم يكن هدوء ملامحه يشي بانفعال ملائم لمقاتل على شفا مجابهة وحش مرعب. هناك تناقض جوهري داخل الصورة، ولكن العجوز كانت تتمنى أن يتجاهل القديس الوحش الذي أمامه للحظات ويلتفت إليها ويتحدث ببضع كلمات حتى يتأكد ابنها من صدق المعجزة.

انخفض الضوء في فتيل المصباح النفطي، وتكاثف الظلام أكثر. ربما تحركت عينا القديس باتجاهها ولكن الظلام لا يسعفها لرؤية شيء، فضلاً عن بصرها الضعيف أصلاً. حاولت النهوض لملء قنينة

المصباح بالنفط . نهض معها دانيال وذهب معها الى المنور الصغير في نهاية البيت حيث برميل النفط . حاول مساعدتها ولكنه اكتشف ان البرميل فارغ تماماً . لقد نفد النفط لدى العجوز من دون أن تنتبه . ظلت واجمة وهي تشعر بأن هذه إشارة أخرى تؤكد أن مقامها هنا شارف على النفاد أيضاً .

في صباح اليوم التالي طرقت النساء باب أم دانيال . ملأن البيت كما لم يفعلن ذلك في أي وقت سابق . وأشبعت أم سليم البيضه فضولها المتأجج منذ اليوم الماضي ، بعد ان منعها زوجها وأولادها من التطفل على ضيوف العجوز أم دانيال . عرفت حكاية الحفيد وداهمها حزن عميق وشرعت بالبكاء لأنها استذكرت ولدها الكبير الذي قتل في الثمانينيات في وقت مقارب لفقدان دانيال . وربما فكّرت بأن الله لم يعطف عليها كما فعل مع العجوز إيليشوا .

لم يكن بيع البيت وآثاثه العتيق سهلاً . كانت أم دانيال تفكّر بأولئك الشباب الذين زاروها بضعة مرات وطلبوا منها شراء البيت من أجل حمايته من التهدم وتحويله الى مركز ثقافي أو ما شابه ، ولكنها تذكرت أنها لم تكن مكترثة بعرضهم ، كما انهم انقطعوا عن زيارتها منذ فترة طويلة . وربما لن يعودوا ثانيةً . لم يكن هناك إذاً سوى فرج الدلال .

كان فرج الدلال على علم بالأخبار الغريبة التي تتحدث عن عودة ابن العجوز إيليشوا . هذا الولد ربما كان أسيراً لدى إيران وعاد الآن . ربما كان فاقداً للذاكرة كما يحدث في الأفلام الاجنبية . حصل له عارضٌ معين واستعاد ذاكرته فعاد الى امه العجوز . لكن الشباب العاملين لديه أكدوا له أن ابن العجوز مازال شاباً صغيراً ، بينما يفترض به أن يكون في الأربعينيات من عمره الآن .

ـ ربما وضعوه في آلة تجميد مدة عشرين سنة. والآن ذوبوه وأرجعوه الى امه.

قال «حمّودي» ذلك، الابن الأصغر لفرج الدلال، فمنحه أبوه صفعة مفاجئة على خده أخرست الجميع. لم يرغب الدلال بالإنصات الى المزيد من الترّهات العقيمة فوجّه مساعديه بتحري الأخبار الدقيقة عن الموضوع.

كان فرج، كما هي عادته، يميل الى توقّع الأشياء السيئة، ويستعد نفسياً لمواجهتها، ولكنه شعر بارتباك شديد ولم يعرف ما هي مشاعره، حين انتهت أربعٌ وعشرون ساعة على مجيء الشاب دانيال الى العجوز إيليشوا، ليراه ها هنا، داخل المكتب، مع الشمّاس شموني وهما يعرضان عليه شراء بيت العجوز أم دانيال.

ـ ٤ ـ

قبل انتهاء المفاوضات مع فرج الدلال على سعر البيت، وطلبه أن يتفحّص من جديد أرجاء الغرف والجدران والأرضيات قبل الاتفاق على السعر النهائي، كانت أم دانيال قد استدعت هادي العتاگ. أبلغته بأنها تريد بيع الآثاث كله. ظل هادي مبهوتاً وصامتاً لنصف دقيقة تقريباً وهو ينتظر أن تكمل العجوز أم دانيال كلامها، ولكنها أوجزت له الأمر في جملة واحدة. هو متأكد أن هذه المرأة الآثورية تكرهه كرهاً شديداً، فما الذي تغيّر الآن؟

استعرض معها موجودات البيت. كانت الآثاث كثيرة، مفروشات وأسرة مصنوعة من الحديد والنحاس، وتحفيات وطاولات خشبية صغيرة غريبة الشكل. كان كل شيء عتيقاً. ما سوى الطباخ وبعض الأجهزة الكهربائية. وبحسابات سريعة أدرك هادي أنه لا يملك مبلغاً

كافياً لشراء هذه الأغراض كلها، ولكنه قادر على الاستدانة من بعض أصدقائه، فهذه فرصة لا تعوّض.

لم تكن العجوز ولا حفيدها الذي لا يجيد العربية بشكل حسن خبراء في المفاوضة على سعر مناسب. لم يستطع هادي أن يلتقط المفارقة الحاصلة بشأن دانيال الحفيد، فلا أحد حدّثه عن الموضوع، وهو لا يتذكر أصلاً صورة دانيال الابن. انشغل بإقناع العجوز بحسم أسعار الأغراض كلها دفعة واحدة، بينما هي تريد المفاصلة حول كل قطعة من آثاث البيت ومقتنياته، وهذا أمر مجهد ومزعج بالنسبة لهادي. في النهاية وبعد ساعة من الجدال والنقاش استطاع إقناعها بمبلغ محدد، وخرج سريعاً من البيت ليجمع من أصدقائه المال المطلوب.

كان شرط العجوز الوحيد هو أن لا يخلي آثاث البيت أمامها. لا تريد أن ترى بيتها وهو يتلاشى أمام ناظريها. بإمكانه أن يتصرف بالآثاث والأغراض بعد سفرها. كانت تريد الاحتفاظ بصورة أخيرة عن بيتها كما هو دائماً؛ منظماً ونظيفاً يمتلئ برائحة من عاشوا فيه ومروا بغرفه وأرجائه.

تكفّل الشماس نادر شموني بتحويل مبلغ البيت الذي تسلمه من فرج الدلال وثمن الآثاث المباع لهادي العتاگ الى مكتب صيرفة في عينكاوا. لم يكن من الحسن حمل مبلغ كبير في الحقائب خلال الطريق كما قال للعجوز.

وفي الليلة التي سبقت السفر سهرت العجوز طويلاً في غرفة الضيوف. جلست على الأريكة المقابلة لصورة القديس مارگورگيس وتحدثت معه طويلاً. كان التيار الكهربائي شغَالاً والمصابيح الصغيرة الموضوعة في كؤوس زجاجية مزخرفة في زوايا الجدران تضيء المكان بشكل طقوسي. تحدثت طويلاً مع قديسها ولم يفتح شفتيه

بكلمة واحدة. لم يعد هناك من مسوَغ للاستمرار بالثرثرة على ما يبدو. لقد أنجز معجزته وانتهى دوره. هكذا فهمت العجوز أخيراً. لقد عاد قديسها مجرد صورة جدارية قديمة شاحبة الألوان. وخطر في بالها شيء؛ كانت أعدت حقائبها كلها. جمعت كل مقتنيات العائلة من الصور والهدايا والإيقونات المرمرية الصغيرة للعذراء والطفل وبعض القديسين. وضعت كتباً دراسية قديمة لهيلدا عليها خربشات بقلم الماجيك. حملت كل شيء يحمل ذاكرة للعائلة. حتى ملابس أبنائها حين كانوا أطفالاً رضَعاً. لم يتبق من شيء سوى هذه الصورة الأثيرة لقديسها المفضّل. وشعرت بأنها غير قادرة على حملها بأطارها الخشبي الثقيل وزجاجها المدخّن بالمصابيح النفطية على مدى أعوام.

قامت، وبمراقبة من قطها نابو، ووقفت على الأريكة الملاصقة للجدار الذي علقت الصورة عليه. رفعت الصورة الى الأعلى لتحرر خيطها الصوفي السميك من المسامير. ثم نزعتها، وتركت مربعاً فاتح اللون على الحائط عليه بعض بيوت للعناكب. وضعت الصورة على وجهها على الأرض واستغرقت، مثل امرأة نشطة، في فتح المسامير الصغيرة لترفع الصورة الورقية عن الزجاج. كانت الصورة رخوة وتطوّت في يدها. فقدت الصورة شيئاً من جلالها السابق، وهاهي ترى عن قرب ملامح القديس. ترى حواجبه الدقيقة واللمعة على شفته الحمراء السفلى. شعرت وكأنها ترى صورةً جديدة، مع الإنارة الكافية للمصابيح الكهربائية ودنو عينيها من الصورة على هذه المسافة. فكّرت أن تطوي الصورة مثل أنبوب وتضمّها الى بقية المقتنيات الأثيرة ولكنها لم ترتح للفكرة. ومثلما شاهدت ملامح القديس الوادعة عن قرب شاهدت أيضاً بزّته العسكرية المهيبة. الدرع المعدني وصلابة الرمح وامتداده ورأسه المسنن الحاد. وشاهدت الجسد الحربي المتكبر

للفرس الأبيض المهيب، وأحسَّت أيضاً بأنها ترى هذه التفاصيل بعين جديدة. أحبت الوجه الوادع الحاني لقديسها أكثر، ولكنها كرهت بزته وهيأته الحربية، وانتهى بها الأمر لاتخاذ قرار غريب. ذهبت الى غرفة نومها، مارةً بغرفة ابنها دانيال، وتأكدت بنظرة خاطفة، مثل كل مرة، أن ابنها موجود معها حقاً، وانه هنا في غرفته ينام بهدوء. دخلت الى غرفتها وجلبت مقص خياطة كبيراً. عادت وجثت بجوار الصورة الورقية الكبيرة. دفعت نابو بيدها حين حاول القفز الى حجرها وباشرت بقص الصورة. اخترقت بالمقص المعدني الكبير وبخطٍ مستقيم جسد الصورة اللين حتى وصلت الى مسافة من وجه القديس فاستدارت لتصنع دائرة مثل هالة قداسة نورانية حول الوجه الجميل. قطعت الوجه ورفعته بيدها. فهذا هو الجزء الذي تحبه منه. وألقت بنظرها الى بقية الصورة فوخزها قلبها. كانت الصورة ذات الثغرة في مكان الوجه عدائية بالنسبة لها. تركتها في مكانها وحملت الوجه الدائري ولحق بها نابو الى غرفة النوم.

ـ ٥ ـ

عملت أم سليم البيضه مناحة كبيرة داخل الزقاق. وجلب صوتها، في وقت مبكر من بداية النهار، كل الساكنين في البيوت المجاورة، وشاهد الكثيرون ذراعيها البيضاوين لأول مرة، حين رفعتهما الى الأعلى وهي تصيح على أم دانيال المبتعدة مع حفيدها الى نهاية الزقاق. كانا ذراعين بيضاوين كالثلج لم ير أحد مثلهما سابقاً، وعلّق بعض الخبثاء متسائلاً حول السبب في ارتداء أم سليم لثياب ذات أكمام عريضة إن لم تكن معجبة هي بنفسها وبياض ذراعيها. رفعت ذراعيها نائحة فهطل الكمّان العريضان للثوب وسطع بياض ذراعيها

٢٩٥

المستديرين الجميلين اللذين يلائمان فتاةً شابة وليس امرأة بعمرها.

وشاهد الجميع، ولأول مرة ربما، زوجها أبو سليم يمشي خلفها بخطوات بطيئة مرتدياً بيجامة بازة من قطعتين، يضع يديه في جيوب القميص ويقف مثل شبح منتوف الشعر ينظر الى ما يجري مثل غريب بعينين مذعورتين.

كانت أم سليم قد تقدمت باتجاه صديقتها القديمة واحتضنتها باكية حين شاهدتها تطل من باب البيت. أغلقت البيت بأحكام وسلمت المفتاح الى شاب صغير يعمل لدى فرج الدلال. كانت أم دانيال حزينة ولكنها لم تبك حتى تلك اللحظة. مسحت ببصرها كل موجودات البيت، ونادت على نابو لكي تحمله معها ولكنه فرّ الى السلّم. صاحت عليه وكأنه يعقل ما تقول. طلبت منه ان يأتي، التفت إليها وأطلق مواءً متموجاً وكأنه يخبرها بأنه ليس جباناً مثلها ولن يغادر هذا البيت، ثم خطا مسرعاً الى الأعلى واختفى في استدارة السلّم.

حين فاجأتها أم سليم باحتضان حميم وغطست في صدرها الواسع اللين، وسمعت هدهدات بكائها الصادق تصاعد الحزن في نفسها، ووجدت بللاً على عينيها. حاولت ان تمد يدها الى نظارتها لتنزعها وتمسح الدموع ولكن الذراعين العريضين لأم سليم منعاها من فعل ذلك فاستسلمت للبكاء معها. كانت هذه دموعاً قديمة تجلّدت في صدرها منذ سنين طويلة، كان يفترض ان تريقها على ولدها المفقود لكنها بقيت في القاع ولم تخرج، وهاهي تتخلص منها بمساعدة أم سليم التي لا يبدو انها ستطلق سراحها.

أفلتت بصعوبة من يديها، وسحبت بعض النسوة أم سليم الى الخلف، ولكنها تملصت منهن وعادت لتركض خلف أم دانيال الذاهبة بخطوات ثابتة الى مدخل الزقاق المطل على شارع السعدون. كانت

هناك سيارة أجرى واقفة مع نادر الشماس. وضع دانيال الحقائب في صندوق السيارة، وركبت العجوز في الخلف. بينما تباطأت خطوات أم سليم مع شعورها بالضعف في ساقيها وانهارت جاثية على ركبتيها وهي ترى صديقتها القديمة تبتعد بشكل أكيد ونهائي.

تحلقت حولها النسوة من صديقاتها، من اللائي يداومن على الحضور الى بيتها في أوقات العصر من أجل الثرثرة وشرب الشاي وأكل الحب الشمسي. حاولن انهاضها واعادتها الى بيتها ولكنها كانت ثقيلة وسمينة، ولم تخف بعضهن استغرابها من هذه العواطف المفرطة تجاه العجوز إيليشوا، بينما كن شاهدات على كلام غير لائق أطلقته أم سليم في أكثر من مناسبة تجاه جارتها الآثورية. ولكن، لا أحد بصورة واحدة، أو حال دائمة، ومن الصعب تكذيب هذه الدموع الآن. انها حزينة فعلاً. وربما لذلك تستحق الاحترام من الجميع. لهذا الوقت على الأقل.

قالت لهم أم سليم إن كارثة ستحل بالزقاق، بسبب رحيل أم دانيال، ولكن أحداً لم يصدقها، فهي تخرّف الآن وتهذي ولا تعرف ما تقول. وأثناء اقتياد النسوة من صديقاتها لها لإعادتها الى البيت شاهدت هادي العتاگ وهو يقوم بمعية عدد من الشباب بنقل آثاث بيت العجوز الى بيته، وذكرها هذا المنظر بصور نهب بيوت المسؤولين في النظام السابق التي عرضتها بعض الفضائيات خلال أحداث نيسان ٢٠٠٣. صاحت على هادي العتاگ ومساعديه وشتمتهم، وهي تظن بأنهم يسرقون بيت العجوز. ولم ينقطع سبابها اللاسع إلا بادخالها الى البيت وغلق الباب خلفها.

نقل هادي كل آثاث العجوز الى بيته وترك بعض الأشياء غير المفيدة في مكانها، مثل قطع سجاد قديمة ومستهلكة، وبعض

الأغراض وأوراق الصحف وصفائح دهن فارغة وأنابيب وعلب معاجين مختلفة. لم يتبق في البيت سوى نفايات غير مفيدة. ومنها الصورة مجوفة الوجه للقديس ماركوركيس. فحين شاهدها العتاگ شعر بالخوف، وكأنه نوع من السحر أو العمل الروحاني الغريب.

ظل باب بيت العتاگ مفتوحاً والناس تدخل إليه وتخرج رغبةً في شراء شيء أو لمجرد التفرّج على تراث العجوز الراحلة. ومع منتصف النهار كان قد باع نصف المعروضات للأهالي من سكان المنطقة، وشعر بأنه سيكسب مبلغاً جيداً. ولم يؤنبه ضميره على غياب العجوز. رفع بصره الى الجدار الذي يفصل بيته عن بيت العجوز وشاهد القط منتوف الشعر وهو يطل عليه صامتاً وجامداً كأنه تمثال. شعر للحظة بأن عيني العجوز بقيتا مع القط وها هو ينظر من خلالهما إليه. أزعجته هذه النظرة، وحمل بيده قطعة طابوق صغيرة ورمى بها باتجاه القط، لكن قطعة الطابوق لم تصب القط، ولم يتحرك من مكانه.

حين انتهى النهار كان هادي منهكاً جداً. باع أشياء كثيرة وتبقت في باحة البيت أشياء أخرى سيبيعها غداً في سوق الهرج بالباب الشرقي أو يخبر أصدقاءه الباعة بأمرها. علّق مروحة سقفية من أغراض أم دانيال في سقف غرفته المتهالكة وشغلها بمعونة مساعده المراهق الصغير. ثم استلقى على الفراش وتأمل من بعيد الثغرة المعتمة المتخلفة عن زوال آيقونة العذراء الجبسية، وتذكر كلام أحد أصدقائه خلال النهار، فهذه اللوحة الخشبية الداكنة هي آيقونة يهودية، ويمكن بيعها أيضاً، ولكنه، كما في المرة الأولى التي شاهد بها هذا الحفر الخشبي الانيق، أحسَّ بخطر هذه الخطوة لو أقدم عليها، فلتبق هذه اللوحة ها هنا، وربما سيقوم لاحقاً بردم الفتحة بالجص كي يتخلص من هذا القلق نهائياً.

قلَّبَ في ذهنه هذه الإشارات المتقاربة، محاولاً أن يجمع بينها؛ زوال الآيقونة وزوال أم دانيال والأشياء التي حصلت معه، ولكن عقله لم يقدر على جمعها في صورة واحدة مفهومة. تذكر عيني القط الحادتين ولمس في أعماق نفسه شعوراً طفيفاً بالخوف والذنب، وكأنه ارتكب خطأً ما ولكنه لا يعرف الآن ما هو.

في هذه الأثناء، وبينما عينا هادي العتاگ تغالبان إغفاءة مبكّرة جرّاء تعب النهار. كان شبح نشيط يعبر على جدران البيوت، يقفز على الحائط المتداعي لبيت العتاگ ثم يعبر الى سطح بيت أم دانيال الذي غدا الآن واحداً من بيوت فرج الدلال. نزل الشبح على السلم وشاهد القط نابو في باحة البيت الداخلية. أطلق القط صوتاً مديداً، ومر الشبح بجواره باتجاه صالة الضيوف الفارغة.

جثا هذا الكائن، الذي تلاحقه الاجهزة الأمنية وتطلبه أطراف عديدة، على ركبته ودنا من بقايا جدارية القديس مارگورگيس، رفعها بيديه وشاهد ثغرة الوجه المفقود. طوى الصورة برفق عدة طيات بيده حتى تحولت الى حجم يقارب الدفتر المدرسي. نظر الى بقية أرجاء البيت وداهمه حزن. فهو لن يرى العجوز إيليشوا مرة ثانية، تلك التي أسهمت في ولادته، والتي منحته اسم ابنها المفقود. شعر بأنه كان الشخص الأقرب إليها من الآخرين، وانه يحمل جزءاً من ذاكرة ولدها. وأنه الآن برحيلها فقد واحداً من مبررات وجوده. لقد تركته وهي لا تعلم أنها تركت آخر خيط يربطها مع ابنها الراحل.

جلس متكئاً على الحائط ومر القط نابو بجواره ومسح جسده ببنطاله مخلفاً شعره المتساقط. إلتف القط معيداً مسح جسده ثم تكّور رابضاً عند قدميه وكأنه يتدفأ بهما.

بقيا على هذا الحال حتى الصباح.

الفصل السابع عشر

الانفجار

ـ ١ ـ

في الخامسة والنصف فجراً، وأثناء ما كان هادي العتاگ يغرق في نوم عميق تحت مروحة أم دانيال المطفأة، واستغراق شبح الشِسْمه أو الذي لا اسم له في النوم مع القط نابو على الأرضية الوسخة في صالة بيت أم دانيال، كان العميد سرور مجيد يغالب أحلاماً مزعجة في نومته العميقة داخل مكتبه في دائرة المتابعة والتعقيب. جاء كبير المنجّمين يخطو بسرعة داخل الممرات. نبّه الحارس النائم بالقرب من باب مكتب العميد سرور، وطرق بيديه بقوة على الباب.

فز العميد سرور من نومته، وحين شاهد كبير المنجّمين أمامه خمّن بسرعة أنها قضية ملحّة لا توجب التأخير حتى طلوع الشمس. وضع كبير المنجّمين ورقة واحدة وردية اللون أمامه. وقبل أن يفهم العميد سرور ما بها قال المنجّم العجوز ذو اللحية المدببة كما في افلام الرسوم المتحركة:

ـ إنه هنا. في هذا البيت بالبتاويين. هو نائم الآن وعليك ان تتحرك فوراً لإلقاء القبض عليه قبل أن يصحو.

أطلق العميد سرور أوامره فوراً لتجهيز السيارات، وارتدى ملابسه على عجل. لم يكن من الضروري ان يرافق فرقة الاعتقال التي

جهّزها، وبإمكانه أن يعتمد على ضابطيه الورديين، ولكنه شعر بأهمية أن يظهر في صورة واحدة في وسائل الاعلام مع المجرم الخطير الذي أتعب الدولة كلها ويئست جميع الاجهزة الأمنية من إلقاء القبض عليه. سيقبض عليه أخيراً، ويثبت لرؤسائه أنه كفوء. أكثر كفاءة من الجميع، وحينها سيخرس الألسنة التي لا تنفك تعرّض به وبسيرته الأمنية في النظام السابق.

ربما يجعلونه وزيراً للداخلية أو الدفاع، أو مديراً لجهاز المخابرات. قال ذلك مع نفسه وهو يركب في سيارة رباعية الدفع ذات زجاج مظلل. وانطلقت معه سيارتان صغيرتان بسرعة داخل شوارع بغداد شبه المهجورة في هذا الوقت من بدايات الصباح. كان المنجّم العجوز الذي يعرف في الوثائق باسم «كبير المنجّمين» جالساً في المقعد الخلفي مع العميد سرور. القضية تهمه أيضاً على ما يبدو، كان يريد رؤية ملامح هذا المجرم الخطير الذي لا اسم له قبل أن يتشوه وجهه باللكمات والصفعات من قبل مساعدي العميد سرور أثناء الاعتقال. حلم طويلاً بهذه الملامح، وكانت في كل مرة تتغير وتتبدل. لم يعان سابقاً في استحضار ملامح شخص ما، ولكن ملامح الذي لا اسم له تتفلت منه دائماً، وهذا ما يجعله شخصاً خطراً وغامضاً أكثر من الآخرين. فلربما مرّ بجواره ذات يوم دون أن يتعرف عليه، ولربما شعر المجرم الخطير بأن المنجّم يلاحقه وفكّر بالتخلص منه، رغم أنه لا يغادر دائرة المتابعة والتعقيب أبداً. هل خرج اليوم لكي يكون هدفاً سهلاً لقبضة الموت على يد هذا المجرم الخطير؟ ظل يفكّر بذلك طوال الطريق حتى وصولهم الى شارع السعدون، وهناك شاهد مع العميد سرور هرجاً كبيراً. سيارات شرطة وبعض العجلات الأميركية العسكرية، تصطف على الرصيف المجاور لجامع الأورفلي

ومحال التصوير، وبالاستدارة من جوار نصب الحرية شاهدوا سيارات شرطة أكثر، وحين وصلوا الى ساحة الطيران تأكدوا ان هناك عملية تطويق لمنطقة البتاويين. ما الذي حصل يا ترى؟

كان هناك بحث عن سيارة مفخخة دخلت الأزقة. ومن يقودها هو قيادي كبير في احدى الجماعات المسلّحة. وهم يريدون إلقاء القبض عليه قبل أن يفجّر نفسه.

ما الذي يحصل؟ هتف العميد سرور غاضباً. ثم نزل الى مدخل الزقاق الذي اشار عليه كبير المنجّمين. تحدث مع بعض الضباط الواقفين هناك، واخرج لهم بطاقة التعريف الخاصة به. ولكنهم منعوه من الدخول. كانت السيارة المطلوبة هي من نوع أوبل بيضاء حديثة وكانت متوقفة بجوار بيت أم دانيال.

طلع النهار وقاربت الساعة السادسة والنصف وبدأت الحركة تدب في الشوارع ما خلق زحامات مبكرة بسبب وجود سيارات الشرطة والعجلات الأميركية. وشعر كبير المنجّمين بالانزعاج. ولكنه لم يخرج من السيارة رباعية الدفع. فمنظره سيثير الريبة؛ ملابس غريبة باكمام طويلة وقلنسوة قطنية بذؤابة على رأسه ذي الشعر المسترسل، مع لحية كثيفة ممشطة بعناية وأطرافها معقودة بمثبت شعر على شكل رأس مدبب للأسفل. في أهون الأحوال سيضحكون عليه. أو يتصورونه ممثلاً في مسرحية للأطفال. ظل يراقب من الزجاج المفتوح للسيارة ولا يعرف ما الذي يحصل بالضبط.

كان الانتحاري جالساً في سيارة الأوبل البيضاء، وقد تمت محاصرته داخل الزقاق، هذا ما شاهده أبو سليم من نافذته في شرفة الشناشيل الخشبية في بيته المطل على الزقاق. كانت السيارة المخيفة أسفل شرفته تماماً وتلاصق جدار بيت أم دانيال. ومن الخطر البقاء

هنا. كان عليه أن ينزل لتنبيه العائلة والخروج بسرعة من البيت، أو على الأقل التراجع الى الغرف الخلفية منه. فمن المؤكد ان البيت سينهار عليهم في حال فجر الانتحاري نفسه داخل سيارته.

ظل أبو سليم جامداً لا يجد في نفسه دافعاً قوياً لعمل أي شيء. ظل ينظر الى السيارة الأنيقة ذات البياض النظيف في الأسفل. لا يبدو عليها من هنا أي إشارة للخطر. ولم ير هذا الانتحاري الذي فيها. استيقظ من نومه على صوت مكبرات صوت يدوية تدعو الانتحاري للخروج من السيارة رافعاً يديه. ارتقى السلم ونظر من النافذة في الطابق العلوي وتفاجأ لرؤية السيارة اسفل شرفته تماماً، وظل، رغم ذلك، محبوساً في لحظة المفاجأة هذه. لم يقم بأي شيء آخر، حتى انه لم ينتبه إلى عدم ارتدائه لنعله ووقوفه حافياً وهو امر لم يفعله سابقاً.

في هذه الأثناء كان أبو أنمار قد نجح في مغادرة المنطقة بسيارته الجديدة قبل تطويقها أمنياً. خرج فرج الدلال من بيته ووقف أمام فندق العروبة. ازال رقعة التعريف. ووجه أوامره الى عماله. كان ينوي التحرّك عدة خطوات باتجاه الفرن لشراء الصمون وصحن من قيمر العرب حين حدث الانفجار.

ـ ٢ ـ

اندفعت الرقعة الخشبية الداكنة للآيقونة اليهودية الى الأمام. شاهدها هادي العتاگ لثوانٍ معدودة وهي تتقدم في الهواء. سيتذكر أنه شاهد الشمعدان الخشبي وهو ينفصل عن الخلفية المشابهة له باللون. ثم يتمزق هذا الشمعدان الى أجزاء صغيرة. أو أن الصورة كلها هي من اضغاث احلامه أثناء رقاده الطويل في المستشفى لاحقاً.

ما يؤكد ذلك أن كل شيء، في واقع الحال، قد اختلط في غرفته

المتهالكة بسرعة هائلة، بأجزاء من الثانية هي سرعة عصف الانفجار الذي حدث لسيارة الأوبل البيضاء والتي كانت ملغمة أيضاً بالإضافة الى الحزام الناسف للانتحاري. كان هذا هو أسوأ ما حصل للمنطقة على الإطلاق. منذ تأسيسها في مطلع القرن الماضي كأفضل الاحياء السكنية وسط بغداد. حتى مع تدهورها في الثمانينيات ومطلع التسعينيات وتحولها الى بؤرة لبيوت الدعارة وصناعة المشروبات الكحولية المنزلية، واكتشاف عصابات للخطف والتجارة بالنساء والأطفال والاعضاء البشرية في بعض بيوت المنطقة، فإن هذا لم يكن الأسوأ.

رجّ الانفجار المنطقة كلها، وسيتحدث بعض الصحفيين فيما بعد، من خلال تغطياتهم الخبرية لهذا الحادث المروّع عن الصدوع التي حصلت في نصب الحرية بسبب الانفجار وإطلاقهم للتحذيرات المنذرة من سقوطه الوشيك. لكن الكارثة الأكبر كانت في البيوت القديمة في زقاق ٧ والتي بني بعضها في الثلاثينيات من القرن الماضي، والتي تهاوت الى الأرض بسبب قوة عصف الانفجار.

إنهار بيت أم دانيال تماماً. لم تتبق فيه حجارة فوق أخرى، فهو الذي استقبل قوة التفجير الأكبر. سيعرف فرج الدلال لاحقاً، حين يخرج من المستشفى، انه أساء تقدير متانة البيت، وأن العناية المفرطة لأم دانيال هي التي جعلت البيت يبدو بشكل ومظهر جيد، بينما كانت الرطوبة قد اتت على جدرانه وأساساته منذ زمن وجعلته، رغم جماله، بناءً هشاً.

انهارت أيضاً الغرفة المتهالكة التي يسكن فيها هادي العتاگ في الخرابة اليهودية، ولم يعرف أحد كيف اشتعلت النيران بأغراض أم دانيال وبعض الآثاث الخشبي في باحة بيت العتاگ، ولا كيف شبّت

النيران أيضاً في الافرشة التي كان نائماً بينها. إن نجاة العتاگ العجوز من هذا الحادث، في نظر آهالي الحيّ، ستبقى اعجوبة تذّكر الجميع بأكاذيبه التي داوم على روايتها لسنوات طويلة حول امتناعه عن الموت رغم سقوطه من سفوح الجبال أو طيرانه في الهواء جراء عصف الانفجارات. لقد نجا من الموت، هذا ما قاله بعض الجيران حين رجعوا من عيادة العتاگ في مستشفى الكندي بعدها بأيام، ولكن أحداً لم يتأكد تماماً هل شاهدوه فعلاً ام هم وقفوا بجوار سرير رجل مجهول الهوية يغطّ في غيبوبة عميقة وملفوف بالأربطة الطبية من رأسه حتى قدميه.

قذف العصف المفاجئ بفرج الدلال عدة أمتار في الهواء وأصابه بجرح شديد في وجهه وبعض الرضوض، وتهشم كل زجاج فندق العروبة وتخلعت النوافذ المعدنية القديمة وبعض الأبواب فيه. وتهدم جزء كبير من المطبعة المجاورة لبيت أم دانيال، رغم أن جدران بيت أم دانيال عملت كموانع ومصدات لحماية ما جاورها من أبنية، لكنها لم تحم بيت أم سليم البيضه، الذي تهدمت واجهته تماماً وتضررت وتصدعت جدران بقية الغرف في العمق. لحسن الحظ كان أغلب العائلة نائماً فيها فكتبت لهم السلامة. أما أبو سليم الذي كان يراقب سيارة الانتحاري البيضاء من أعلى شرفته المطلة على الزقاق فقد نزل هو والشرفة الخشبية الى الأسفل بسرعة كبيرة. وأصيب بكسور في ساقيه وذراعه اليسرى وبعض الخدوش والجروح في رأسه وجروح صغيرة في بقية أرجاء جسمه ولكنه لم يمت. كان جزءٌ من السقف الخشبي قد شكّل زاوية تسعين درجة فوق رأسه حين انهارت الشرفة به، فحمته من تراكم الأحجار عليه. تم نقله الى مستشفى الكندي القريب أيضاً، وهناك على سريره ظل يهذي أمام الصحفيين الذين

جاؤوا لتصوير جرحى الحادث وأخذ إفادات منهم. ظل يتحدث مثل ماكنة اشتغلت بسبب عطل يمنعها من التوقف. تحدث عن مشاهداته على مدى سنين من شرفته في الأعلى. تحدث عمن يدخل ويخرج من البيوت الستة التي يستطيع رؤيتها من مكانه في الأعلى، عن العواهر اللائي يدخلن ويخرجن من المطبعة المجاورة لبيت أم دانيال، عن اللصوص الذين يتسورون الجدران، ولم يشعر بالحرج حين تركه الجميع يتحدث لوحده. استدار برأسه بصعوبة ليرى جريحاً نائماً على السرير المجاور له. فتّش بعينيه داخل الغرفة الكبيرة التي ضمت عدة أسّرة، ولم ير أحداً ينظر إليه لكي يستمر في الثرثرة. غير أنه بعد أسبوع حظي بزيارة مميزة. جاءه شاب أربعيني يرتدي ملابس أنيقة ويحمل مسجلاً ديجتال وجلس على كرسي بجواره. سلّم عليه بود ومحبة. فتح المسجل وطلب منه أن يتحدث. سأله من أنت فأجابه؛ أنا المؤلف.

ـ مؤلف ماذا؟

ـ أنا أؤلف قصص.

ـ عن ماذا تريد أن أحكي لك؟

ـ أحكي لي كل شيء وأنا أسمع.

ـ ٣ ـ

شاهد كبير المنجّمين من خلف النافذة المفتوحة جزئياً في سيارة الدفع الرباعي كيف تجاوز العميد سرور الحرس الذين أغلقوا مدخل زقاق ٧ من جهة شارع السعدون، الأمر الذي أشعره بالقلق. فتح الباب ونزل، متجاوزاً الحرج الذي يمكن أن يشعر به بسبب هيأته الاستعراضية الغريبة. ظلت لحيته الكثة الطويلة والممشطة الى الأسفل

تهفهف مع خطواته المسرعة، وصل الى الحرس وتوقف هناك ثم رفع صوته منادياً على العميد. التفت العميد سرور الى الخلف وشاهد كبير المنجّمين يحرك يده ويدعوه للعودة.

ـ ما الذي تفعله يا سيدي؟ هل تريد أن تموت؟

ـ يجب أن ألقي القبض على هذا المجرم بنفسي.

ـ ستموت يا سيدي.. ارجع ارجوك.. تعال. دعني أرى في الأوراق.

رجع العميد سرور. وشاهد كبير المنجّمين يقعي على الأرض ثم يتربع بجلسته، كما يفعل عادة داخل مكتبه في دائرة المتابعة والتعقيب. اخرج من جيبه أوراق لعب كبيرة الحجم ظل يحركها مع بعض مثل لاعب ماهر، ثم القى بها على أرضية الرصيف. أفرد بعض الأوراق، وأزاح أخرى. ثم رفع بيده ورقة وظل ينظر إليها عن قرب وكأنه اكتشف شيئاً. أقعى العميد بجواره، ولم يعرف الحرس الواقفون في مدخل الزقاق ما الذي يجري ولكن المنظر أثارهم فأهملوا النظر الى سيارة الانتحاري البيضاء للحظات وظلوا يراقبون ما يفعله هذا الرجل ذو الهيئة الغريبة.

ـ الذي لا اسم له ليس موجوداً في البيت.

قال كبير المنجّمين بعد أن سحب ورقة جديدة ونظر إليها بحدة.

ـ ما الذي تقوله؟ إذن كيف جئت بنا الى هنا؟ أين هذا المجرم الآن؟

ـ كان موجوداً حتى قبل ربع ساعة. لقد خرج من البيت عابراً على السطوح. لا أعرف بالضبط الى أين ذهب. ربما لم يخرج من البتاويين بعد. لكنه خرج من البيت. هذا مؤكد.

ـ ولكني أريد التأكد.

قال العميد ذلك ثم نهض واقفاً. التفت الى جهة الزقاق والى سيارة الأوبل البيضاء.

ـ سيكلفك هذا حياتك.

قال المنجّم العجوز وهو يجمع أوراقه بسرعة ويضمها الى بعض ثم يخفيها من جديد في جيب ثوبه الطويل.

ـ هناك شيء آخر.

قال المنجّم منتظراً أن يلتفت العميد سرور باتجاهه.

ـ هذه السيارة المفخخة نحن، بطريقة ما، مسؤولون عنها.

استدار العميد سرور حين سمع هذا الكلام. ثم تقدم أكثر من المنجّم العجوز:

ـ كيف ذلك؟

ـ علينا ان نعود الآن فوراً الى الدائرة. إنه أحد مساعديّ. إنه المنجّم الصغير هو من حرّك هذه السيارة الى هذا المكان بقصد أن يقتل المجرم الذي لا اسم له. لكن المجرم هرب الآن، وما زال الانتحاري الذي في السيارة لا يعرف ما الذي قاده الى هذا المكان، وهل يرفع الصاعق في حزامه الناسف أم لا.

ـ ما الذي تقوله؟ أي تخريف هذا؟

ـ علينا ان نعود الآن.

قال المنجّم العجوز ذلك باصرار وهو يتراجع باتجاه السيارة رباعية الدفع، ثم حدث الانفجار بعدها فوراً.

لم يحدث شيء للعميد سرور أو كبير المنجّمين سوى غمامة التراب الكثيف التي غطت الجميع. ركبا في السيارة على عجل وعادا الى المكتب. وهناك استدعى العميد سرور فريق المنجّمين بالكامل، مع مساعديه من الضباط، وفتح تحقيقاً في الموضوع. وتبين له أن

الانتحاري سائق سيارة الأوبل البيضاء كان ينوي في الأصل التوجه الى كلية الشرطة لتفجير نفسه داخل حشد من الضباط الجدد. وأن هناك ما غيّر تفكيره وقراره وجعله يدلف الى أزقة البتاويين. ساد هرج وتبادل اتهامات بين المنجّمين. لم تكن السياقات المعتادة في الدوائر الأمنية مطبّقة في دائرة المتابعة والتعقيب. لا يوجد احترام كافٍ للعميد سرور مدير الدائرة، تجاهلوا وجوده وهم يتبادلون الشتائم، وهذا كلّه بسبب الفسحة التي أتاحها لهم العميد سرور نفسه. وبعد ساعة اكتشف العميد أن هذا التحقيق الذي فتحه لن ينفعه بشيء. بل ربما سيضعه مع دائرته في مرمى الاتهام الحكومي، وهذا آخر شيء يتمنى أن يحصل له في هذه الظروف. لذا أغلق التحقيق، وأوقف عمل المنجّمين مؤقتاً.

بعد أسبوعين حضرت لجنة من ضباط كبار في الاستخبارات العسكرية والمخابرات للتحقيق معه شخصياً بحضور ضابط ارتباط أميركي. وشعر بأن المعلومة التي تنسب التفجير الذي حصل في البتاويين الى مكتبه قد تسربت من هذا المكتب، بطريقة أو بأخرى، لتصل الى جهات عليا، بقصد واحد لا غيره؛ تشويه سمعته وإضعاف موقفه أكثر فأكثر. وبعد ان كان يحلم بالترقي الى منصب مدير المخابرات ها هو يجد نفسه مهدداً بالإحالة المبكّرة على التقاعد.

<h2 style="text-align:center">ـ ٤ ـ</h2>

كان محمود السوادي يضع ذراعه العارية على جسد زينة وهما نائمان معاً في غرفته بفندق دلشاد حين سمع رجّة قوية بعيدة هزت الفندق كلّه، ولكنها لم تسبب أية اضرار. فتح عينيه لثوان قليلة ثم عاد الى نومه من جديد. ثم في حدود الساعة الثامنة والنصف، وهو يودّع زينة، سمع من موظف الفندق الشاب بالحادث المروّع. أنقده محمود

٣٠٩

ورقة نقدية من فئة ٢٥ الف دينار لقاء صمته عن ليلته الماجنة، وطلب منه ان يروي له ما سمعه عن حادث اليوم.

ـ هناك الآن بحيرة كبيرة من مياه المجاري وأنابيب مياه الشرب التي تقطعت تفيض على شارع السعدون وتدخل الى نفق الباب الشرقي، ويقال ان عشرات البيوت تهدمت ووقعت بسبب الانفجار. هناك حفرة الآن وسط زقاق ٧، حفرة مهولة، والبعض يقولون انهم رأوا سوراً حجرياً في الأسفل. أسفل الحفرة.

قال الشاب ذلك، وذهب محمود بذهنه الى فندق العروبة. الانفجار حصل بالقرب من الفندق. ربما حصل شيء لصديقه حازم عبود المصور، أو لأبي أنمار وبقية الأشخاص الذين يعرفهم في المنطقة. ولكن، ما الذي يستطيع فعله الآن. اتصل بحازم عبود وعلم منه أنه خارج بغداد، يرافق الجيش الأميركي، ويصوّر العمليات القتالية لصالح وكالة أنباء أميركية. قال له إن أبا أنمار قد غادر بغداد. باع الفندق وعاد الى أهله في «قلعة سكر».

كانت المعلومة مفاجئة، ولكنها لم تحرك شيئاً عميقاً في نفس محمود. من المريح أن أحداً ممن يعرفهم لم يمت. هكذا قال مع نفسه وهو يخرج الى الشارع، مستقلاً سيارة أجرة باتجاه المجلة.

خلال الطريق القصيرة استحضر سريعاً موقف المجلة. فموعد دفع العدد الجديد يقترب وما زالت مواد المجلة غير مجهّزة. كما انه لم يصرف المستحقات المالية لبعض العاملين. لم يرسل له السعيدي شيئاً. ولم يظهر محاسبه ذو الوجه المتجهم، ولم يرد على اتصالاته منذ يومين. خرج بهذا التفكير من سكرته الطويلة بخيالات نوال الوزير وشبيهتها وعاد الى أرض الواقع. كان يستحضر أيضاً كلامه مع سلطان، السائق الشخصي للسعيدي، وآخر اتصال هاتفي جرى له مع

السعيدي نفسه، وشعر بمزيج من عدم الراحة. يجب أن يحضر السعيدي حتى يخلصه من هذا التوتر. حين يراه سيقول له إنه يفضل العودة الى عمله السابق؛ مجرد محرر في المجلة، وإنه ما عاد يقوى على هذه المهام المتعبة.

كان يوماً عادياً رائقاً. لم تكن الحرارة شديدة، وما سوى الخبر المثير عن التفجير الذي حصل وسط البتاويين فإن كل شيء يبدو على ما يرام. على الأقل كما يراه الآن من وراء نافذة التكسي. أناس يتحركون ذاهبين الى أعمالهم، باعة على الأرصفة، عربات فلافل، موظفات ينتظرن باصات الكيا لكي يركبن فيها. وطيور تمرق في السماء الزرقاء الصافية. كان يشعر براحة عميقة مع شيء من الأسى وهو يستحضر ليلته المحمومة مع زينة. أدرك أنه لم يعد ذلك الشاب الصغير المقيم في فندق العروبة الذي يترك نفسه منقادة الى توجيهات حازم عبود، وغزواته لبيوت بائعات الهوى في زقاق خمسة. إنه يرتقي بسرعة الى مناطق أعمق في خبرة الحياة. ولكنه متعب. يشعر بأنه بذل خلال الأشهر الماضية جهداً يبذله الآخرون في سنوات. كما ان أصدقاءه تغيروا بسرعة أيضاً. لم يعودوا أولئك الذين كان يلتقي بهم قبل سنة من الآن. كان يقول سابقاً ان هذه هي ضريبة النجاح، في وقت يخفق فيه الآخرون. إن لم تتولد الفجوة من تلقاء نفسها فإن الآخرين، بسبب الغيرة والحسد وسوء الفهم، هم من يصنعونها، ولكنه الآن لا يعرف ماذا يقول. فهو مع أي كلام أنيق وبرّاق يتذكر السعيدي وكلامه المؤثر الذي يتغير سريعاً ولا يستقر على حال.

حين وصل الى بناية المجلة شاهد بضعة سيارات حكومية تقف في الزقاق. لم يخطر في ذهنه أن أصحابها ربما جاؤوا الى المجلة التي يعمل فيها. ربما هم يراجعون المصرف الأهلي المجاور. ولكنه

حين دخل من الباب الخارجي المفتوح على مصراعيه تأكد ان هذه الزيارة له. كان هناك بعض الحرس ممن يرتدون ملابس مدنية ويحملون اسلحة، استوقفوه وسألوه عن هويته، وحين علموا انه مدير تحرير المجلة سمحوا له بالدخول، وفي الداخل لم ير أحداً من العاملين سوى عامل الخدمة العجوز الذي واجهه بعينين ذاهلتين. ولكنه لم يتكلم بشيء واستمر يمسح الطاولات ويتحرك وكأنه يمر بيوم عادي. يبدو ان الجميع هرب من المجلة، أو علموا بشيء لم يعلم به حتى الآن وفضلوا الفرار من أي مسؤولية.

حين دخل الى مكتب السعيدي شاهد أربعة رجال بشوارب ولحى حليقة ويرتدون البدلات الرسمية. كانوا بعمر السعيدي تقريباً، حين سلم عليهم وعرّف بنفسه، طلبوا منه الجلوس، ثم أعلموه سريعاً بأنهم سيغلقون المجلة ويصادرون كل ممتلكاتها.

ـ ما الذي حصل؟

ـ هذه هي مشكلة البلد الآن.. النزاهة وانعدام الضمير.

قال أحد الرجال ذوي الشوارب بنبرة متعالمة. وشعر محمود بأن بطنه بدأت تتلوى. نظر إليه صاحب الشوارب الكثة بحدة ورفع اصبعه أمام وجه قائلاً:

ـ لقد سرق صاحبك ١٣ مليون دولار من أموال المساعدات الأميركية.

ـ ١٣ مليون دولار؟ هذا مبلغ كبير. كيف سرقها؟ إنه كاتب معروف. شخص معروف.

ـ إسأله كيف فعلها. والآن اعطنا المفاتيح. وافتح لنا هذه الخزنة هنا رجاءً.

تحرّك الرجال الغرباء سريعاً. انطلق بعضهم باتجاه الغرف الأخرى وصعدوا الى الطابق الثاني من البناية حيث مخزن الأعداد الصادرة من المجلة وبعض الأغراض. وانتبه محمود إلى أنهم كانوا قد قلبوا المجلة رأساً على عقب، وحرّكوا الآثاث عن مواقعها، ورفعوا حتى كاربت قاعة التحرير بحثاً عن الخزانات السرية التي يحتفظ فيها السعيدي بأمواله المسروقة.

فتح لهم الخزانة التي تضم عادة أوراقه وعقود المجلة، وصادروا كل شيء. لم تكن هناك أية نقود. لا يترك السعيدي نقوداً في المجلة.

«كيف فعل هذا؟ معقول يفعل هذا بي» ظل محمود يردد هذه الجملة في رأسه لعشرات المرات دون أن يصل الى جواب، وكأن الأمر كله مجرد حلم، مجرد سوء فهم وخطأ جسيماً سيكتشفه هؤلاء الرجال ذوو الهيئة المخيفة، وحينها سيقفون أمامه ويعتذرون. يعيدون إليه المفاتيح ويطلبون منه العفو والسماح.

تقدم صاحب الشوارب الكثة، الذي يبدو انه رئيس المجموعة، وطلب منه ان يتصل بالسعيدي.

ـ اتصل بصاحبك. واذا رد عليك أعطني أياه لأكلمه.

سارع محمود للاتصال بالسعيدي، رغم أنه يعرف تماماً أنه خارج التغطية. فعل هذه الخطوة الخالية من المعنى بسبب الخوف. اتصل به مرة ثانية من هاتف آخر ولكن النتيجة كانت نفسها.

ـ هاتفه خارج الخدمة.

قال محمود معتذراً، وظل صاحب الشوارب الكثيفة ينظر إليه غير مصدق.

بعد ثلاثة ارباع الساعة انتهى كل شيء. أخذ أبو جوني ممسحته

الرطبة وضعها على كتفه وخرج من المجلة. لم ينظر الى محمود الذي مر بجواره واستمر يسير دون أن يلتفت. ذهب الى بيته الذي في زقاق قريب. أنهى خدماته بنفسه ابتداءً من هذه اللحظة على ما يبدو. اما محمود فلم يعرف ماذا سيفعل. كان ينتظر اجوره المتأخرة كي يسدد ديونه للفندق. ظل يتصل من هاتفه المحمول بالمحاسب ثم بأصدقائه وزملائه في المجلة. ظل الهاتف يرن في بعض المكالمات، ورد عليه البعض الآخر معتذرين بأنهم غير قادرين على فعل شيء. وفي النهاية التفت إليه صاحب الشوارب الكثة وقال له وهو يربت على كتفه:

ـ يلله حبيبي.. انته تجي ويانه للتحقيق.

ـ تحقيق؟

ـ أي.. عبالك الشغلة سهلة.

ركب محمود معهم وهو يشعر بحزن شديد. ولكن على الأقل لم يوجهوا له إهانة. لم يضربوه حتى الآن. ولكنه يعرف، من خلال كلام السعيدي، ومزاحه مع صديقه العميد سرور، ان التحقيق في الدوائر الأمنية العراقية يؤلم البدن كما يصف السعيدي. شعر بانهيار نفسي كبير، لقد إنهار كل شيء، وكأنه انزلق بسرعة الى هوة سحيقة. فقد الشعور بنفسه وبصلاته مع عالمه المعتاد، وقرر، كي يخلص نفسه، ان يتحدث عن كل شيء، حتى لو سألوه عن زينة التي نام معها في الليلة الماضية فسيخبرهم بالأوضاع الجنسية التي استخدماها معاً. لن يخفي عنهم شيئاً. فهو بريء.

ـ ١٣ مليون دولار.. ؟!!

كرر ذلك مع نفسه مراراً في محاولة لاستيعاب الموضوع، أثناء ما كانت السيارة الحكومية تنهب الطريق بسرعة باتجاه مكان مجهول.

ـ ٥ ـ

لم ينته التحقيق مع العميد سرور. وقررت اللجنة المشكلة من ضباط مخابرات واستخبارات عسكرية عراقيين وضباط ارتباط من الميلتري بوليس الأميركان انتظار ورود أدلة «مادية» أكثر لاتهام العميد سرور ومكتبه بأي شيء. وخلال ذلك قرر العميد سرور ان يتحرك بسرعة ولا ينتظر وقوع الكارثة. كانت اتصالاته ببعض أصدقائه من الضباط الكبار قد نجحت في تأخير التحقيق معه قليلاً، إنه أمر غير مقبول بالمرة. لقد قدم مساعدات نوعية كبيرة في سبيل محاربة الإرهاب، إنه يستحق التكريم وكل الأوسمة الموجودة في برتوكولات الاحتفاء الوطنية، ويجب أن يتذكر رجال السلطة ذلك جيداً حين ينوون رفع اصابعهم في وجهه لمساءلته بهذه الطريقة المهينة.

كان حانقاً بسبب المعلومة المتعلقة بتفجير البتاويين الكبير. استدعى كبير المنجّمين ومساعده الصغير وبقية المنجّمين الأقل شأناً وعمل اجتماعاً سريعاً، ليس من أجل التشاور والتباحث أو تبادل الأراء، وإنما من أجل أن يسمعوا منه قراراته النهائية. لقد ادخلوه خلال التحقيق الذي أجراه معهم في دوامة مدوّخة، وانتقل الكلام والبحث عن الأجوبة من العالم الواقعي الى الميتافيزيقيا بسرعة. اكتشف خلال هذا التحقيق أن هناك صراعاً خفياً يشتغل منذ مدة بين العاملين تحت يده، وان هذا الصراع خرج عن نطاق السيطرة. وها هو يرتد عليه بشكل شخصي. سيتسبب هؤلاء المنجّمون بفصله وربما تقديمه للمحاكمة بدل ذلك المجرم الخطير الذي انفق الأشهر الطويلة الماضية في سبيل إلقاء القبض عليه دون جدوى.

ـ أنتم مفصولون جميعاً.

قال لهم ذلك، وانتظر علامات الدهشة التي يفترض ان ترتسم

على وجوههم، ولكنهم قاموا بسرعة، ولم يتحدثوا معه. صاح على كبير المنجّمين:

ـ لماذا لم ترد بشيء؟

ـ كنت أعلم بهذا القرار. كل ذلك بسبب مساعدي الأحمق. إنه عدوي الذي دمّرني. انت لا دخل لك بهذا الموضوع سيدي، وليس لديك ذنب.

شعر العميد سرور بالارتباك من هذا الجواب. بالتأكيد هم نظروا في أوراقهم ومراياهم ومسابحهم المصنوعة من حبّات اللوبياء قبل أن يأتوا للاجتماع، وعلموا بهذا القرار. ولكنه توقع ردة فعل أخرى. كأن يحاججونه، أو يطلبون منه العفو، وإنهم سيعملون، مثلاً، على مساعدته في معالجة المشكلة. كان، في أعماق نفسه، ينتظر أن يقدموا له مساعدة فعلية لا أن يتخلوا عنه هكذا بكل بساطة. لم يجد قدرة على التراجع عن قراره، سيبدو هزيلاً وتافهاً أمامهم. كما إنهم لن يتخلوا عن مشاكلهم مع بعضهم بهذه السهولة. لقد انهار المكتب من الداخل، وما عاد ممكناً المحافظة عليه، وكان قرار فصلهم مجرد خاتمة منطقية. وها هو وحده الآن.

عاد كبير المنجّمين الى غرفته. أعد حقيبته بهدوء، ثم دخل الى المغاسل وفرك لحيته بالماء والصابون لتخليصها من مثبت الشعر. تناول مقصاً صغيراً وقطع لحيته من المنتصف ثم شذّبها وجعلها لحيةً قصيرة تناسب رجلاً متديناً. فهذه هي صورته الجديدة.

نزع ملابسه الاستعراضية وألقى بها في سلّة كبيرة للنفايات داخل الحمام. وكأنه ينتهي فعلاً من دوره ككبير للمنجّمين في مسرحية الأطفال. ارتدى قميصاً قطنياً أبيض بخطوط زرقاء عمودية ناعمة، وبنطلوناً قماشياً داكناً مع حذاء صيفي. حمل حقيبته وهو يهمّ بالخروج

من الدائرة باتجاه بيته في حي الزعفرانية جنوبي العاصمة. لاحظ حبّات رمل حمراء ناعمة على الأرضية، وحين بحث عن محفظة موبايله الجلدية، انتبه الى وجود الرمل على فراشه وفي كل مكان. وقبل أن ينهي كل شيء ليخرج انتبه الى دخول المنجّم الصغير. إنها جرأة بالغة منه أن يواجهه هنا. وكأنه يتقصد الحضور في لحظة النهاية هذه، يريد إخباره بأنه يراه يغادر وهو باقٍ، على الأقل سيكون المغادر الأخير لهذه الدائرة. ويرى أستاذه يرحل قبله. أراد أن يصيح بوجهه؛ لقد دمّرت كل شيء أيها الأحمق. ولربما فكّر للحظة أن ينقض عليه ليخنقه بيديه الشائختين، ولكن، لا فائدة من كل ذلك الآن. وربما يعاقبه على فعلته في ظروف أخرى أفضل. فهو قادر على رصده، وقادر على التأثير فيه بوسائله الخاصة، بل وقتله في مكانه. رغم أنه لم يفعل ذلك مع أي أحد سابقاً.

كان المنجّم الصغير يغيّر ملابسه أيضاً، ولكن ليرتدي بيجامة نومه، فهو لن يغادر الآن. ظل ينظر الى أستاذه بهيأته الجديدة نظرة فيها شيء من الاستخفاف، وكأنه يريد حفظ هذه اللحظة جيداً. لحظة هبوط كبير المنجّمين من عليائه ليغدو مجرد إنسان عادي.

لم يتبادلا ولا كلمة، ولكنهما أدارا حواريةً من نوع خاص، بالأعين والنظرات، وخرج المنجّم الكبير حانقاً ويشعر بالمرارة وهو يحمل على كتفه حقيبته الصغيرة.

لم يغادر الآخرون بهذه السرعة. كانوا ينتظرون اليوم التالي للمغادرة صباحاً، فبعضهم يسكن في محافظات بعيدة. ولم يروا كبير المنجّمين وهو يخرج من الدائرة. كانت الخلافات بينهم عميقة. فكل واحد منهم كان يرى نفسه أنه هو «كبير المنجّمين» وهو الأحق من الآخرين بهذا اللقب. كانوا قد تحولوا الى أعداء حقيقيين لبعضهم

البعض. ولم يعرف العميد سرور عمق المشكلة فعلاً، رغم أنه اتخذ، بفصلهم جميعاً، قراراً جريئاً يوحي بقوة حدسه وذكائه.

تذكّر كبير المنجّمين هذه الخلافات وهو يركب مع سائق تكسي عجوز. ابلغه بالعنوان الذي يقصده واتفقا على الأجرة. رمى المنجّم العجوز حقيبته على المقاعد الخلفية ثم استراح في المقعد الأمامي. كان بهيئة رجل دين متنكر بملابس مدنية. وربما هذه الهيئة هي التي دفعت السائق العجوز للاسترسال بالكلام حول مواضيع دينية تحديداً. تذكر المنجّم العجوز بعض الكلام الذي كان يطرح في صالة الاجتماعات داخل دائرة المتابعة والتعقيب حين ذكر السائق العجوز شيئاً عن الطائفية والأحزاب السياسية.

ـ الله فقط ليس طائفياً ولا حزبياً.

قال المنجّم العجوز ذلك في تعليق على كلام السائق. وانتبه بعد دقائق إلى أنهم يسلكون في شارع فارغ من السيارات أو السابلة. تباطأت حركة السيارة وبدا السائق وكأنه ضل الطريق. ظل ينظر الى الأمام من وراء نظارته الطبية السميكة، ثم يلوي رقبته لينظر الى الخلف. بلع ريقه وقال للمنجّم العجوز:

ـ أعتقد أني تيّهت الطريق.

استدار السائق بسيارته ليعود من الطريق الذي جاء منه، ولكنه اكتشف ان الأميركان قد قطعوا الطريق بسياراتهم، وأحد الجنود يوجه مصباحه القوي في وجوه السائقين ويطلب منهم الدخول في شارع فرعي. وعند نهاية الشارع وجد السائق إنه لا يعرف الى أين يتجه. حينها توقف بجوار الرصيف وقال للمنجّم العجوز:

ـ أخويه إعذرني.. اني بيتي وراء هذي البنايات.. هاي الكروة

ما أريدها.. الله يخليك انزل. وشوفلك تكسي غيري.. الوضعية مو مريحة بالشارع.

تجادل معه المنجّم العجوز، وشجّعه على الاستمرار بالمسير ولكن السائق العجوز ظل مصراً على موقفه حتى نزل المنجّم. تحركت سيارة التكسي بسرعة، وظل المنجّم مع حقيبته واقفاً ينتظر سيارة أجرة بديلة.

بعد دقيقتين شعر بأنه من الأفضل أن يستمر بالمسير حتى يصل الى شارع فيه حركة سيارات أكثر. دخل في شارع فرعي قاصداً الشارع العام في نهايته. ولكنه كان يتقدم ويشعر بطول هذا الشارع الفرعي، وخلوه من الاضواء. كان معتماً بشكل عجيب. لم يكن خائفاً أو وجلاً. لقد تعوّد بسبب خبرته الطويلة، ان يدّعي معرفة الأشياء حتى لو كان لا يعرفها حقاً، وفي كثير من الأحيان تكون ادعاءاته صائبة، حتى توصل أخيراً الى معادلة، لم يعد يعرف معها، هل هو يدّعي أم يكتشف حقاً الحقائق التي يتحدث عنها.

كان يعرف، أو يوهم نفسه بمعرفة، ما سيجري هذه الليلة. لذلك لن يجد مسوغاً للخوف الآن. فهو لم يخف سابقاً في تجارب مماثلة. رغم أنه يعرف أن تجربته هذه الليلة ستكون مختلفة تماماً، إنها تجربة تخصّ تذوق طعم النهاية.

شعر، مع طوفان هذه الأفكار في رأسه، بالتعب والإنهاك، وتذكر انه لم يتغد داخل المكتب، وتجاوز وقت العشاء الآن، ثم أنه، قبل هذا وذاك، رجلٌ عجوز ضعيف البدن، حتى هذه الحقيبة الصغيرة تبدو ثقيلة عليه. ظل يخطو على أرض الشارع الفرعي المعتمة، ومن وراء نظارته الطبية ذات الإطار المدوّر، وهي قطعة الأكسسوار الوحيدة التي تبقت معه من الزيّ المبهرج للساحر والمنجّم، استطاع رؤية كتلة

٣١٩

ظلّية لرجل يقف في منتصف الشارع. لم يكن هذا الرجل يتقدم في مسيره أو يسير باتجاه معاكس، لم يكن يفعل شيئاً. كان واقفاً، ويبدو انه ينظر باتجاهه، وكأنه ينتظر وصوله إليه.

كان حلقه ناشفاً وتذكر أنه لم يأخذ معه، كاحتياط، قنينة ماء معدني من ثلاجة الدائرة. بلع ريقه وتوقف على مسافة مترين من الهيئة المعتمة للرجل الغريب. هل يكلّمه؟ لماذا لم يتجاوزه ويكمل سيره حتى رأس الشارع؟ لم يكن ساذجاً ليفعل ذلك. إنه يعرف، أو يهجس مع نفسه، ان هذا اللقاء الذي انتظره طويلاً سيتحقق ها هنا، ولم يرغب بأن يبدي أي إشارة خوف أو ضعف. إنه أكبر عمراً من ذلك، وكرامته لا تسمح له بأن يبدو في دور ضحية تستجدي العطف من جلادها.

ـ هذا سياج طويل لمدرستين ابتدائية وثانوية للبنات. وهذه محال تجارية وورش تصليح سيارات، وفوقها مكاتب يغلقها أصحابها قبل المغيب بساعة ويغادرون. لا يوجد أحد على الإطلاق في هذا الشارع الآن. ربما تأتي سيارة وتخترق الشارع وربما لا تأتي.

ـ هل تعتقد أنني خائف، أو أريد الاستنجاد بأحد؟

رد المنجّم العجوز مستنكراً كلام الرجل ذي الملامح الغاطسة في العتمة. ترك المنجّم حقيبته تفلت من يده وتضرب أرضية الشارع برفق. وكأنه كان بحاجة الى كلتا يديه أثناء الحديث مع شبح المجرم الخطير الذي كان يطلب رؤيته منذ أيام، واتجه الى زقاق ٧ في حي البتاويين من أجل ذلك. لم يكن يعرف كم سيستغرق الحديث معه، ولكنه رغب برؤية وجهه قبل أن يصل الى لحظة النهاية. لماذا فشل في تخمين ملامحه، ولماذا يقف الآن في اتجاه يعاكس أنوار الشارع البعيدة؟

ـ عليك ان تعرف، قبل أن تفعل أي شيء، ان هذا كله من تخطيط تلميذي المنجّم الصغير. لقد فشل في قتلك في ذلك النهار، عن طريق السيارة المفخخة، وهو الآن يستخدمك من أجل قتلي. إنها معركة بيننا أنا وهو، ويستخدمك فيها.

ـ هل تقول أنك انقذتني في ذلك الصباح؟

ـ لا .. لن أكذب عليك. كنت أريد إلقاء القبض عليك. من أجل رؤية ملامحك على الأقل. أريد أن أعرف وجهك.

ـ وأنا أريد أوراق اللعب التي كنت تستخدمها في البحث عني، وأريد يديك هاتين أيضاً.

ـ لقد رميت الأوراق في سلّة النفايات. لم اعد ابحث عنك. لقد تقاعدت.

ـ نعم، الأوراق ليست مهمة، الأمر يتعلق باليدين اللتين تلعبان بالأوراق.

ـ أريد أن أرى وجهك لو سمحت.

ـ ما الفائدة من ذلك. إنه يتغير. ليس لدي وجه ثابت.

ـ دعني أرى.

ـ نعم.

قال المجرم الذي لا اسم له ذلك، وتقدم من المنجّم العجوز بسرعة وأمسك به من يديه. عصرهما بشدّة فشعر المنجّم بأن قواه تخور، وانه غير قادر على الاستمرار بالوقوف. تداعت قوته أكثر، وبرك على ركبتيه، وظل المجرم يدفعه بهدوء ويستمر بعصر زنديه.

ـ هذه ليست معركتك .. أنت لا تفهم .. هذه ليست معركتك.

قال المنجّم بصوت مرتج، وكأنه فقد مكابرته الأولى، وبدأ يتوسّل. ثم فجأة وهو يحدّ النظر من وراء زجاج نظارته المدورة الى

الملامح المعتمة لشبح المجرم، ضرب ضوء سيارة بعيدة يبدو انها استدارت من أجل الدخول في الشارع المعتم. تكشّفت ملامح هذا المجرم أمامه. شاهد هذا الوجه أخيراً على أضوية السيارة. إنها نهاية جيدة لحكاية حياته الدرامية، حتى هو نفسه، مع أوراقه وألاعيبه السحرية، لم يكن مؤمناً بتحققها. كان صوت ما في أعماقه يخبره بأن كل ما عاشه هو خرافات وأكاذيب، وأنه من شدة غرقه في هذه الأكاذيب صار يصدقها، ثم نسي أنها أكاذيب تم تصديقها في لحظة ما من الماضي.

هذا الوجه الذي يراه الآن لمرة أولى وأخيرة هو أيضاً من الماضي. إنه يعرفه، ولكنه يحتاج الى وقت أطول من هذه اللحظات الختامية لكي يحدد من هو. من صاحب هذا الوجه يا ترى؟

في ما بعد، وأثناء احتضاره البطيء على إسفلت الشارع الموحش، سيعرف بيقين كامل إنه وجهٌ مركّب من وجوه ماضيه البعيد. إنه وجه الماضي الشخصي له، والذي اعتقد أنه بلا وجه أو ملامح. وها هو قد تكشف أمامه بقوة ووضوح على مدى لحظات وجيزة استغرقتها حركة أضوية السيارة المجهولة للاستدارة.

كان سائق السيارة قد تخلى عن نيّته بدخول الشارع الفرعي المعتم، بعدما شاهد في منتصفه أمراً مريباً. حيث يقوم شخص ما بحمية وسرعة بتقطيع ذراعي رجل منطرح على إسفلت الشارع بمعونة بلطة عريضة لامعة.

الفصل الثامن عشر

المؤلف

ـ ١ ـ

تعرّفت على محمود رياض السوادي في مقهى البغدادي في إرخيته بالكرادة. كان المكان يعجّ بمثقفين وكتاب، ممثلين ومخرجين ورسامين. لم تكن المقاعد الطولية المصنوعة من الحديد والموضوعة على الرصيف أمام المقهى تستوعب الجميع، خصوصاً في فترة ما بعد مغيب الشمس، حيث تخف الحرارة اللاهبة للصيف ويصبح الجو محتملاً.

شاهدته، وأنا أشرب شايي على مهل، كيف باع ساعته الرولكس الثمينة، وحاسوبه المحمول. كان على ما يبدو قد اتفق مع بعض أصدقائه على ذلك. لم يكن في صورة حسنة، ملابسه غير نظيفة وشعره غير مرتب. بدا وكأنه لم يغتسل أو يغير ملابسه هذه منذ أيام. أجرى اتصالات بهاتفه المحمول، وهو يتحرك جيئة وذهاباً على الرصيف، وبعد ان انتهى سارع الى فتحه ونزع شريحة الاتصال الخاصة به، ثم أغلقه، وعاد مسرعاً الى مجموعة الشباب من أصدقائه وسلّم الهاتف لأحدهم، وانتظر حتى انقده ثمنه. لم يكن يبيع أشياء لا يحتاجها إذا. كان متعجلاً للحصول على مبالغ مالية لأمر طارئ. هل سيذهب ليصرفها على الشرب مثلاً؟

أخرج من جيبه جهازاً صغيراً مربوطاً بخيط فضي طويل يسهّل حمله على الرقبة، تبينت أنه جهاز تسجيل ديجتال. كان يتحدث مع أصدقائه عن الجهاز، وبدأ البعض يضحك، ثم ضحك معهم أيضاً، ولكن ضحكته لم تكن عن ارتياح بقدر ما فضحت ارتباكه وحيرته. شاهدت أحد الشباب يشير بيده نحو المقاعد الحديد التي اجلس على أحدها بجوار ميز الشاي مع آخرين. ربما نصحوه بأن يعرض على أحدنا شراء أجهزته، ولما اقترب، التقت عيوننا فاختارني أولاً من دون الآخرين ليجرّب حظه معي.

كان عرضه غريباً، انه يريد أربعمئة دولار لقاء جهاز التسجيل الديجتال نوع باناسونيك. مئة دولار كسعر أصلي للجهاز وثلاثمئة للقصة التي تحتويها التسجيلات فيه. إنها أغرب قصة مرت عليه، ويمكن لمؤلف مثلي، كما يقول، ان يستفيد منها في كتابة رواية عظيمة.

كنت قد قررت مع نفسي، حتى قبل أن يتحدث، أن اشتري الجهاز منه، ليس لحاجتي له، وإنما كنوع من المساعدة، وتعزز قراري بعدما علمت أنه يعاني من ديون ثقيلة، ويحتاج الى سدادها قبل أن يسافر الى أهله في محافظة ميسان. ولكني لم اتوقع شراء قصة، ولا أن ادفع ٤٠٠ دولار. لا أستطيع دفع مبلغ كهذا الآن.

دفعني الفضول للانصات له. لم يكن شخصاً مضطرباً أو يعاني من مشاكل نفسية، ولم يبد عليه أنه يتحايل على الآخرين من أجل كسب بعض النقود. كان شخصاً ذكياً ويتحدث بلغة صافية. ولكنه يمر بأزمة أربكت وضعه. شعرت بأنه يستحق المساعدة لذا قلت له:

ـ سأدفع لك ٣٠٠ دولار. هذا ما اقدر عليه. مائتا دولار في جيبي الآن، والمئة الثالثة سأخذها من صاحب الفندق الذي اقيم به.

ـ ولكني أريدها الآن . . أريد ٤٠٠ دولار، وإلا لن أستطيع التخلص من الفتاة المنضدة.

ـ أي فتاة؟

ـ إنها الفتاة المنضدة معنا في المجلة. ما زالت تطلب راتبها.

استرسل في الحديث عن مشكلته مع هذه الفتاة وموظفين آخرين في المجلة، كانوا قد عرفوا محل اقامته في فندق دلشاد، وعملوا مشكلة معه في الاستعلامات لأنهم يريدون أجورهم المتأخرة بعد اغلاق المجلة وفرار السعيدي ومحاسبه.

دفعت ثمن الشاي الذي شربناه أنا ومحمود وسار معي باتجاه مطعم قريب، أخذت عشاءً منه وذهبنا باتجاه فندق الفنار المطل على شارع أبي نواس، حيث اقيم. شربنا سوية كأسين من قنينة ويسكي احتفظ بها في ثلاجة الغرفة، وتناولنا معاً طعام العشاء. سألته:

ـ لماذا لا تهرب ببساطة؟ ألست عائداً الى ميسان؟ أهرب واتركهم ما دمت لست انت من سبّب هذه المشكلة.

ـ لا أستطيع. إنهم مساكين. وأنا أخذت نقوداً كثيرة من المجلة. يعني . . رواتب وامتيازات. أشعر بأني مسؤول عن هذه المشكلة. لا أريدهم ان يشتموني، أو يضموني في القائمة ذاتها مع السعيدي ومحاسبه.

كان موقفاً غريباً، فيه من المثالية الشيء الكثير. ولكنه أثار اعجابي. كنت، خلال العشاء، اضع سماعات الهيدفون لمسجلة الديجتال وأسمع بشكل عشوائي للتسجيلات التي فيه، يقول محمود انها أكثر من عشر ساعات. كانت مثيرة حقاً.

اعطيته الأربعمئة دولار التي طلبها، واتفقنا على اللقاء في اليوم

التالي. مع وعد بأن أسمع التسجيلات كلها. أردت مرافقته الى فندقه، ولكنه قال إنه قادر على قطع المسافة سيراً. فندق دلشاد ليس بعيداً جداً من هنا. تركته يرحل، وظل جانب مني يخبرني، بشكل مزعج، ان هذا الشاب الصغير خدعني. فهو لن يظهر ثانيةً. أدّى دوره بشكل جيد معي وانتزع مني، في النهاية، المبلغ الذي أراده. لم يخترني عبثاً، كان يعرفني ربما، يعرف معلومات عني، وإلا ما هذه الثقة بشخص غريب يذهب معه الى الفندق من دون وجل أو تردد.

لقد ضحك عليّ. ولكن، ألسنا نفعل ذلك دائماً، نخدع بعضنا بعضاً، وغالباً ما نقوم بالخداع الجيد حين نكون صادقين في ما نقول، بينما أعماقنا تضحك على الخدعة المحكمة. اليوم هو خدعني، وغداً سأخدع أنا، بحسن نيّة أيضاً، شخصاً آخر، وهكذا.

كنت مشغولاً بكتابة رواية باسم «الرحلة غير المؤكدة والأخيرة»، ولم أرغب بتركها لملاحقة قصة ناقصة تحكي عنها هذه التسجيلات. لولا أنني تلقيت رسالة على بريدي الألكتروني ذات صباح من شخص يسمي نفسه «المساعد الثاني» يقول انه يعرفني عن طريق أصدقاء مشتركين ويثق بي ولا يريد بذات الوقت كشف هويته أمامي حماية لي وله.

أرسل لي هذا «المساعد الثاني» تباعاً وعلى مدى أيام وثائق عديدة، يرى من الضروري كشفها للرأي العام، تتعلق بعمل مؤسسة رسمية اسمها دائرة المتابعة والتعقيب، وكم كان مثيراً حين وجدت هذه الوثائق تتحدث عن أشياء لها صلة بالقصة التي رواها لي محمود السوادي.

ها أنذا أضع زجاجة ويسكي «جاكوبز گوست» على الطاولة البلاستيكية في شرفة الغرفة. أجلس واشرب بهدوء وارتياح. تناسيت

٣٢٦

روايتي . وفرّغت نفسي لاستنشاق عبير الاشجار الذي يأتي به الهواء
الليلي الرطب من أسفل النهر ولأنصتَ من جديد، وعبر سماعة
مسجلة الديجتال، لاعترافات محمود السوادي وأحاديث المجرم الذي
لا اسم له .

ـ ٢ ـ

استغرق التحقيق مع محمود السوادي ساعات طويلة خلال اليوم
الأول لاعتقاله . لم يستطيعوا انتزاع أشياء كثيرة منه . لم يكونوا راغبين
بإبقائه محجوزاً عندهم وقتاً طويلاً، ورغم أنهم هددوه برفعه الى
المحاكمة، إلا ان كل ذلك كان من أجل انتزاع اعترافات مفيدة حول
علي باهر السعيدي، وعلاقاته وأين يخبئ أمواله وما هي حساباته
المصرفية وممتلكاته داخل بغداد .

كانوا قد وضعوا اليد على بيته الذي اشتراه من الآمرلي العجوز
بالقرب من ساحة الأندلس، وكذلك بيت العائلة الذي اتضح أنه
مؤجر . صادروا السيارات والأملاك والآثاث في بناية الجريدة والبيتين،
ولكن هذا لم يكن ليصل الى عشرة بالمئة من قيمة المبلغ الذي يدعون
ان السعيدي قد سرقه .

ـ أنا مجرد موظف . أقبض راتبي من السعيدي .

كرر محمود هذه الجملة كثيراً أثناء التحقيق، وبدا لهم أنه يتحدث
الصدق حقاً . كان يتحدث بكل جوارحه، تنطق عيونه وحركات يديه
وملامح وجهه ببراءته وعدم مسؤوليته عن أي شيء . لم يضربوه، كما
كان يتوقع، ولم يفعلوا له أي شيء سيئ . بات ليلته في الحجز مع
معتقلين آخرين، ثم في الصباح الباكر استدعي ليوقع على محضر
افادته . سلموه محفظته وهاتفه المحمول وبقية متعلقاته، ثم أوصلوه

٣٢٧

الى الباب مع تأكيدهم على ضرورة تعاونه، وإبلاغ السلطات عن أي معلومات جديدة حول المجرم السعيدي.

كان هذا كله هو الجزء الأول من الكارثة بالنسبة له. فهو الآن بلا عمل. لقد فقد وظيفته الممتازة. وكان ينتظر نهاية الشهر حتى يتسلم مرتبه ليفي بديونه المستحقة للفندق الذي يقيم فيه. كما انه الآن غير قادر على العمل في صحيفة أو مجلة أخرى كمحرر. لقد تصرف خلال الأشهر الماضية، وبكل ما أوتي من قوة، على أنه مدير تحرير مجلة الحقيقة. لقد فرض صورته الجديدة على الآخرين، وسيغدو عرضة للسخرية حين يتقدم لشغل وظيفة محرر. ولربما وجد واحداً من أصدقائه الذين أساء لهم سابقاً وقد أصبح رئيساً عليه. إنه غير قادر، في هذه الفترة على الأقل، على التفكير بعمل آخر، خصوصاً حين يكون مجرد عمل في مطبوع أو مؤسسة إعلامية لا يغطي مرتبها نفقات معيشته التي تعود عليها بسبب السعيدي، بما فيها من رفاهيات صغيرة اغرق نفسه بها دون أن يحسب حساباً للمستقبل. لقد وثق بالسعيدي أكثر مما يجب.

ثم جاءت مشكلة المحررين الذين لم يقبضوا مرتباتهم للشهر الأخير من المجلة. كانوا قد اختفوا وتلاشوا بعد الفضيحة المجلجلة التي حصلت في المجلة، ولم يتوقع محمود ان يراهم مجدداً. ظهر هؤلاء المحررون والمنضدون فجأة أمام استعلامات فندق دلشاد، وعرف سريعاً أنهم اؤلئك الذين يتمتعون بصلافة أكبر من بقية زملائهم، فالآخرون يعرفون ويقدرون عدم مسؤولية محمود السوادي عن صرف المرتّبات.

باع ملابسه الفاخرة واحذيته على باعة الملابس المستعملة في الباب الشرقي. ثم اتفق مع بعض أصدقائه على بيع بقية حاجياته.

ضرب موعداً معهم في مقهى إرخيته، وقبل أن يبيع هاتفه لأحد أصدقائه أجرى ثلاثة اتصالات أخيرة. الأول مع أخيه الأكبر عبد الله. قال له إنه سيعود الى ميسان في الأيام القادمة.

ـ لماذا ترجع؟ ألست مرتاحاً في بغداد؟

ـ لا .. أنا مشتاق لكم. بغداد تتجه الى حرب أهلية. أخشى ان اموت ذات صباح بمفخخة.

ـ ولكن عملك هناك. حاول ان تكون حذراً.

ـ كل الذين يموتون يومياً يأخذون حذرهم في الغالب.

ـ لا افهم يا محمود.. أنت تعرف بأن صاحبنا صار مسؤولاً كبيراً في المحافظة. ربما يتذكرك ويعمل لك مشكلة.

ـ لن يتذكرني. إنه مشغول الآن بمتع السلطة ومباهجها. موضوع مقالتي أصبح قديماً.

ـ بكيفك يا أخي.. انت تعرف نحن دائماً في شوق لك.

ـ حسناً. سأعود. لا تتصل على هذا الهاتف لأنني بعته. حين أرجع الى البيت سأتحدث معك بما جرى هنا.

ـ إن شاء الله ترجع بالسلامة.

أجرى المكالمة الثانية مع صديقه حازم عبود، وعلم منه أنه لن يعود الى بغداد إلا في الاسبوع القادم. إنه مشغول بالتصوير برفقة الوحدة العسكرية الأميركية، ولربما بعث لمحمود على بريده الألكتروني بعض الصور المثيرة للمجلة.

ـ عن أي مجلة تتحدث. لقد أغلقت. وأنا أحببت رؤيتك قبل العودة الى ميسان.

تفاجأ حازم من هذا الكلام، وظل يثرثر معه لثلاث دقائق. وبعد

أن تأكد من تعذر رؤيته لصديقه أنهى محمود الاتصال ثم عاود البحث عن اسم آخر. أو بالاحرى رقم يرمز لاسم. ظهر رقم (٦٦٦) على الشاشة فضغط عليه ووضع سماعة الهاتف على اذنه. جاءه صوت نسائي ناعم بلكنة آلية لا عاطفة فيها؛ الرقم المطلوب غير معرّف أو غير داخل في الخدمة.. يرجى...

كان يرغب بسماع صوتها. أو ضرب موعد معها لرؤيتها قبل أن يترك بغداد بشكل نهائي. لم يكن يصدق كلام السعيدي أو سائقه سلطان. إنهما يكذبان ويسعيان لتشويه صورتها. وهو يحبها، ويعرف أن لديه فرصة معها، لو أن الأمور سارت بشكل حسن، والأمور الآن سيئة جداً. ولكن الفرصة باقية. لقد تأكد، وهو يرى العالم يتداعى من حوله، ويلمس مشاعره بحرية أكبر ومن دون تأثيرات من المحيطين به، إنه يحبها، ويحبها بشدة. لا يستطيع الكذب على نفسه في هذه القضية. هي ليست أجمل امرأة، وهي أكبر منه ببضع سنين، ولكنه لو سمع صوتها الآن بدل هذا الصوت الآلي، لوجد مبرراً كافياً للبقاء في بغداد، حتى لو اضطر للسكن من جديد في فندق العروبة ذي الغرف الخانقة والرطبة. والعمل في أي صحيفة أو مطبوع مهما كان الأجر. هي وحدها من تستطيع مساعدته على تجاوز الحسابات المنطقية باتجاه شيء من الجنون. جنون وأمل يحتاجهما الآن بشدة.

ضرب على رقم هاتفها مرة ثانية فجاءه الرد الآلي. شعر بمرارة شديدة، وأن الليل يغطي بكثافة كل أرجاء روحه، وكأنه ليل لن ينتهي أبداً. فتح غطاء الهاتف المحمول ورفع البطارية ليستخرج شريحة الاتصال. ركّب البطارية من جديد وأعاد غلق الغطاء، ثم تقدم ليسلم الهاتف لصديقه الذي اشتراه منه. وضع الشريحة في جيبه ثم أخرج مسجلة الديجتال ليفاوض على بيعها.

كان قد أخبرني بكل هذه التفاصيل على مدى يومين، وكنت قد سمعت التسجيلات في مسجلة الديجتال. أثارني أن الصوت الذي فيها، والمنسوب الى الرجل الذي يسميه محمود «فرانكشتاين» صوت عميق وكأنه لمذيع معروف. شككت في أن القصة كلها مصنوعة. ولكني بعدها بأسبوع، وفي احدى ردهات مستشفى الكندي، سمعت هذا الصوت ثانية؛ حين جلست بجوار سرير رجل عجوز يدعى أبو سليم. كان يتحدث بذات النبرة، وروى لي تفاصيل مثيرة أخرى لها علاقة بقصة فرانكشتاين هذا. لم استطع التأكد تماماً ان الصوتين يعودان الى شخص واحد. ولكن القصة استغرقتني بالكامل وبدأت ابحث عن مصادر أخرى لتعزيزها.

أنهى محمود السوادي كل متعلقاته وتخلص من مطاردة موظفي مجلة الحقيقة. حزم حقيبة صغيرة كان قد جاء بها اصلاً من ميسان، وأغلق حسابه في فندق دلشاد.

ستشتعل البلاد بنيران أكثر. ومن السليم الابتعاد الى الجنوب الآن، وهذا ما سيفعله العديد من أصدقائه. سيعود فريد شوّاف الى قريته الصغيرة القريبة من ناحية الإسحاقي شمالي بغداد، سيتخلى مؤقتاً عن مجد الفضائيات والبدلات الأنيقة على الشاشات. ويذهب زيد المرشد الى الحلة، أما عدنان الأنور فسيتجه الى مدينة النجف حيث أهله واعمامه. أما حازم عبود، فبسبب عمله كمصور صحفي يرافق القطعات العسكرية الأميركية، فإنه لن يتمكن من العودة الى حي الصدر، ولن يجد، حين يعود الى بغداد، فندق العروبة قائماً في مكانه ولا أبا أنمار، وسيقيم في غرفة مشتركة في فندق بسيط آخر مع صديق يعمل في مجال التصوير أيضاً.

- ٣ -

خرج أبو سليم من مستشفى الكندي على عكازتين. جاء أولاده وأخرجوه. ولكنهم لم يذهبوا به الى بيتهم في زقاق ٧، وإنما الى بيت زوج أحدى بنات أبي سليم، ريثما ينتهون من إكمال تعمير البيت الذي تهدم قسمه الأمامي أثناء الانفجار المروع.

كانت جمعيات وجهات آثارية قد طالبت بايقاف عمليات ردم الهوة التي خلفها الانفجار، بسبب السور الذي تكشف وسط بحيرة مياه المجاري ومياه الشرب المتدفقة من الأنابيب المكسورة. وصرّح بعضهم أن هذا السور هو جزءٌ من سور بغداد العباسية. وهو أهم اكتشاف يخص الآثار الإسلامية في بغداد خلال عقود طويلة، وجازف البعض وتحدث بشيء من الجرأة عن «فضائل الإرهاب» فهو الذي مكننا من هذا الكشف الآثاري المهم. غير أن أمانة بغداد تجاهلت كل هذا الكلام واللغط وفاجأت الجميع بردم الهوة الكبيرة بالتراب، وصرح الناطق الاعلامي باسم الأمانة؛ أننا لا نفعل شيئاً سيئاً. سنحفظ هذه الآثار للأجيال القادمة وهم سيتصرفون بها حسب معرفتهم، واذا فضلوا إزالة حي البتاويين كله فهذا شأنهم، أما نحن فعلينا الآن تبليط الشارع.

خرج أبو سليم من المستشفى، ولكن شخصاً آخر من أهالي زقاق ٧ ظل هناك، إنه هادي العتاگ. كانوا قد فتحوا الضمادات عن وجهه ويديه، ولكنه لم يكن مؤهلاً للقيام من فراشه ومغادرة المستشفى. وظل، وهو على هذه الحالة، يفكّر بما جرى له، وما جرى لبيته المتهالك الذي تهدم على الأرجح وغدا خرابة حقيقية. ولكن، هل هو بيته فعلاً؟ ربما سيتأخر هنا طويلاً، وحين يخرج يجد أن فرج الدلال قام بجرف الأنقاض من البيت وبنائه من جديد وتسجيله باسمه في سجلات الشهر العقاري.

عليه أن يبقى سليماً، عليه أن ينجو من هذه المحنة أولاً، وسيجد حلاً لوضعه في ما بعد. هكذا ظل هادي يكرر أمام نفسه لكي يهدئ من روعه. مع محاولات يائسة للنهوض ومغادرة السرير بسبب شعوره بالملل من الرقاد الدائم بهذه الطريقة.

ذات مساء، وبسبب امتلاء مثانته، جرّب النهوض من سريره مرة أخرى. كان المكان هادئاً. المرضى الذين يجاورونه نائمون، والممرضون الخفر في غرفهم البعيدة. تحامل على نفسه وسحب قدميه الملفوفتين بطبقات سميكة من الشاش الطبي. ثم أنزلهما بهدوء الى الأرضية، ومسّ باصابعهما برد البلاط. بعد دقائق استطاع الوقوف بشكل متوازن، والآن عليه أن يجرب أن يخطو. كان من الممكن أن يقع على وجهه في أية لحظة، ولربما لن ينتبه إليه الممرضون الخفر إلا بعد ساعة أو ساعتين. سيكون موقفاً سيئاً لو حصل. ولكنه بدأ يتقدم، متكئاً على أسرة المرضى المجاورين. ولربما اندفع السرير ذو العجلات معه قليلاً. أمسك بالحائط، وصار يسير بخطوات بطيئة وصعبة باتجاه الحمام.

هناك، وقبل أن يفكّر بالطريقة التي سيخرج بها عضوه من أجل التبول، انتبه الى صورته المنعكسة على مرآة المغسلة. نسي مثانته الممتلئة وتقدم باتجاه المرآة، حدق بعينين متسعتين بالهيئة الجديدة التي بدا عليها وجهه. كانت النيران قد شوهته بالكامل. إنه يعرف هذا منذ ان استيقظ من غيبوبته منذ أيام، ومنذ أن رفعوا الضمادات عن يديه، فرأى الخرائط التي رسمها الحريق عليهما. ولكنه توقع أن يكون وجهه أحسن حالاً. وها هي الصدمة تعتريه. لقد غدا كائناً بشعاً، وحتى لو شفي تماماً فلن يعود الى منظره وهيئته الأولى. مسح بيده بانفعال على زجاج المرآة كي يتأكد، واقترب أكثر ليرى تفاصيل

التشوهات. أراد أن يبكي أو يفعل شيئاً. ولكنه لم يستطع فعل أي شيء سوى التحديق. ومع الإمعان بالتحديق تكشّف له أمر أعمق؛ أن هذا ليس وجه هادي العتاگ، إنه وجهٌ يعود لشخص يعرفه حقَ المعرفة، وجهٌ أقنع نفسه منذ شهر تقريباً، إنه من صنع خياله الخصب ليس إلا، وها هو يراه الآن أمامه. إنه وجه «الشِسْمه»، وجه الكابوس الذي أطبق على حياته ليخربها دون أمل بأن تعود الى حالها السابق.

أطلق هادي صرخةً بشعة فزّزت المرضى النائمين في الردهة وأرعبته هو أيضاً ففقد توازنه بسببها. انزلقت رجله المجبّسة على بلاط الحمام وسقط الى الخلف، ليرتطم رأسه بقوة بحافة مقعد التواليت ويغمى عليه.

ـ ٤ ـ

يتغير وجهه كل حين، كما قال لكبير المنجّمين في تلك الليلة التي قتله فيها، لا شيء يدوم معه سوى هذه الرغبة في الاستمرار. يقتل من أجل أن يستمر. هذا هو مبرره الأخلاقي الوحيد. أنه لا يريد الذوبان والفناء، فلا أحد يرغب بالموت من دون أن يفهم لماذا يموت، والى أين يتجه بعد الموت، وهو لا يعرف جواباً على هذين. لذلك يتشبث بالحياة، ربما أكثر من الآخرين، الذين يمنحونه حياتهم وأجزاء من أجسادهم، هكذا، بسبب الخوف. إنهم لا يدافعون عن حياتهم، لذا هو يستحقها أكثر منهم. حتى لو كانوا على يقين بأنهم غير قادرين على الانتصار عليه، عليهم ان يقاتلوه على الأقل. ليس من الشرف أن يستسلموا حتى قبل أن يخوضوا المعركة، وأي معركة، إنها معركة الدفاع عن حياتهم، حياتهم التي لا يملكون غيرها. إنها المعركة الوحيدة التي تستحق أن يخوضها الانسان في هذه الحياة.

ظلت صورته تتضخم، رغم أنها ليست صورة واحدة. ففي منطقة مثل حي الصدر كانوا يتحدثون عن كونه وهابياً، اما في حي الأعظمية فإن الروايات تؤكد أنه متطرف شيعي. الحكومة العراقية تصفه بأنه عميل لقوى خارجية، اما الأميركان فقد صرح الناطق باسم الخارجية الأميركية ذات مرة بأنه رجل واسع الحيلة يستهدف تقويض المشروع الأميركي في العراق.

ولكن، ما هو هذا المشروع يا ترى؟ بالنسبة للعميد سرور فإن مشروعهم هو خلق هذا الكائن بالتحديد، خلق هذا الفرانكشتاين وإطلاقه في بغداد. الأميركيون هم من وراء هذا الوحش.

الناس في المقاهي يتحدثون عن رؤيته خلال النهار، ويتبارى الجميع في وصف ملامحه البشعة. إنه يجلس معنا في المطاعم، ويدخل الى محال بيع الملابس، أو يركب معنا في باصات الكيا. إنه موجود في كل مكان، ولديه قدرة هائلة على التحرك بسرعة قافزاً على الأسطح والحيطان خلال الليل، ولا أحد يعرف من ستكون ضحيته القادمة. وعلى الرغم من كل التأكيدات التي تطلقها الحكومة فإن الناس صاروا، مع كل يوم جديد، على يقين أكثر بأن هذا المجرم لن يموت أبداً. فهم يعرفون جيداً تلك الحكايات التي تتحدث عن اختراق جسده بالرصاص، واستمراره بالركض رغم ذلك. يعرفون أنه لا ينزف، ولا يسمح لأحد أن يلمح شيئاً من وجهه إلا لبضع ثواني، والصورة المؤكدة عنه هي تلك التي ترقد في رؤوس الناس فحسب، تغذيها مخيلة الخوف ويضخمها اليأس من حل ما لهذا الموت المتناسل، وهي صورة تتغير وتتضاعف بعدد الرؤوس النائمة على وسائد الليل بقلق وحذر.

حتى أنا، مع استغراقي الطويل مع هذه الحكاية بت أشعر

بالخوف، وأتلفت كل حين في الشارع خلال الليل بحثاً عن الملامح المجهولة للمجرم الخطير. وبحثاً عن سبب واحد منطقي يبرر موتي على يديه.

ـ ٥ ـ

تمت إحالة العميد سرور مجيد الى التقاعد، هذه آخر معلومة حصلت عليها، ولكن العميد لم يستسلم للأمر على ما يبدو، وسعى بوساطات مع أصدقائه من الضباط القدامى الذين صاروا أفضل حالاً منه في الوضع الجديد، ونجح أخيراً باعادة نفسه الى الخدمة، ولكن ليس في دائرة المتابعة والتعقيب التي تم حلّها، وإنما في مكان ناءٍ خارج العاصمة، مجرد ضابط أمن في مديرية من مديريات الشرطة. عاد تحت بند الاستثناء من قرارات اجتثاث البعث مرّة أخرى.

قضيت أشهراً طويلة أتردد على حي البتاويين من أجل استكمال بقية أجزاء الصورة. صورة فرانكشتاين، جلست في مقهى عزيز المصري، وأجريت حديثاً قصيراً مع عزيز، ختمه بأنه لا يعرف شيئاً عن مصير هادي العتاگ منذ يوم التفجير. كان قد زاره مرتين في المستشفى، في الأولى كان هادي في الغيبوبة، وفي الثانية تحدث معه بصعوبة من خلف أربطة الشاش الطبي التي غطت وجهه وأجزاء من جسده وخمّن أنه سينجو. ثم حين جاء لزيارته في الثالثة أخبره الاطباء بأنه غادر من دون أن يعلم به أحد.

لم افلح بالحديث مع فرج الدلال. كان يقضي أغلب أوقاته داخل البيت وتسلم أحد أولاده مهام ادارة مكتب الدلالية. ومنعتني أم سليم البيضه من لقاء زوجها مرة ثانية بعد لقائي الأول المثير معه في مستشفى الكندي. لكنني اتصلت بالأب يوشيّا. زرته في الكنيسة

وعرفت منه أجزاء من حكاية أم دانيال وولدها المفقود وبناتها في أستراليا والشمّاس نادر شموني .

أفادني محمود السوادي برسائله من ميسان بآخر ما حصل له مع علي باهر السعيدي الهارب من وجه العدالة، وبعض التفاصيل التي جرت معه . وحين شاهدت صورة السعيدي هذا مع مقالة له في عدد قديم من مجلة الحقيقة تذكرت أنني رأيته سابقاً . كان ذلك في مؤتمر للمثقفين على قاعة المسرح الوطني قبل سنوات . كان رجلاً مفوّهاً ولامعاً . والكلام الذي تحدث به خلال المؤتمر أصاب الجميع بالخرس لقدرته على الاقناع . حينها شعرت بالأمل مع رجال مثله، وتمنيت لو أن أمثال السعيدي، يتجرؤون أكثر ويقتحموا حلبة السياسة ولا يتركونها لأنصاف المتعلمين والأميين .

زرت مستشفى الكندي لمرتين وعلمت من بعض العاملين ما حصل مع هادي العتاگ بعد اكتشافه لوجهه المشوه، وأكدوا لي أمر اختفائه أو هربه .

استمر «المساعد الثاني» يزودني على بريدي الألكتروني بوثائق دائرة المتابعة والتعقيب، وبالذات ما يتعلق بالتحقيقات التي كانت تجري .

كانت الوثيقة الأخيرة التي أرسلها لي تتحدث عن اعترافات المنجّم الصغير بأنه المسؤول عن مقتل أستاذه في أحد شوارع بغداد، من خلال تحريك المجرم الذي لا اسم له بواسطة الايحاء عن بعد، فنفذ الجريمة واقتطع يديه ليركبهما لنفسه . ولكن المنجّم الصغير ظل ينفي وبشدة مسؤوليته عن خلق المجرم «الذي لا اسم له» . لقد نجح في استثماره فقط . وكان يريد القضاء عليه، لولا تدخّل أستاذه الذي لم يرد ذلك . وهذا سبب الخلاف بينهما بالأساس .

كنت أكتب مع شيء من القلق والخشية أن يفتح باب غرفتي في فندق الفنار فجأة ليتم اعتقالي. وهذا ما حدث في النهاية. كانت نسخة غير مكتملة من الرواية بسبعة عشر فصلاً في يدي حين تم اعتقالي بلطف داخل الفندق وعرضي على التحقيق أمام لجنة مشتركة من ضباط عراقيين وأميركان. تمت مصادرة نسخة الرواية مني، ووجهوا لي أسئلة كثيرة. كانوا مهذبين ولطيفين. قدموا لي كأس ماء وشاياً وسمحوا لي بالتدخين. لم يزعجوني إطلاقاً. سألوني عن الوثائق التي حصلت عليها، وكيف تصرفت بها، ومن هو المساعد الثاني. اذا كان ثانياً فهذا يفترض وجود مساعد أول، وهما، الأول والثاني، لابد أنهما مساعدان لأحد ما في النهاية. هل هما مساعدان لي؟ هل أدير شبكة ما؟ ما هي صلاتي الداخلية والخارجية؟ ما هي قناعاتي السياسية؟

تم إلقائي في الحجز لعدة أيام ريثما يكمل خبراؤهم قراءة النص غير الكامل من روايتي. ثم استدعوني ذات صباح. لم يتكلموا معي كثيراً. وجدت تعهداً على طاولة المحقق. طلبوا مني أن أوقع عليه من دون أن أقرأه. خفت وأردت الاحتجاج ولكني خشيت أن يعيدوني ثانية الى الزنزانة الرطبة. وقعت على التعهد بصمت. أعادوا لي حاجياتي ومتعلقاتي الشخصية، ولكن من دون نسخة الرواية. لقد تمت مصادرتها بشكل نهائي، ويبدو انني لم أعد مخوّلاً بالتصرف بها أو إكمالها.

أطلقوا سراحي حتى من دون أن يدققوا كثيراً في بطاقتي الشخصية التي قدمتها لهم. كانت بطاقة مزوّرة، هي من ضمن بطاقات عدة أحتفظ بها لتسهيل حركتي داخل بغداد، وتجاوز نقاط التفتيش التي تقيمها بشكل مباغت، مليشيات طائفية تتقاتل مع بعضها البعض.

لم تكن هيئة تحقيق جدية. هذا ما فكّرت به وأنا أعود الى الفندق. كانوا متراخين وكأنهم يؤدون عملاً روتينياً. جلست أمام حاسوبي من جديد وأستأنفت الكتابة. بقيت على هذا الحال عدة أيام حتى تلقيت بريداً الكترونياً جديداً من «المساعد الثاني». وكانت هذه هي الرسالة الأخيرة التي أتلقاها منه، تضمنت صورة عن التقرير النهائي للجنة التحقيق. لقد تمكن من الوصول إليه ونسخه إذن.

قرأت «التقرير النهائي» بسرعة، وداهمني خوف شديد. إنهم يتجهون لإعادة إلقاء القبض علي ثانيةً. شعرت بأن تعاملهم معي سيكون مختلفاً هذه المرة.

جمعت أغراضي على عجل وتحاسبت مع صاحب الفندق ثم غادرت هارباً الى بيتي. وخلال الطريق بسيارة التكسي تذكرت هويتي المزيفة. أخرجتها من جيبي ورميتها من شباك السيارة. مفترضاً أن من يلاحقوني، كما هو حالهم مع فرانكشتاين الذي يسعون للقبض عليه من دون جدوى، لن يتمكنوا أبداً من رؤيتي ثانية.

الفصل التاسع عشر

المجرم

ـ ١ ـ

ـ قُتلَ الكوربان.

قال عبد الله بشيء من الحماسة والفرح وهو يفتح الباب على أخيه محمود، الذي كان يتناوم على سريره ليريح عينيه من القراءة المتواصلة، وهو العمل الذي ظل يداوم عليه منذ عودته الى بيته في حي الجِدَيْدَه في ميسان. اكتشف ان لديه كتباً كثيرة اشتراها ولم يقرأها أبداً، كما ان هناك بعض الكتب التي أحب أن يعيد قراءتها. لقد أوجد لنفسه مبررات كافية للبقاء في البيت وعدم الخروج، أو اشعار الآخرين بوجوده. وهذه الاحتياطات المبالغ فيها كانت بسبب إلحاح إمه، وخشيتها ان ينفذ «الكوربان» الوعد الذي قطعه على نفسه قبل سنة تقريباً بأن يقتل محمود حينما يصادفه في شوارع الِعْماره.

ربما نسي الكوربان هذا التهديد. من المؤكد أن أمثاله يطلقون تهديدات مشابهة بكثرة، وليس لديهم دفتر ملاحظات يحتفظون فيه بأسماء من يهددونهم. محمود أيضاً كان يرى أنه تشبّع بما يكفي من صخب العالم الخارجي ويحتاج الى فترة سكينة وهدوء. لن يثير قلق أمه ولن يسبب مشكلة لأحد.

استمر هذا الحال لشهرين ونصف تقريباً، وها هي فترة حبسه الاختيارية تنتهي. لقد قُتل الكوربان.

اعترضت مجموعة مجهولة طريق الكوربان على الخط السريع أثناء مروره بموكب سيارات قادماً من محافظة واسط. أمطروه بوابل من الرصاص وقتلوه مع السائق وبعض مساعديه، ولاذوا بالفرار. لقد نفذّت به عدالة الشارع على ما يبدو.

تذكر محمود نظريته عن العدالات الثلاث ولكنه لم يبد متيقناً من صلاحيتها. إنها الفوضى، ولا يوجد منطق ما خلف كل هذه الحوادث. تنشق هواءً عميقاً ورمى بحسرة مديدة. ما يهم الآن أنه تحرر من همّ ثقيل ضاغط على روحه.

ها هو يخرج من البيت. لم ترفع أمه بصرها أصلاً. كانت مطمئنة. تجول سائراً على قدميه من دون أن تكون هناك خطة محددة في ذهنه، وحين وصل الى الشارع العام تذكر أنه لم ير بريده الألكتروني منذ مدة طويلة. بالتأكيد سيجد رسائل كثيرة.

ركب في باص واتجه الى السوق. صادف هناك بعض أصدقائه. صافحهم بحرارة وسعادة، ولم يستطيعوا تبيّن سبب هذه البهجة. لم يربطوا الأمر مع الحدث الجلل الذي حصل في المحافظة هذا النهار. تركهم واتجه الى مقهى للأنترنت. جلس أمام حاسبة وفتح بريده. وفعلاً كانت هناك مئة وثمانون رسالة، أغلبها إعلانات، ولاحظ سريعاً رسالة من صديقه حازم عبود. فتحها، فوجد فيها عشر صور جديدة، تم التقاطها في أماكن مختلفة، أرياف وقرى، محلات قديمة، وبنايات اثرية. كانت صوراً جميلة، ومعها رسالة يوضّح فيها حازم موقفه، فهو على الأغلب سيحصل على لجوء الى اميركا، بسبب عمله مع القوات الأميركية. لن يستطيع العودة الى منزله خوفاً من التصفية على أيدي

٣٤١

المليشيات. شعر محمود بأن حازم يبالغ قليلاً. وانه يريد تبريراً لرغبته القديمة بالهجرة الى أميركا. الرغبة بالهجرة هي التي أنتجت كل هذا المسار الذي تحرّك فيه حازم على مدى السنوات الماضية، وها هو يصل الى مبتغاه.

هناك رسالة أثارته تضمنت دعوة للعمل مراسلاً في ميسان لصحيفة كبرى في بغداد. ثم وجد رسالة من اسم غريب، فتحها فتفاجأ انها مرسلة من نوال الوزير، تخبره فيها بأنها حاولت الاتصال به أكثر من مرّة من دون جدوى، ثم انتبهت بالصدفة الى بريده الألكتروني أسفل مقالة له في عدد قديم من مجلة الحقيقة وجرّبت أن تراسله. ثم وجد محمود أنها كتبت له أرقام هواتفها الجديدة.

ـ يجب أن تتصل بي يا محمود.

هكذا ختمت رسالتها، وشعر محمود بالارتباك. تمنى أن يفعل ذلك فوراً. يضرب رقمها في هاتفه المحمول ويسمع صوتها. كان متشوّقاً لذلك فعلاً، ولكن الرسالة اللاحقة التي فتحها أنسته كل شيء. كانت من علي باهر السعيدي. فتحها، فوجد الأسطر تتلاحق، إنها رسالة طويلة. لقد صرف الرجل وقتاً وجهداً في تدبيجها. أنشدّ محمود الى كلماتها واستغرق بشكل كامل في القراءة.

ـ ٢ ـ

عزيزي محمود

كيف أنت

لقد اتصلت بك عشرات المرات على هاتفك ولكنه مغلق دائماً. لقد قلقت عليك يا صديقي. علمت من بعض الأصدقاء بالتحقيق الذي أجري معك، لقد آلمني هذا. إنهم أوغاد حقاً. أخشى أنهم شوهوا

صورتي عندك بشكل عميق، ولربما لن انجح في تصحيح هذه الصورة، ولكنك عزيز عليّ كثيراً. وأنا بحياة أمي التي قتلها الإرهاب على الطريق الدولي في الرمادي وحياة أختيّ العزيزتين لم أسرق فلساً واحداً من هذه الدولة الجرباء، ولا من الأميركان المحتلّين. إنها مؤامرة حاكوها ضدّي ولقد نجحوا في مسعاهم، فها أنذا هارب من وجه عدالتهم المنقوصة. لقد أرادوا طردي من البلد لأنهم يعرفون أنني أحمل مشروعاً وطنياً صادقاً، ولأنهم يعرفون أن لحظة الصدام قادمة، ما بين العملاء والوطنيين الشرفاء. فأرادوا أن يتغدوا بي قبل أن أتعشى بهم.

لستَ ملزماً بتصديق كلامي. ولكني استحلفك؛ هل كذبت عليك يوماً؟ ألم ارفعك بيدي لتنال فرصتك التي تليق بك؟ هل أسأت لك أو أسأت لأحد ما على الإطلاق؟ ألم أكن خدوماً متعاوناً أساعد الجميع؟ حاول أن تتذكر وفكّر قليلاً.

ربما تتساءل لماذا اصرف هذا الوقت والجهد لأكتب لك، لماذا احرص على إقناعك بوجهة نظري. أنا غير مهتم لكل الكلام الذي قيل عني ولا لتشويه سمعتي في الصحافة، وتحويلي الى مجرم دولي ومطالبة الانتربول بملاحقتي. هذه الأشياء أستطيع التعامل معها. أنا قلبي قوي ولدي طاقة للعراك والصراع مع هؤلاء الأوغاد. وسأنتصر عليهم في يوم ما وسترى ذلك. ولكني لا أستطيع تحمّل فكرة أنني سقطت من نظرك. أنت بالذات، من دون الآخرين جميعاً، تهمني لأني أرى نفسي فيك. انت تشبهني كثيراً. حتى وان لم تر أنت هذا الشبه. أنا مؤمن بأننا متشابهان، وأنت شخص نقي وشريف، وصورتي عندك هي الأهم من كل شيء آخر.

أنت تتذكر العميد سرور مجيد، وتتذكر زيارتنا له. في ذلك اليوم، وبعد الغداء تحدث لي العميد سرور بما أخبره كبير المنجّمين

العامل لديه. لم تكن زيارتنا له من أجل شراء مطبعة ولا من أجل اجراء تحقيق صحفي معه أو أي شيء آخر. لم استطع إخبارك بالحقيقة في وقتها حتى لا اربكك، وفضّلت الاحتفاظ بها لنفسي، ولكني مضطر الآن لكشفها؛ كانت زيارتنا من أجل شيء محدد؛ أن يرى منجّموه مستقبلك أنت. مستقبل محمود السوادي. وكم كنت مذهولاً ومتفاجئاً مما سمعت. لقد قال كبير المنجّمين إن هذا الشاب، الذي هو أنت، سيكون له مستقبل باهر، سيترقى ليكون واحداً من أهم الشخصيات العراقية، ولكنه بحاجة الى تدريب. بحاجة الى مواجهة أوضاع صعبة لكي يتعلم التصرف إزاءها. لا أدري كيف تتلقى هذا الكلام الآن، ولكنك ستغدو يا محمود، وبعد خمس عشرة سنة بالضبط، رئيس وزراء العراق القادم. نعم، ستكون دولة رئيس الوزراء محمود السوادي. وأنا، منذ تلك اللحظة التي سمعت بها هذا الكلام وآمنت به، جعلتك مشروعي، ووضعت لنفسي دوراً محدداً في هذا المشروع، فأكون أنا يوحنا المعمدان وأنت المسيح. سأساعد النبتة الضعيفة لكي تغدو شجرة باسقة قوية الجذع فارعة الاغصان ومورقة.

سأعود الى بغداد قريباً يا محمود. ساسقط كل التهم بحقي، وسترى أشخاصاً يحاكمون بسبب دعاواهم الكيدية التي رفعوها ضدي. سأتصل بك من هناك لنرجع من جديد ونعمل سوية.

احرص على تذكر نبوءة كبير المنجّمين التي أخبرتك بها الآن، أو حاول ان تنساها، لا فرق، فالمحتوم سيتحقق يوماً ما.

ـ ٣ ـ

كانت قذيفة وليست رسالة. تذكر محمود معها أسلوب السعيدي في الكلام وطريقته في إقناع الآخرين بإرائه وأفكاره. لم يقاوم موجة

المشاعر التي داهمته فجأة تجاه هذا الرجل الذي ساعده فعلاً وفتح أمامه أبواب التجربة. لقد غدا أكثر نضجاً ومعرفة بسبب السعيدي. وأثاره الحديث عن النبوءات والقراءة الجديدة التي قدمها السعيدي لزيارة دائرة المتابعة والتعقيب. كان محمود إذاً في بؤرة الأحداث وهو يظن نفسه على أطرافها.

وضع يديه على الكيبورد وأراد الرد على رسالة السعيدي فوراً، كان على شفا أن يعتذر منه لسوء الظن. ولكنه تذكر سريعاً سيلاً من الصور المضادة. تذكر كلامه شبه المتوسّل والخارج من القلب وهو يدفع عن نفسه أمام المحقّقين تهمة المشاركة بالاستيلاء على ثلاثة عشر مليون دولار. تذكر أشياء أخرى أقل شأناً، ثم استحضر المواقف التي ناقض السعيدي فيها نفسه مرّة بعد أخرى، فوجد أنها كثيرة. حاول ان يتعرّف، أثناء جلوسه في مقهى الانترنت، على صورة دقيقة وثابتة عن قناعات السعيدي ومبادئه الفعلية فلم ينجح بالعثور على أي شيء، كان الرجل أشبه بقناة مجوّفة تمر عبرها سيول من الأفكار البرّاقة والمواقف الغريبة. ولم يكن شخصاً بوجهٍ محددٍ أبداً.

ظل محمود يطرق باصابعه على مفاتيح الكيبورد نقرات خفيفة، من دون أن يكتب شيئاً، وهو يغالب توتره وانفعاله، ثم انتبه إلى نفسه وهو يصك على أسنانه. تحوّلت مشاعره الآن الى غضب وانزعاج. ليس لمجرد الأشياء التي قرأها في رسالة السعيدي، وإنما لأنه نجح الآن أيضاً، هذا السعيدي، وبعد كل ما مرّ به محمود، في خداعه واستمالته لصالحه. لقد سجّل نقطةً في مرماه مرةً أخرى.

كتب بسرعة جملة واحدة (fuck you) كردٍ على رسالة السعيدي الطويلة. جعلها كبيرة وحمراء اللون. أراد الضغط على مفتاح الإرسال ولكنه توقّف. ظل متردداً لعشر دقائق تقريباً. ثم مسح الكلمتين. حوّل

رسالة السعيدي ورسالة حازم عبّود الى رسالة واحدة وأرسلها الى المؤلف. أغلق بريده وخرج من مكتب الانترنت.

سيرسل في وقت لاحق رسالة أخيرة يبين فيها للمؤلف سبب تردده. خرج الى الشارع وظل يسير. اخرج سيجارة وبدأ يدخن وهو ينظر الى تلبّد السماء بالغيوم. من المؤكد أنها ستمطر. إنها أيام مشابهة لتلك التي عاشها في بغداد قبل عام. في هذه الفترة بالضبط التقى بعلي باهر السعيدي ونوال الوزير والآخرين.

سار باتجاه السوق وهو يفكّر؛ ماذا لو كان كلام السعيدي حقيقياً؟ إنها خيالات وأكاذيب. السعيدي يعدّ ويهيء لمصيبة جديدة يركّبها في رأس محمود المغفّل. ولكن، ماذا لو أن هذا الكلام الخيالي والخرافي كان حقيقياً بنسبة واحد بالمئة؟ أليست الحياة مزيجاً من احتمالات ممكنة وأخرى صعبة وغير متوقعة؟ ألا يمكن أن تكون يد السعيدي التي يمدها مرّة ثانية لمحمود هي من بين هذا الصعب وغير المتوقع؟

من أجل ذلك لم يرد محمود على رسالة السعيدي بشكل سلبي، ولكنه لم يردّ أيضاً بأي شيء آخر. ترك نفسه في منطقة غائمة، كما هو شكل السماء في هذا النهار، مجرّباً أن يستخدم مع السعيدي اسلوب السعيدي نفسه؛ ادخال الآخرين في حالة من عدم الحسم بشأن مواقفه الحقيقية والنهائية.

ـ ٤ ـ

في الحادي والعشرين من شباط عام ٢٠٠٦ أعلنت القيادات الأمنية العليا في بغداد عن إلقاء القبض أخيراً على المجرم الخطير، الذي تسميه بعض التقارير بـ«المجرم أكس»، ويسميه الأهالي «الشِسْمه» وله أسماء أخرى عديدة.

هذا المجرم كان مسؤولاً عن عمليات قتل مروّعة جرت على مدى العام الماضي داخل بغداد، أثارت الرعب والهلع في نفوس الناس، الأمر الذي هدّد العملية السياسية كلها بالانهيار. عرضوا صورة كبيرة له من خلال عارضة الشرائح على شاشة كبيرة. ونطقوا اسمه؛ إنه المجرم هادي حسّاني عيدروس، من سكنة حي البتاويين في بغداد، والملقّب بـ«هادي العتاگ».

كان المتهم قد اعترف بكل الجرائم المنسوبة إليه، ومنها قيادته لعصابة قتل وتقطيع اشلاء الضحايا وتوزيعها على الأزقة في احياء بغداد من أجل اشاعة الرعب والخوف. وتخطيطه لعملية تفجير فندق السدير نوفوتيل بسيارة نفايات مفخخة قادها انتحاري من أتباعه، وقتله لعدد من الضباط الأجانب من المتعاقدين الأمنيين، والتفجير المروّع في حي البتاويين الذي اسقط ضحايا وهدم عدداً من البيوت وكلّف العراق خسائر لا تقدّر بثمن في تراثه العمراني. يضاف الى ذلك تورّط المجرم في أحداث العنف الطائفي، وقيامه بتنفيذ عمليات قتل بالأجرة لصالح عصابات وأطراف ينتمي أفرادها الى مختلف مكونات الشعب العراقي.

شاهد عزيز المصري وجه صديقه الحميم على شاشة التلفزيون ولم يتعرّف عليه. لم يكن هو هادي العتاگ، وهذا ما أكده أيضاً أغلب الجالسين في المقهى. كان منظر هذا المجرم بشعاً، وهو بالتأكيد ليس هادي العتاگ، ولكن المجرم حين تحدث من خلال التسجيلات المعروضة عن اعترافاته أثار الارتباك في نفس عزيز المصري، فالصوت يشبه صوت هادي، ولكن، كيف يكون قاتلاً؟ هل من المعقول أن يكون هو نفسه هذا المجرم الخطير الذي يتحدث عنه الناس؟ هل من المعقول أن تكون حكاياته الخرافية التي ادمن سردها

هنا على تخت المقهى حكايات حقيقيّة. ربما كانت من وحي جرائمه التي يرتكبها بتكتم وسرية ودون علم أحد؟

لم يفكّر محمود السوادي بذلك، وهو يشاهد مع العائلة على التلفزيون في صالة البيت وجه هادي العتاگ المشوّه. إنهم يرتكبون خطأ جسيماً آخر ليس إلا. إنهم يريدون غلق هذا الملف بأي طريقة. من المستحيل أن يكون هذا الرجل العجوز مجرماً خطيراً. لقد جلس معه طويلاً وتحدثا سوية. إنه سكير ذو وضع نفسي مضطرب وخيال جامح ليس إلا، وقصته عن «الشِسْمه» ما زالت تثير في نفس محمود أسئلة كثيرة، كانت قصة بارعة وعميقة الدلالة، ومن المستحيل أن يكون هادي هو «الشِسْمه» ذاته. كان هادي مضطرباً ومرتبكاً على الدوام ولا يملك شيئاً من بلاغة وهدوء «الشِسْمه» الذي سمع محمود أحاديثه الطويلة والغريبة من خلال مسجلة الديجتال.

ـ ٥ ـ

امتلأت سماء بغداد بالإطلاقات النارية على إثر سماع الخبر، وكانت حالة من الفرح العارم والهستيري تسيطر على الجميع، وبالذات في حي البتاويين. لم يصدّق أحدٌ أن المجرم المخيف هذا كان يسكن بينهم، ولكن ما تقوله الحكومة صحيح. وهم سعداء الآن لأنهم تخلصوا من عدو كان ينام بينهم، ومن مجرم أرعب الناس على مدى عام.

خرجت أم سليم البيضه لترقص في الزقاق محرّكةً أساورها الذهبية التي تطوّق ذراعيها البيضاوين، وظل زوجها ينظر من فتحة الباب على استحياء وهو يدسَ يديه في جيبي بيجامته البازة. خرجت العجوز الأرمنية فيرونيكا لترمي الملبس والحلوى على رؤوس الأطفال

في الزقاق، ورغم الغيوم السوداء التي كانت تتكاثف في سماء المدينة وتنذر بمطر وشيك إلا ان أناساً كثراً ظلوا يرقصون في الشوارع والأزقة وعلى أسطح البنايات لأكثر من ساعة. لقد انتهت جميع مشاكلهم، أو هكذا يوهمون أنفسهم، ولا بأس. إنهم يتذوقون نوعاً من الفرح لم يمر على أرواحهم من قبل. وأؤلئك الذين تذوقوا مثله سابقاً نسوا طعمه بسبب الكوارث التي حلّت بالبلاد طوال العقود الماضية والتي تُفقد الانسان ذاكرته. كان الجميع سعيداً، حتى فرج الدلال الذي استغرق بحالة من التشاؤم والقنوط منذ حادثة التفجير المروعة في زقاق ٧. بدا سعيداً وهو يرفع يديه في الهواء مهللاً فرحاً. اقتنع عزيز المصري بسرعة، وهو يرى احتفالات الناس العفوية، بأن هذا المجرم الخطير ليس هادي العتاگ أبداً، من المستحيل ان يكون هو، وخرج يرقص أمام المقهى أيضاً.

غطت سحابة السعادة الهائلة الجميع وغرقوا بحالة من الفرح الطفولي. ما سوى أشخاص معدودين لم يكن أحد يلحظهم وسط الصخب الجماعي، كما أن أحداً لم يكن قادراً، حتى لو حاول، على الانتباه لتلك الاعين الخجولة التي كانت تنظر من خلف الشرفات والشبابيك وتراقب الفرح العفوي للناس. لم يكن لدى أحد أيضاً أي فضول للنظر الى شبابيك فندق العروبة المهجور، ومحاولة التأكد من وجود مراقبين في طوابقه العليا.

لم يعد الفندق، منذ أن نزع فرج الدلال، رقعته التعريفية، يحمل اسماً محدداً. لم يعد فندق «العروبة»، ولم يصبح فندق «الرسول الأعظم» كما كان يخطط فرج الدلال، بسبب حالة التشاؤم التي سيطرت عليه، وشعوره بأن هذا الفندق أصابه بالنحس. لقد خسر جزءاً كبيراً من ثروته على عقارين تهدم الأول منهما بالكامل، وتخرّب

الثاني وتصدعت جدرانه وأرضيات طوابقه بشكل كبير. ويحتاج من أجل اعادة ترميمه الى صرف ثروة لا يملكها الآن، أو لا يريد ان يجازف أكثر بما تبقى لديه في سبيل بناية مشؤومة. ترك الفندق على حاله مهجوراً وخرباً وآيلاً للسقوط. ولم يلتفت إليه ثانية. ولم يعد معنياً بمن يدخل إليه أو يخرج منه. كانت القطط تتخذه مبيتاً، ولربما استخدمه بعض الشباب الصغار كمكان للقاءات الغرامية العجولة. ربما حدثت أشياء أكثر صخباً في هذا المكان، ولكن لا أحد يعلم على وجه الدقة. كان القط نابو يتجوّل في بناية الفندق المهجورة. بالإضافة الى شبح رجل مجهول يقف منذ ساعة عند النافذة العارية من احدى غرف الطابق الثالث يراقب احتفالات الناس بصمت وهو يدخّن. ناظراً كل حين الى تلبّد السماء بالغيوم الداكنة أكثر فأكثر.

ارتقى «نابو» على السلالم التي تمزق الكاربت الذي يغطيها منذ زمن بعيد. قفز القط العجوز على أرجل كراس خشبية محطمة، ثم تقدم الى شبح الرجل الواقف أمام النافذة. تمسّح برجله اليسرى بشكل دائري، ثم رفع رأسه وأطلق مواءً خفيفاً وكأنه يستجدي شيئاً. رمى الرجل سيجارته من النافذة وانتبه الى صخب فرقة شعبية مرّت بموسيقاها فجأة من أمام الفندق، يتبعها حشد كبير من الأطفال المهللين والمصفقين. أرعدت السماء ثم هطلت بأمطارها أخيراً، وركض الناس هاربين الى بيوتهم، انقطعت الموسيقى والأصوات المحتفلة. ولم يتبق غير صوت المطر وهو يزداد حدة.

أقعى الرجل يداعب القط ويمسح على جسده العجوز الذي تساقط معظم شعره. ظل يلعب معه ويمازحه وكأنهما صديقان حميمان.

بغداد

٢٠٠٨ ـ ٢٠١٢

إشارات

ـ لا توجد دائرة رسمية عراقية باسم «دائرة المتابعة والتعقيب»، بالوصف الذي وردت فيه داخل الرواية، لا بالأشخاص والأسماء ولا بالمهام أو الأحداث، وأي تشابه بينها ودائرة فعلية لها الاسم نفسه فهو أمر غير مقصود.

ـ الكورباان: هو حشرة «**السرعوف**» أو «فرس النبي»، وفي اللهجة الدارجة العراقية الجنوبية يوصف أحياناً الشخص الطويل ذو البنية الخشنة بالكورباان.

ـ الشِسْمه: (اللي شو اسمه) مفردة عراقية دارجة، ويقصد بها حرفياً: الذي لا أعرف، أو لا أتذكر، ما هو اسمه.

ـ كلاوچي: بالجيم المثلثة، مفردة عراقية دارجة، ومعناها المخادع، قد تكون تحريفاً للمفردة الانگليزية (clown). أو تسمية شعبية قديمة لمهنة المهرّج.

الفصول

التقرير النهائي ٧
الفصل الأول: المجنونة ١١
الفصل الثاني: الكذّاب ٢٥
الفصل الثالث: روح تائهة ٤٣
الفصل الرابع: الصحفي ٤٩
الفصل الخامس: الجثة ٦٣
الفصل السادس: الحوادث الغريبة ٧٩
الفصل السابع: أوزو وبلوديميري ١٠١
الفصل الثامن: أسرار ١٢٣
الفصل التاسع: تسجيلات ١٤٠
الفصل العاشر: الشِسْمه ١٥٦
الفصل الحادي عشر: تحقيق ١٨١
الفصل الثاني عشر: في زقاق ٧ .... ٢٠٣
الفصل الثالث عشر: الخرابة اليهودية ٢٢٦
الفصل الرابع عشر: متابعة وتعقيب ٢٤٧
الفصل الخامس عشر: روح تائهة ٢٦٠
الفصل السادس عشر: دانيال ٢٧٩
الفصل السابع عشر: الانفجار ٣٠٠
الفصل الثامن عشر: المؤلف ٣٢٣
الفصل التاسع عشر: المجرم ٣٤٠